Nederlands op niveau

www.coutinho.nl/nederlandsopniveau

Met de code in dit boek heb je toegang tot je online studiemateriaal. Dit materiaal bestaat uit beeldfragmenten, liedjes, ingesproken leesteksten en vocabulaire, grammatica-, prepositie- en vocabulaireoefeningen en oefeningen met onregelmatige werkwoorden en specifieke staatsexamenopdrachten. Voor docenten zijn een uitgebreide docentenhandleiding en een toetsbank beschikbaar.

Om je studiemateriaal te activeren heb je onderstaande code nodig.
Ga naar **www.coutinho.nl/nederlandsopniveau** en volg de instructies.

0001-7848-A273-3401-5CFB

C 12

Nederlands op niveau

Methode Nederlands voor hoogopgeleide anderstaligen

Berna de Boer
Ronald Ohlsen

Tweede, herziene druk

uitgeverij coutinho | C

bussum 2019

Eerste druk 2007

Tweede, herziene druk 2015, vierde oplage 2019

Uitgeverij Coutinho

Postbus 333

1400 AH Bussum

info@coutinho.nl

www.coutinho.nl

Omslag: studio Pietje Precies bv, Hilversum

Foto's omslag: Martinitoren Groningen: Sander van der Werf / shutterstock; Voetbaltribune: fstockfoto / shutterstock; Cursisten: Angelique Boyer; Skyline Rotterdam: Artur Bogacki / shutterstock

Illustraties binnenwerk: zie website www.coutinho.nl/nederlandsopniveau

Noot van de uitgever

Wij hebben alle moeite gedaan om rechthebbenden van copyright te achterhalen. Personen of instanties die aanspraak maken op bepaalde rechten, wordt vriendelijk verzocht contact op te nemen met de uitgever.

De personen op de foto's komen niet in de tekst voor en hebben geen relatie met hetgeen in de tekst wordt beschreven.

ISBN   978 90 466 0441 1

NUR   624

Voorwoord

Naar aanleiding van het succes van de eerste uitgave van *Nederlands op niveau* (2007) vroeg Uitgeverij Coutinho ons om te komen met een nieuwe, geheel herziene editie. Daarmee ontstond voor ons de welkome mogelijkheid om de methode te actualiseren en de verbeteren op basis van de ervaringen die met de eerste editie in de afgelopen zeven jaar zijn opgedaan. Het boek dat nu voor u ligt is het resultaat van een grondige herziening waarin het goede behouden is gebleven.

Nederlands op niveau is een methode voor hoogopgeleide anderstaligen die in staat zijn te luisteren, lezen, schrijven en spreken op B1-niveau in termen van het Europees Referentiekader. De nieuwe uitgave biedt taalleerders de mogelijkheid om hun woordenschat uit te breiden met frequente woorden die betrekking hebben op actuele thema's en stimuleert hen om hun taalvaardigheid te verbeteren aan de hand van praktische grammaticale aanwijzingen. Interessante teksten, uitdagende oefeningen en heldere toelichtingen zorgen voor een grote variatie in de stof en brengen de taalleerder op een didactisch onderbouwde wijze van B1- naar B2-niveau. Dat maakt dat deze methode onder meer zeer geschikt is als voorbereiding op het Staatsexamen NT2 II. Voor hen die het boek met dat doel willen gebruiken zijn er dan ook specifieke examenopdrachten opgenomen.

Nederlands op niveau is opnieuw ontwikkeld in de praktijk. Al het materiaal is, voordat het werd opgenomen, meerdere malen uitgeprobeerd in cursussen gegeven aan het Talencentrum van de Rijksuniversiteit Groningen. Wij bedanken de docenten die bereid waren om delen van proefversies te integreren in hun lessen en stellen hun constructief commentaar bijzonder op prijs. Tevens gaat onze dank uit naar de vele cursisten die blijk gaven van hun enthousiasme over de methode en die ons suggesties voor verbetering aan de hand hebben gedaan.

Ook bedanken wij de leden van de externe klankbordgroep die feedback hebben gegeven op de opzet van het boek en zo aan verbetering hebben bijgedragen.

Een speciale vermelding verdienen onze collega's Margaret van der Kamp en Birgit Lijmbach, die meegedacht hebben, materiaal hebben uitgeprobeerd en opdrachten hebben gemaakt. Zonder het vertrouwen en de medewerking van Anje Dijk, directeur van het Talencentrum van de Rijksuniversiteit Groningen, was het niet mogelijk geweest dit boek te schrijven.

Ten slotte hopen we dat er iets van het plezier waarmee we aan dit boek hebben gewerkt zichtbaar is geworden in het resultaat, opdat het in de les NT2 voor docenten én cursisten zal gaan fungeren als een aangename basis voor vele uren boeiend en effectief taalonderwijs.

Berna de Boer & Ronald Ohlsen,
februari 2015

Website

www.coutinho.nl/nederlandsopniveau

Bij dit boek hoort een website. Daarop vind je bij elk hoofdstuk

- **luisteren** links naar de beeldfragmenten bij de luisteroefeningen en ingesproken leesteksten, liedjes, vocabulaire, spreek- en luisteroefeningen en kaderteksten;

- **oefenen** digitale oefeningen voor het oefenen van grammatica, preposities, onregelmatige werkwoorden en vocabulaire, en bij de eerste hoofdstukken ook oefeningen voor verstavaardigheid;

- **links** links naar websites en beeldfragmenten waarnaar verwezen wordt in de opdrachten.

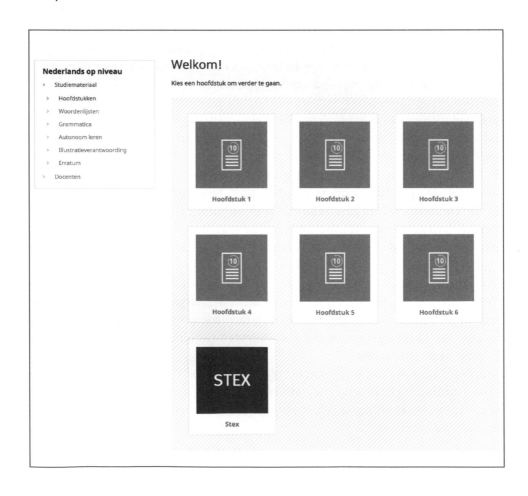

Verder kun je bij het onderdeel **Stex** verder oefenen voor het Staatsexamen. Je vindt daar extra lees-, luister-, schrijf- en spreekopdrachten die lijken op de opdrachten uit het Staatsexamen. Ook feedback op de foutieve antwoordalternatieven vind je daar, evenals beoordelingsmodellen voor schrijven en spreken.

Daarnaast vind je er woordenlijsten, een grammaticaoverzicht en links naar handige websites voor autonoom leren.

Docenten kunnen via de website een handleiding aanvragen met kopieerbladen, transcripties van de beeldfragmenten en een toetsenbank.

Inhoud

Beste cursist,

Voor je ligt *Nederlands op niveau*. Met *Nederlands op niveau* leer je op een actieve en creatieve manier Nederlands. We vinden het belangrijk dat je het boek goed kunt gebruiken. Daarom geven we je op deze bladzijden informatie over het boek en de pictogrammen, en krijg je een paar tips.

Dit is het pictogram voor **lezen**.
Het boek heeft zes hoofdstukken. In elk hoofdstuk vind je twee teksten met een vocabulairelijst. Je hoeft de teksten niet woord voor woord te begrijpen. Je hoeft dus niet ieder woord op te zoeken. Het gaat erom dat je de grote lijn begrijpt. Met behulp van de vragen bij de teksten kun je bepalen of je de grote lijn hebt begrepen.
De leesteksten en het bijbehorende vocabulaire zijn ook ingesproken. Je vindt ze op de website onder de knop 'luisteren'.

Dit is het pictogram voor **vocabulaire.**
Vocabulaire is heel belangrijk. Als je de 5000 meest frequente woorden kent, ken je circa 95% van de woorden in een B2-tekst. Daardoor lees en luister je gemakkelijker en sneller en zul je ook beter gaan spreken en schrijven. We hebben daarom bij de teksten vocabulairelijsten met voorbeeldzinnen en opdrachten (ook op de website) gemaakt. Ook hebben we hoogfrequente woorden geselecteerd. De frequentieklasse van de woorden staat aangegeven in de vocabulairelijst aan het eind van elk hoofdstuk en in het register. Je leert die woorden niet alleen te begrijpen, maar ook te gebruiken. Daarnaast bieden we bij teksten vocabulaire vooraf aan. Dit zijn woorden of uitdrukkingen die je niet actief hoeft te beheersen. Ze staan in de tekst aangegeven met een *.

Dit is het pictogram voor **spreken**.
Je leert Nederlands omdat je graag in het Nederlands wilt communiceren. Daarom vind je veel (functionele) spreekopdrachten in dit boek. De opdrachten sluiten onder meer aan bij het onderdeel Gesprekken voeren en Monologen uit het Europees Referentiekader op B2. Je doet deze opdrachten samen met je medecursisten. Gebruik bij de spreekopdrachten ook de woorden uit de vocabulairelijsten.

Dit is het pictogram voor luisteren.
Bij elk hoofdstuk vind je meerdere beeldfragmenten met vragen. Deze frag-menten hoef je niet volledig te begrijpen. Als je de vragen kunt beantwoor-den, heb je in ieder geval het belangrijkste begrepen. Toch wil je soms ook weten wat er precies wordt gezegd. Je kunt zelfstandig het fragment nog een aantal keren beluisteren. Elke keer zul je meer begrijpen. Je kunt na het luisteren ook de uitgeschreven tekst van het fragment lezen. De fragmenten en de teksten vind je op de website onder de knop 'luisteren'.

 Dit is het pictogram voor schrijven.
In elk hoofdstuk vind je functionele schrijfopdrachten. De opdrachten slui-ten onder meer aan bij het onderdeel Schrijfvaardigheid uit het Europees Referentiekader op B2.
Gebruik de vocabulairelijsten als je een tekst schrijft.

 Dit is het pictogram voor grammatica.
Je leert in dit boek hoe je de grammatica kunt gebruiken. In het boek krijg je vragen over zinnen met een bepaalde constructie of wordt je kennis geac-tiveerd. Zo ontdek je zelf de regels. Probeer bij spreek- en schrijfopdrachten de grammaticaregels te gebruiken die je hebt geleerd.

> In het boek zijn ook **tips** opgenomen. We geven je hierbij informatie waarmee je je Nederlands zelfstandig kunt ver-beteren, of informatie over het gebruik van strategieën.

In het boek zijn korte stukken tekst opgenomen die te maken hebben met de Nederlandse **geschiedenis en cultuur.** Taal en cultuur zijn met elkaar verwe-ven. Je krijgt in de tekstjes achtergrondinformatie over bepaalde zaken die in het boek ter sprake komen.

 Dit is het pictogram voor staatsexamenopdrachten. Aan het eind van het boek is het de bedoeling dat je niveau van het Nederlands zodanig is, dat je met succes kunt deelnemen aan het Staatsexamen NT2, programma II. Een aantal opdrachten die vergelijkbaar zijn met opdrachten van het staatsexa-men zijn geïntegreerd in de hoofdstukken. Dat geldt vooral voor spreek- en schrijfopdrachten.
Vanaf hoofdstuk 4 vind je aan het eind van het hoofdstuk expliciete exa-menopdrachten spreekvaardigheid. De opdrachten voor lezen, luisteren en schrijven staan op de website.

Dit is het pictogram voor de **website**.
In de hoofdstukken wordt vaak naar de website verwezen omdat daar iets te vinden is wat je kunt gebruiken bij een opdracht. Denk bijvoorbeeld aan een link naar een beeldfragment of een ingesproken tekst.
Aan het einde van elk hoofdstuk zie je dit pictogram bij een verwijzing naar de website voor nog veel meer materiaal. Informatie hierover vind je op bladzijde 7.

We wensen je veel plezier met *Nederlands op niveau*!

Berna de Boer en Ronald Ohlsen

1

Positief

 OPDRACHT 1 Positieve eigenschappen

1 Kies uit de onderstaande wolk de vijf eigenschappen die jij belangrijk vindt voor een partner.
2 Kies ook de vijf eigenschappen die volgens jou het meest op jezelf van toepassing zijn.
3 Werk in tweetallen. Vergelijk jullie lijstjes. Hebben jullie bij vraag 1 dezelfde positieve eigenschappen opgeschreven?
4 Bespreek samen waaróm je de keuzen bij vraag 1 hebt gemaakt. Leg ook uit waarom je denkt dat de eigenschappen die je bij vraag 2 opschreef, op jou van toepassing zijn.
5 Probeer nu te komen tot een top vijf van eigenschappen die jullie allebei belangrijk vinden voor een partner.

aardig ▪ attent ▪ behulpzaam ▪ betrouwbaar ▪ bescheiden ▪ briljant ▪ charmant ▪ creatief ▪ dapper ▪ eerlijk ▪ elegant ▪ energiek ▪ enthousiast ▪ fantasierijk ▪ filosofisch ▪ flexibel ▪ galant ▪ gastvrij ▪ gedreven ▪ geduldig ▪ gemotiveerd ▪ geniaal ▪ getalenteerd ▪ gevoelig ▪ gewetensvol ▪ gezagsgetrouw ▪ gezellig ▪ goedhartig ▪ grappig ▪ handig ▪ heroïsch ▪ humoristisch ▪ idealistisch ▪ inspirerend ▪ intelligent ▪ interessant ▪ inventief ▪ knuffelbaar ▪ krachtig ▪ leergierig ▪ lenig ▪ leuk ▪ lief ▪ modern ▪ moedig ▪ netjes ▪ normaal ▪ nuchter ▪ ondernemend ▪ ondeugend ▪ openhartig ▪ optimistisch ▪ passievol ▪ populair ▪ poëtisch ▪ pragmatisch ▪ progressief ▪ realistisch ▪ respectvol ▪ romantisch ▪ ruimdenkend ▪ rustig ▪ schattig ▪ sensueel ▪ slim ▪ smaakvol ▪ sociaal ▪ spiritueel ▪ stijlvol ▪ stoer ▪ sympathiek ▪ tactisch ▪ tolerant ▪ trots ▪ trouw ▪ vastberaden ▪ verantwoordelijk ▪ vergevensgezind ▪ verleidelijk ▪ verstandig ▪ vitaal ▪ vriendelijk ▪ vrijgevig ▪ warm ▪ welgemanierd ▪ wijs ▪ zacht ▪ zelfbewust ▪ zelfstandig ▪ zorgzaam

Grammatica – conjuncties en adverbia (1)
Werk in groepjes van drie. Vertel aan elkaar wat je weet over:

- de woordvolgorde in een zin als *Ik vind hem heel sympathiek*.
- de woordvolgorde in een zin als *Daarom is het een effectieve maatregel*.
- de woordvolgorde in een zin als *Het is een aantrekkelijke baan, maar je moet wel flexibel zijn*.
- de woordvolgorde in een zin als *Je moet hard werken, als je succesvol wilt zijn*.
- de woordvolgorde in een zin als *Als je succesvol wilt zijn, moet je hard werken*.
- de woordvolgorde in een zin als *Ik weet niet hoe laat hij morgen komt*.

OPDRACHT 2

Werk in tweetallen. Beantwoord de volgende vragen en begin zoals aangegeven.

1 Is hij een gemotiveerde leerling?   Ja, hij is een gemotiveerde leerling, want …
2 Wanneer is iemand romantisch?   Iemand is romantisch als …
3 Vind je haar aantrekkelijk?   Ja (ik vind haar aantrekkelijk), hoewel …
4 Waarom vind je hem sympathiek?   (Ik vind hem sympathiek), omdat …
5 In welke situatie ben jij romantisch?   (Ik ben romantisch) wanneer …
6 Zijn Nederlanders altijd nuchter?   Ja, tenzij …
7 Wanneer was je trots op jezelf?   Toen …
8 Is ze een aardige docent?   Ja, maar …
9 Is hij een getalenteerd persoon?   Ik weet niet of …
10 Ben jij leergierig?   Zolang …

OPDRACHT 3

Vul het juiste woord in.

1 Kies tussen *omdat* en *daarom*.

   a Ze heeft goede studieresultaten, ___omdat___ ze heel slim is.

   b Ze is heel slim. ___Daarom___ heeft ze goede studieresultaten.

2 Kies tussen *doordat* en *daardoor*.

   a Er was een stroomstoring. ___doordat___ hadden we een half uur geen elektriciteit.   *daardoor* b We hadden een half uur geen elektriciteit, _____*doordat*_____ er een

stroomstoring was.

3 Kies tussen *voordat* en *daarvoor*.

a Je stapt de trein in. _____*Daarvoor*_____ moet je eerst inchecken. *adv.*

b Je moet eerst inchecken, _____*voordat*_____ je de trein instapt. *conj*

4 Kies tussen *nadat* en *daarna*.

a De kamer was heel netjes, _____*nadat*_____ we alles hadden opge- *conj.*

ruimd.

b We hadden de kamer opgeruimd. _____*Daarna*_____ was hij heel *adv.*

netjes.

OPDRACHT 4

Vergelijk het linkerrijtje met het rechterrijtje.

because – conj.
because – conj.

omdat	en	daarom	— *so, thus – adverb*
doordat	en	daardoor	— *so, through that, thus*
voordat	en	daarvoor	
nadat	en	daarna	

Wat kun je zeggen over:

- de woordvolgorde van de zin;
- de betekenis;
- de volgorde van de informatie? *'order'*

het resultaat ↓ result (conj) *reden reason*
reason (adv.) *consequence*
de reden *het gevolg*

Maak nu zelf zinnen met de bovenstaande woorden zodat de verschillen in woordvolgorde duidelijk worden.

Voegwoord – conjunction

bijwoord – adverb

adequately adequtely

Taalbiografie

Je bent aan het begin van een nieuw boek. Je spreekt behoorlijk Nederlands. Is je niveau ongeveer B1 van het Europees Referentiekader? Vul de Checklist B1 in (bijlage 1a).

Welke punten uit de checklist vind je nog moeilijk? Kies drie dingen. Dit zijn je focuspunten.

Hoe leer je een taal en wat is jouw ervaring met het leren van een taal?
Schrijf een tekst. Geef in die tekst antwoord op de volgende vragen:

- Wat is je moedertaal?
- Welke andere talen spreek je en hoe goed? Hoe heb je die talen geleerd?
- Leer je makkelijk een nieuwe taal?
- Heb je plezier in taal of heb je er een hekel aan?
- Wat vind je leuk, moeilijk, grappig, vervelend aan taal?
- En wat vind je van het Nederlands? Welke onderdelen zijn lastig of juist leuk?
- Wat helpt jou om een taal te verwerven?
- Wat wil je in deze cursus leren?
- Wat zijn je focuspunten uit de checklist? Hoe ga je ze verbeteren?

Willem van Oranje

Waarom is de kleur oranje toch zo populair in Nederland? Dat heeft te maken met de naam van een van de grootste helden uit de Nederlandse geschiedenis: Willem van Oranje (1533-1584). Het gebied dat nu Nederland heet, hoorde in de zestiende eeuw bij het Spaanse Rijk. Dat rijk besloeg een groot gedeelte van Europa en werd bestuurd door Filips II. Hij eiste dat alle inwoners rooms-katholiek werden. In de gebieden ten noorden van Brussel woonden veel protestanten. Zij kwamen in opstand en begonnen een oorlog die tachtig jaar duurde en eindigde met de erkenning van de Republiek der Zeven Verenigde Nederlanden. De leider van de opstand was Willem van Oranje. Hij werd tijdens de oorlog vermoord. Hij wordt ook wel de Vader des Vaderlands genoemd.

OPDRACHT 5 Vertel over je held

— consider *regard as*

Bereid een presentatie van twee minuten voor over iemand die je beschouwt als jouw held. Het mag iemand zijn die beroemd is in de hele wereld, maar het mag ook iemand zijn die vooral in je geboorteland bekend is. Eventueel mag je iets vertellen over een familielid dat je heel dierbaar is. Je moet in alle gevallen vertellen:

- wie deze persoon is;
- waarom deze persoon zo belangrijk is;
- waarom deze persoon zo belangrijk is voor jou.

Neem je presentatie op op een voicerecorder of smartphone.
Beoordeel thuis je presentatie. Gebruik daarvoor het beoordelingsformulier dat je van je docent krijgt.

OPDRACHT 6 Vocabulaire vooraf

Vocabulaire vooraf hoef je niet actief te beheersen. De woorden staan in de tekst erna aangegeven met een *.
Combineer het idiomatisch taalgebruik in het linkerrijtje met de betekenis in het rechterrijtje.

1 ergens van opkijken

2 het positiefste wat ervan af kan

3 iets niet uitvlakken

a het grootste compliment dat gegeven wordt

b iets niet onderschatten
↳ underestimate

c verbaasd zijn over iets

Complimentendag

Paulien Cornelisse

5 Vandaag is het Complimentendag.
Nou is elke dag wel een dag van
iets. Sinds 'het jaar van de aardap-
pel' kijk ik nergens meer van op*.
Maar goed, de dag van de compli-
10 menten. Die bestaat sinds 2003,
geldt wereldwijd, maar is begonnen
in Nederland. We hadden het nodig, denk ik.

15 Nederlanders zijn van nature niet
snel geneigd elkaar te complimenteren. 'Lekker bezig!' is zo'n beetje
het positiefste wat ervan af kan*.
En dat wordt eigenlijk ook al vaker
20 ironisch dan niet-ironisch gebruikt.

In andere landen kunnen ze het
beter. In Amerika natuurlijk, waar
het redelijk normaal is om elkaar
25 op dagelijkse basis toe te roepen:
'You are absolutely amazing!' Maar
vlak ook de Japanners niet uit*.
Die verheffen zo af en toe een (nog
levende) persoon tot cultureel
30 erfgoed. Dat zie ik in Nederland
nog in geen duizend jaar gebeuren.
(En wie moet je dan kiezen? Rem
Koolhaas? Freek de Jonge?)

35 Complimenten geven kan ook
best moeilijk zijn. Iedereen heeft
natuurlijk ervaring met het
ontvangen van een 'beledigend
compliment': 'Leuk dat je zo lekker

40 zelfverzekerd in het leven staat ondanks je overgewicht!'
Beledigende complimenten
worden meestal gegeven door
feeksachtige vrouwen. Maar stel je
45 voor dat je per ongeluk een beledigend compliment maakt! (Uit mijn
beginperiode als cabaretier, een
enthousiaste vrouw komt op mij af
en zegt: 'Leuk! Je moet aan caba-
50 ret gaan doen.' Ik: 'Maar dit was al
cabaret.')

Misschien is het geven van complimenten voor Nederlanders wel
55 extra moeilijk, omdat er haast altijd
een hiërarchie mee wordt gesug-
gereerd. Een beetje landheer-te-
gen-butler-achtig: 'Zo James, de
rozen staan er weer keurig bij.'
60 Degene die het compliment geeft,
beweert impliciet dat hij er iets
over te zeggen heeft.

Aan de andere kant kan een
65 compliment ook juist iets onder-
geschikts, iets kruiperigs hebben:
'Zó gaaf dat je meedoet aan de ta-
lentenjacht! Dat zou ik echt never
durven. Never.'
70
Nederlanders zijn natuurlijk ook
maar mensen, en daarom zijn ze
soms bazig en soms kruiperig.
Maar toegeven dat dit soort hiërar-
75 chieën er zijn – dat is niet Nederlands.

Uit: *NRC Handelsblad*, 5 maart 2013

*Zie de vocabulaire vooraf in opdracht 6.

OPDRACHT 7 Complimentendag

Lees de tekst en beantwoord de volgende vragen.

1 Wat voor soort tekst is dit?
- ☐ a een nieuwsbericht
- ☑ b een column
- ☐ c een onderzoeksverslag

2 Wat zijn 'feeksachtige vrouwen'? En wat is 'kruiperig'?

_____

_____

3 Paulien Cornelisse schrijft duidelijk vanuit Nederlands perspectief. Is jou iets opgevallen aan de Nederlandse manier van complimenteren als je deze verge-lijkt met de manier die jij gewend bent in je eigen taal?

_____

_____

4 Waar word je graag mee gecomplimenteerd?

_____

5 Geef je zelf wel eens een compliment aan iemand? Waarom wel/niet?

_____

_____

Uit: *Dagblad van het Noorden*, 1 maart 2014; toosenhenk.nl; © Paul Kusters

Vocabulaire

van nature (r. 15)

Mensen zijn van nature optimistisch. Ondanks negatieve gebeurtenissen houden ze een positieve kijk op de wereld.

neigen / de neiging (r. 16)

Mensen die van rust en stilte houden, zijn niet geneigd om naar grote dance-evenementen te gaan. Ze vermijden de drukte en hebben de neiging om thuis te blijven.

redelijk (r. 24)

1 Ik vond het examen moeilijk, maar het resultaat was redelijk. Ik ben tevreden met de 7 die ik heb gekregen.
2 Het is niet koud, maar het waait redelijk hard. Dat maakt het minder aangenaam.

beledigen / de belediging (r. 38)

Onze buurvrouw voelde zich beledigd toen ik vroeg of ze hulp nodig had bij het schoonmaken van haar ramen. Ze zei dat ze dat heel goed zelf kon doen, maar dat ze het de laatste tijd te druk had gehad.

suggereren / de suggestie (r. 56/57)

Reclames suggereren vaak dat je heel gelukkig zult worden als je een bepaald product koopt. Iedereen weet wel dat dat onzin is, maar toch blijven ze zulke reclames maken.

keurig (r. 59)

- Heb je opgeruimd? Je kamer ziet er echt weer keurig uit!
- Hij ziet er altijd keurig uit met zijn gestreken overhemden.

beweren / de bewering (r. 61)

Johan beweert dat hij alle romans van Dostojevski heeft gelezen, maar dat geloof ik niet. Hij zegt wel vaker dingen die je niet zo serieus moet nemen.

ondergeschikt (r. 65/66)

In de negentiende eeuw beschouwde men in Nederland de vrouw als ondergeschikt aan de man. Daarom hadden vrouwen bijvoorbeeld geen stemrecht.

gaaf (r. 67)
1 Gaaf dat je een prijs hebt gewonnen en dat je nu naar het concert mag gaan.
2 Mijn buurvrouw is 75 jaar, maar ze ziet er nog goed uit. Ze heeft een heel gave huid, helemaal glad zonder vlekken.

toegeven (aan) (gaf toe, toegegeven) (r. 74)
1 Geef nou maar toe dat je ook weleens iets onaardigs tegen je ouders hebt gezegd. Niemand is perfect.
2 Als ik drop zie, dan moet ik een dropje eten. Ik moet daar gewoon aan toegeven.

jich / admit

OPDRACHT 8

Kies het meest logische woord.

to admit

1 De ober van het viersterrenrestaurant reageerde nogal beledigd / ondergeschikt toen ze hem een fooi van vijftig cent gaven.
2 De dief wilde op het politiebureau niet toegeven / neigen dat hij de tas van die vrouw had gestolen.
3 Je hebt je schrijfopdracht gaaf / keurig op tijd ingeleverd en daarom krijg je een bonuspunt.
4 Honden zijn redelijk / van nature mensenvrienden, maar als ze als puppy veel gepest worden, kunnen ze ook heel agressief worden.
5 Zonder het expliciet te zeggen beweerde / suggereerde de voetballer dat hij een aanbod had gekregen van een andere club.

OPDRACHT 9

Herschrijf de volgende zinnen op zo'n manier dat de betekenis ongeveer dezelfde blijft. Gebruik daarbij woorden uit het vocabulaire.

Voorbeeld:
Ik voel er het meeste voor om de goedkoopste mogelijkheid te kiezen.
Ik ben geneigd om de goedkoopste mogelijkheid te kiezen.

1 De professor reageerde boos toen de student hem tijdens het college onderbrak met de mededeling dat hij een vergissing maakte.

Voelde jich beledigd

2 Voor de vakantie zei hij dat hij precies wist hoeveel geld we nog hadden.

beweerde

3 Het is fantastisch dat je gewonnen hebt, maar wat heb je eigenlijk gewonnen?

geweldig / gaaf

4 Op zondag moesten we altijd met netjes gekamde haren in het park wandelen.

keurig

extreme

5 Ik ben in wezen niet zo'n angstig iemand, maar als het onweert, word ik altijd
   vreselijk bang.

Van nature

6 Het belang van de provincie is minder belangrijk dan het belang van het Rijk.

ondergeschikt aan

vaker

7 De directeur van de speelgoedfabriek had een best wel dure auto.

tamelijk   _redelijk_

Quit pretended

8 De politicus deed net alsof zijn partij oplossingen had voor alle problemen.

Beweerk / suggereerde

9 Vertel maar eerlijk dat jij die reep chocola helemaal alleen hebt opgegeten.

Verstandig Zeef waarlijk

Geef toe

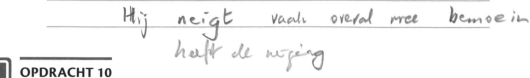

to meddle in / be involved in

10 Hij wil zich vaak overal mee bemoeien.
    met

    Hij neigt vaak overal mee bemoein
    heeft de neiging

OPDRACHT 10

Werk in tweetallen. Reageer op de vragen of zinnen met het woord tussen haakjes.

1 Wat zei jouw broer over het aantal doelpunten dat hij heeft gemaakt? (beweren)
2 Waar ben jij goed in? (redelijk)
3 Waarom mag Herman van zijn ouders niet meer naar het casino? (neiging)
4 Ik bedoelde het als compliment, maar zo begreep zij het niet. (beledigen)
5 Hoe reageerde jouw zusje toen ze hoorde dat ze mee op reis mocht naar China? (gaaf)
6 Maak jij nooit fouten? (toegeven)
7 Uit het onderzoek bleek dat de vrouwen gemiddeld hoger scoorden dan de mannen. (suggereren)

Complimenten geven

Bijvoorbeeld:

Wat zie je er leuk uit!
Je ziet er goed uit!
Wat zit je haar leuk!
Wat heb je mooie schoenen aan!
Je zou echt niet zeggen dat jij al [leeftijd] bent!

Reacties:
Dank je.
Wat leuk dat je dat zegt.
Meen je dat nou?

Soms formuleren mensen zinnen die lijken op complimenten, maar die eigenlijk juist niet aardig bedoeld zijn. Dergelijke opmerkingen heten 'steken onder water'.

Bijvoorbeeld:

Wat een bijzondere schoenen. Echt heel apart. — *really very special*
Je hebt mooi gezongen. Ga vooral door met oefenen. — *continue practising*
Heb je die trui zelf gebreid? Knap hoor! — *well done*
Wat een gezellig kamertje.
Ben jij echt al zó oud?

Reacties:
Wat bedoel je daar precies mee?
Hoezo?

OPDRACHT 11 **Jij bent echt goed bezig**

Of een compliment ook werkelijk als compliment bedoeld is, hangt ook af van
de intonatie. Luister naar de zinnen. Je hoort ze telkens twee keer. Geef aan
wanneer de uitspraak positief bedoeld is en wanneer negatief.

			+	–
1	a	Nou, leuk gedaan.	☐	☐
	b	Nou, leuk gedaan.	☐	☐
2	a	Ja, dat heb je goed voor elkaar.	☐	☐
	b	Ja, dat heb je goed voor elkaar.	☐	☐
3	a	Wat een goed idee.	☐	☐
	b	Wat een goed idee.	☐	☐
4	a	Het was een geweldige film.	☐	☐
	b	Het was een geweldige film.	☐	☐
5	a	Jij bent echt goed bezig.	☐	☐
	b	Jij bent echt goed bezig.	☐	☐
6	a	Nou, dat was weer een groot succes.	☐	☐
	b	Nou, dat was weer een groot succes.	☐	☐

OPDRACHT 12 Wat zie je er leuk uit

Loop door het lokaal en geef aan drie personen een complimentje of een steek onder water. Reageer adequaat op het compliment of de steek onder water die je zelf krijgt.

OPDRACHT 13 Positief lied

Op de website vind je de link naar een lied van Jeroen van Merwijk. Luister naar het lied en beantwoord de vragen.

1 Wat zegt de zanger in het liedje over:

tidul

- een plaatsbewijs: _____

- een deurknop: _____

- een antwoordapparaat: _____

- elastiek: _____

2 Welke positieve woorden worden er in het liedje gebruikt?

_____

— huge

3 Noem drie dingen die de zanger reusachtig vindt.

_____

4 De titel van het lied is *Positief lied*. Is dit lied positief? Waarom wel of waarom niet?

_____

_____

OPDRACHT 14 Andere tijden

Je ziet twee foto's van het Centraal Station in Rotterdam. Vergelijk de foto's. De eerste foto is van vroeger en de tweede foto is van nu.
Beschrijf de verschillen die je ziet tussen vroeger en nu.

OPDRACHT 15 Zing, vecht, huil, knippen in de voedselbank
Op de website vind je de link naar een beeldfragment waarin je kapster Wilma Huijskes bij de Voedselbank bezig ziet. Bekijk het fragment en beantwoord de vragen.

Kapster Wilma staat erg positief in het leven. Ze helpt anderen om ook positief in het leven te staan.
- Hoe doet ze dat? Geef twee voorbeelden.

_____

_____

- Wat ziet ze bij haar klanten gebeuren als ze hen helpt?

_____

_____

> ⬇ **tip**   **Vocabulaire**
> Voor een goed begrip van lees- en luisterteksten moet je zeker 90 tot 95% van de woorden in die tekst kennen. Als je de 2000 meest frequente woorden kent, ken je van een tekst ongeveer 80% van de woorden. Als je de 5000 meest frequente woorden kent, is dat ongeveer 95%. Het is dus belangrijk om je woordenschat ten minste uit te breiden tot je alle 5000 meest frequente woorden kent. Daarom staat de woordfrequentie vermeld achter de woorden aan het eind van elk hoofdstuk en aan het eind van het boek.
> De lijsten van 0-2000 en van 2000-5000 staan ook op de **website**.
> Overigens is het ook belangrijk om buiten de les actief bezig te zijn met je woordenschatuitbreiding door onbekende woorden die je hoort of leest te noteren.

Zonnig de herfst in

Anne Pek

5 Op deze en de volgende pagina's
vindt u oefeningen in optimisme.
Kies er een paar uit en doe die ook
echt trouw: hoe meer u oefent,
hoe behendiger uw brein wordt in
10 positief denken. Kies oefeningen
die bij u passen en ga ze gewoon
doen – ja, elke dag.

I Adem in, adem uit

15 Stress is een prachtige uitvinding –
het maakt ons scherp op momenten dat het erop aankomt. Maar
wie continu gespannen is, lubbert
uit als een oud elastiekje. Besteed
20 daarom dagelijks aandacht aan
voldoende rust en ontspanning.
Rick Hanson geeft daarvoor onder
andere de volgende aandachtspunten en oefeningen:
25 Reserveer iedere dag wat tijd voor
een ademhalingsoefening. Probeer
daarbij langer uit- dan in te ademen; adem bijvoorbeeld drie tellen
in, en daarna zes tellen uit. Tijdens
30 een uitademing gaat het hart namelijk langzamer slaan. Zo komt
uw hele lichaam tot rust.

II Schoonheid

35 Open uw ogen voor schoonheid.
Ook dat werkt stressverminde-
rend. In het dagelijks leven is er
veel moois te zien, als u er maar
oog voor heeft. Kijk eens wat vaker
40 aandachtig naar uw omgeving.

Benoem wat mooi is, sla die beelden op en probeer ze later weer
voor de geest te halen. Hoe meer u
uw brein traint in het waarnemen
45 van schoonheid, hoe vaker u het
ook in kleine dingen zult zien.

III Verras uzelf

Ergens enthousiast over zijn geeft
50 een hoop energie. Welke dingen
roepen bij u dat gevoel op? Probeer die weer vaker te doen, en
voeg nieuwe varianten toe.

55 Komt er niets in u op waarvoor u
kunt warmlopen, dan is er waarschijnlijk echt iets aan de hand;
u bent psychisch overbelast of
zelfs depressief. Neem zo'n signaal
60 serieus. Ga ondertussen toch op
zoek naar overgebleven sprankjes
enthousiasme. Een paar tips van
Hanson:
Verras uzelf met kleine vernieu-
65 wingen – u hoeft de Himalaya
niet te beklimmen om uw brein
een oppepper te geven. Probeer
nieuwe recepten met onbekende
ingrediënten, leer Italiaans, neem
70 een proefles kickboksen, ga kajak-
ken of *stand up paddle* ... en voor
u het weet heeft uw hoofd er weer
nieuwe neuronen bij.

75 IV Vrolijk dagdromen

Bent u geneigd negatief te denken?
Probeer dan eens een 'droomleefregel' te formuleren. Bijvoorbeeld:

[handschrift: susceptible / sensitive / to experience / more conscious / save / help / diminished / access / go on]

iemand die vaak denkt 'Niemand
80 ziet me staan' neemt dan de leefre-
gel 'De wereld ligt aan mijn voeten'.
En ze stelt zich in detail voor dat
ze een ster is die zonder aarzeling
over de rode loper gaat en door
85 iedereen wordt bewonderd.

Zelfs al is zo'n droombeeld niet
erg geloofwaardig, door het je zo
levendig mogelijk voor te stellen,
90 inclusief alle prettige associaties
die erbij opborrelen, kan er toch
iets veranderen. Claudi Bockting:
"Je boort er andere 'ervaringen'
mee aan en daarmee een ander,
95 positiever gevoel. Zo kan er in je
brein beetje bij beetje een alternatieve 'groef' ontstaan, naast al die
negatieve groeven."

100 **V Vaker** nagenieten
Schrijf elke avond drie dingen op
die u die dag prettig vond. Hoe ge-
detailleerder, hoe beter. Dat helpt

om prettige situaties bewuster te
105 beleven én er meer fijne herinneringen aan te bewaren. Mensen die
gevoelig zijn voor depressies, kunnen zulke ervaringen later namelijk
vaak niet precies terughalen. 'Ze
110 hebben er op de een of andere manier verminderd toegang toe,' weet
Bockting. 'Jammer, want terugden-
ken aan plezierige gebeurtenissen
is een mooie manier om je snel
115 beter te voelen.'

Positief denken
De training van psychologe Claudi
Bockting is erop gericht om je
120 brein te laten ervaren hoe prettig
het is om positief te denken. Nog
meer principes uit haar begeleide
groepstraining die ook thuis zijn
toe te passen in het artikel 'Droom
125 het grijs weg'.

Uit: *Psychologie Magazine*, september
2013

 OPDRACHT 16 Zonnig de herfst in
Lees de tekst en beantwoord de volgende vragen.

I

1 In de tekst gebruikt de schrijver een metafoor: '[...] wie continu gespannen is,
lubbert uit als een oud elastiekje.' Bedenk andere aanvullingen hierop.

Wie continu gespannen is, *vermindert zijn veerkracht.*

2 Wat moet je volgens de tekst doen bij een ademhalingsoefening? En wat is het effect?

Je moet langer uit dan in ademen. Zo kom je hele lichaam tot rust.

II

3 De schrijver van de tekst adviseert om te benoemen wat mooi is. Beschrijf drie dingen die je mooi vindt.

Ik vind de zon en de zee mooi — Ook de schilderijen van Monet en Vermeer.

III

4 Wat gebeurt er als je ergens enthousiast over bent?

Je hebt (vele) energie.

5 En als je nergens enthousiast over bent? Wat suggereert de tekst dan?

De tekst suggereert dat je verras jezelf.

6 Waarmee kun je jezelf volgens de tekst verrassen?

Met nieuwe dingen — leer een andere taal of ondek nieuwe plaatsen / ervaringen.

7 Wat zou voor jou een positieve verrassing zijn?

Om een nieuw te leven, behoudt vaardigheid

IV

8 Maak de zin af. Ik heb de neiging om _mijn nederlands te verbeteren._

9 In de tekst wordt gesproken over de 'droomleefregel'. Formuleer voor jezelf zo'n droomleefregel.

10 Waarom is het belangrijk om gedetailleerd drie dingen op te schrijven die je die dag prettig vond?

Het is belangrijk om je deze dingen te onthouden.

11 Schrijf drie dingen op die je gisteren prettig vond.

Vocabulaire

faithfully
– adem

trouw (r. 8)

De pianist zet elke avond trouw de wekker zodat hij de volgende dag vroeg kan beginnen met studeren.

inademen / uitademen / de adem / de inademing / de uitademing (r. 14, 30)

Bij deze oefening moet je door je neus inademen en door je mond uitademen.

uitvinding, de / uitvinden (vond uit, uitgevonden) (r. 15)

De telefoon is een uitvinding van Alexander Graham Bell. Hij was professioneel uitvinder en heeft ook een soort metaaldetector uitgevonden.

gespannen (r. 18)

Sommige cursisten zijn erg gespannen als ze een toets moeten doen. Het is jammer dat ze zo nerveus zijn, want de meeste mensen presteren beter als ze ontspannen zijn.

aandachtspunt, het (r. 23/24)

In een checklist met twaalf aandachtspunten was weergegeven waar we naar moesten kijken. We mochten beslist geen aandachtspunt overslaan.

Ask

schoonheid, de (r. 35)

Schoonheid is zo relatief; wat de een mooi vindt, vindt de ander superlelijk.

verminderen / de vermindering (r. 36/37, 111)

Het aantal boekwinkels is verminderd, omdat mensen steeds vaker boeken via internet bestellen.

zich iets voor de geest halen / de geest (r. 43)

1 Hij probeerde zich te herinneren wat er precies gebeurd was, maar hij kon zich de situatie niet meer voor de geest halen.
2 Geloof jij dat er een geest in een wonderlamp kan zitten?
3 Het is in de geest van deze tijd om vooral te genieten van het leven.

waarnemen (nam waar, waargenomen) / de waarneming (r. 44)

1 Klimatologen hebben in de afgelopen decennia een stijging van de gemiddelde temperatuur waargenomen. Door metingen hebben ze dat kunnen zien.
2 Als de dokter afwezig is, dan neemt een collega zijn taken waar.

verrassen / de verrassing (r. 48)

Sommige mannen verrassen hun vrouw zo nu en dan met een bos bloemen. Je moet niet elk weekend bloemen meebrengen, want dan is het al snel geen verrassing meer.

toevoegen (aan) / de toevoeging (r. 53)

Er ontbreekt iets in de cake. Hij is niet zoet genoeg. Heb je wel suiker toegevoegd?

overbelast (r. 58)

Het netwerk van de server was overbelast, doordat iedereen naar de website met de gratis concerttickets ging. Daardoor konden we geen tickets meer bestellen.

ondertussen (r. 60)

De cursisten maakten de toets en ondertussen bekeek de docent de schrijfopdrachten.

aarzeling, de / aarzelen (r. 83)

De moedige politieagent sprong zonder aarzeling in het kanaal om het kind uit het water te halen. Hij aarzelde geen moment.

geloofwaardig (r. 88)

De politicus heeft ons van alles beloofd, maar hij heeft niets bereikt. Hij is totaal niet meer geloofwaardig.

nagenieten (van) (r. 100)

Theo zat na afloop van de film nog een hele poos na te genieten. Hij vond de film prachtig.

bewaren (r. 106)

Ik heb de neiging om alles te bewaren. Ik kan echt niets weggooien. Daarom staan er zo veel spullen in de garage.

gevoelig (r. 107)

Artiesten zijn vaak erg gevoelige mensen. Kleine dingen kunnen bij hen grote emoties veroorzaken.

toegang, de (r. 111)

Als je een blauw bord ziet met witte letters 'Verboden toegang art. 461' betekent dat dat je niet op het terrein mag komen. Vaak is dat dan privéterrein.

gebeurtenis, de (r. 113)
> Een huwelijk is een van de belangrijkste gebeurtenissen in het leven van veel mensen. Niet voor niets wordt de trouwdag vaak de mooiste dag van je leven genoemd.

begeleiden / de begeleiding (r. 122)
> Tijdens onze reis door Zuid-Amerika werden we begeleid door een Friese dame die in 1989 naar Brazilië was verhuisd. Ze wist ons erg veel over het land te vertellen. We waren heel tevreden over de begeleiding.

OPDRACHT 17

Kies het meest logische woord.

1 Laat mij maar autorijden. Jij bent veel te overbelast / gespannen. ✓
2 De gebeurtenis / uitvinding van de stoommachine heeft het leven drastisch ✓ veranderd.
3 Weet je echt niet meer hoe dat is gegaan? Kun je je het niet meer voor de toegang / geest halen? ✓
4 Ik wilde je verrassen / nagenieten. Daarom heb ik niet van tevoren gezegd dat ✓ we naar dit restaurant gingen.
5 Of je verzorgd gekleed bent, is wel een schoonheid / aandachtspunt als je een sollicitatiegesprek hebt.
6 Honden zijn vooral heel trouwe / gevoelige beesten.   *to perceive*
7 Je moet deze papieren in een safe toevoegen / bewaren.
8 Onze interesse voor de Tour de France is sterk waargenomen / verminderd ✓ sinds bekend is geworden dat veel wielrenners doping gebruiken.

OPDRACHT 18

applicable

Welk woord uit het vocabulaire is van toepassing op de onderstaande zinnen?

1 Ik had haar tien jaar niet gezien. In die tijd was ze getrouwd, was ze verhuisd en had ze een andere baan gekregen.

2 Het verschil is zo klein dat ik het met het blote oog niet kan zien.

3 Hoe kom je op het idee om zoiets te bedenken? Dat heeft nog niemand gedaan.

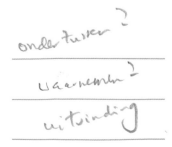

4 Als je hiermee stopt, ga je dood.

5 Ik weet het nog niet zeker, ik twijfel nog.

6 Je kunt zonder kloppen naar binnengaan.

7 Jonge kinderen kunnen niet alleen reizen. Een vol-
wassene moet samen met hen reizen.

8 Dat is wel een heel vreemd verhaal. Ik kan me
niet voorstellen dat dat echt waar is.

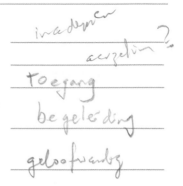

 OPDRACHT 19

Werk in tweetallen. Reageer met het woord tussen haakjes.

1 Waar is je paspoort? (bewaren)

2 Op die weg gebeurden altijd veel ongelukken. Gelukkig hebben ze die weg nu
veranderd. (verminderen)

3 Marie moet steeds lachen. Weet jij wat er met haar aan de hand is?
(nagenieten)

4 Wat denk jij van de geest in de wonderlamp die wensen kan vervullen?
(geloofwaardig)

5 Vind jij het belangrijk of iemand mooi is? (schoonheid)

6 Wat weet jij van 11 september 2001 toen twee vliegtuigen het World Trade
Center in New York binnenvlogen? (gebeurtenis)

7 Ze kan niet zo goed tegen kritiek. (gevoelig)

8 De soep is niet lekker. (toevoegen)

9 Waaraan herken je een echte stuntman? (aarzeling / aarzelen)

10 Mogen kinderen van 14 jaar zelfstandig met een vliegtuig reizen? (begeleiden /
begeleiding)

HappyNews is een stichting ter bevordering van positieve nieuwsvorming, een
online magazine met een positieve kijk op de maatschappelijke ontwikkelingen.
De essentie van HappyNews zit in de context, optimistische benadering, inspire-
rende berichtgeving en nieuwsselectie. Op overzichtelijke en toegankelijke wijze
biedt HappyNews elke werkdag positief nieuws over natuur, samenleving, kunst
en cultuur, politiek, entertainment, gezondheid en lifestyle.

Naar: www.happynews.nl/over-ons

OPDRACHT 20 HappyNews

Lees de tekst in het kader op de vorige bladzijde en voer de volgende opdrachten uit.

1 Op de website vind je een link naar de website van HappyNews. Kies een artikel uit dat je interessant vindt.
2 Noteer alle positieve woorden die je in het artikel tegenkomt.
3 Vertel de volgende les in kleine groepjes welk artikel je hebt gekozen en waar dat over gaat.

Grammatica – conjuncties en adverbia (2)
Bekijk de volgende zinnen.

Sinds *ik* in Nederland ben, woon *ik* zelfstandig.
Wanneer *mensen* sympathiek zijn, krijgen *ze* meer complimenten.
Ik ga vanavond niet zo laat naar huis, **tenzij** *het* heel gezellig is.
Zolang *er* voldoende geld is, kunnen *we* met dit project doorgaan.

Formeel

Since

Aangezien *u* geen identiteitsbewijs hebt, mag *u* niet naar binnen.
U kunt alleen naar binnen, **mits** *u* een identiteitsbewijs kunt laten zien.
Indien *u* nog vragen hebt, kunt *u* ons bellen.
Ofschoon *ik* van nature optimistisch ben, verwacht *ik* nu een negatief resultaat.
Het is belangrijk om dit te noteren, **opdat** *u* het niet vergeet.
Men wordt wijzer, **naarmate** *men* ouder wordt.

OPDRACHT 21

Welke woorden zijn synoniem? Combineer de woorden uit het linker- en rechterrijtje.

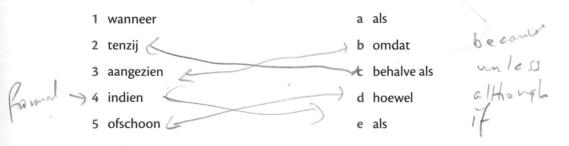

1 wanneer
2 tenzij
3 aangezien
Formal → 4 indien
5 ofschoon

a als
b omdat
c behalve als
d hoewel
e als

because
unless
although
if

OPDRACHT 22

Vul het onderstaande schema zo compleet mogelijk in.

	Conjunctie met hoofdzin	Conjunctie met bijzin	Adverbium
Voor-beelden:	maar	omdat	daarom
	en	nadat	daarna
	of	voordat	daarvoor
	want	doordat	daardoor
	dus	hoewel/ofschoon	
		of	
		indien/als	

toen wanneer

OPDRACHT 23

Maak de volgende zinnen af.

1 Ze hebben geen geld om op vakantie te gaan, maar zij ze nog zich nog vermaken.

2 Er hing een dichte mist. Daardoor de rij de langzaam.

3 Hij had geen van de examenvragen goed beantwoord. Ik vroeg me af of hij niet genoeg heeft gestudieerd.

4 Je kunt een taxi nemen of je kunt lopen.

5 Sinds ik wil mij — Nederlands verbeteren, probeer ik om alleen in het Nederlands te communiceren.

6 Nadat zijn oude auto kapot was, besloot hij een nieuwe auto aan te schaffen.

7 De kinderen liepen door het donkere park, hoewel zij een beetje bang gemaakt werden.

8 Naarmate hij buitenland woonde, verlangde hij steeds vaker naar huis.

9 Zolang dat we arme zijn, moeten we niet te veel geld uitgeven.

10 Wij komen op de fiets, tenzij het regent.

OPDRACHT 24

Werk in tweetallen. Je krijgt een blad van je docent met conjuncties en adverbia. Maak bij elk woord een correcte zin. Als jullie denken dat de zin goed is, zet je een kruis in dat vakje. Dan mag de ander een woord kiezen. Als dat antwoord goed is, zet die een rondje in dat vakje.

Probeer vier kruisjes of rondjes op een rij te krijgen: horizontaal, verticaal of diagonaal.

OPDRACHT 25 Toen en nu

Op de website vind je een link naar entoen.nu. Dit is een website over de geschiedenis van Nederland.

Bekijk de website en kies één onderwerp uit.

Houd over dit onderwerp een presentatie van drie minuten.

OPDRACHT 26 Hoe gaat het met het imago van Nederland?

Hoe gaat het met het imago van Nederland? Wat is er nog over van het imago van tolerante voortrekker en cultureel land van vrijheid en openheid? En: hoe zorgen we ervoor dat Nederland weer een positief imago krijgt?

Op de website staat een link naar een tv-fragment dat je straks gaat bekijken. Hierin wordt het imago van Nederland behandeld. In het fragment zie je:
- korte interviews op de Keukenhof;
- een vraag aan Annette Birschell, een Duitse journaliste;
- een zwart-witfilmpje;
- een vraag aan James Kennedy, Amerikaan van geboorte en hoogleraar Nederlandse geschiedenis aan de Faculteit der Geesteswetenschappen van de Universiteit van Amsterdam;
- een liedje;
- een laatste vraag aan Annette Birschell.

Beantwoord eerst de volgende vraag:
Je hoort de antwoorden van de mensen die worden geïnterviewd op de Keukenhof. Zij zijn toeristen. Jij bent al langer in Nederland. Wat zou jij in één zin antwoorden als de interviewster jou zou vragen wat je van Nederland vindt?

Bekijk nu het fragment en beantwoord de volgende vragen.

1 Annette Birschell kwam in de jaren negentig in Nederland wonen. Wat vonden de Nederlanders van zichzelf in die tijd volgens haar? En wat vinden Nederlanders nu van zichzelf?

2 Wat zie je in het oude zwart-witfilmpje? Waarom wordt dit getoond?

3 Wat is volgens James Kennedy de historische verklaring voor de tolerante reputatie van Nederlanders?

4   Wat ziet Annette Birschell ondanks de afnemende tolerantie in Nederland toch als heel positief?

_____

_____

OPDRACHT 27   Wat zeg je dan? (Blijf positief)

1   Je zit in de bus. De man tegenover je wil een gesprek met je beginnen. 'Lekker weertje, hè?' zegt hij. De zon schijnt. Wat zeg je?

2   Je zit in de bus. De man tegenover je wil een gesprek met je beginnen. 'Lekker weertje, hè?' zegt hij. Het regent hard. Wat zeg je?

3   Je zit in de bus. De man tegenover je wil een gesprek met je beginnen. 'Lekker weertje, hè?' zegt hij. Je hebt geen zin om met de man te praten. Wat zeg je?

4   De deurbel gaat. Een kennis van de sportvereniging staat voor de deur. Ze kijkt heel blij. Ze is speciaal naar je toegekomen om je iets te vertellen. Ze zegt: 'Mijn dochter is geslaagd voor haar vwo-examen.' Wat zeg je?

5   Je buurman heeft een nieuwe auto gekocht. Als je thuiskomt, zie je hem naast de auto staan. 'Mooi, hè!' roept hij als je dichtbij hem komt. 'Wat denk je dat zoiets kost?' Wat zeg je?

OPDRACHT 28   Ooit nog wel eens ... (zou – zouden)

Lees de volgende voorbeeldzinnen en beantwoord de vragen. De zinnen hebben iets te maken met het sprookje _Aladdin en de toverlamp_.

1   Aladdin zou graag met prinses Jasmine willen trouwen.
    Ik zou ook wel zo'n toverlamp willen hebben.

    Wat is juist?
    In bovenstaande zinnen wordt verteld ...
    ☐   a   ... wat er is gebeurd.
    ☐   b   ... wat er gaat gebeuren.
    ☒   c   ... wat misschien wel nooit gebeurt.

2   We zouden best wel eens een kijkje in het paleis van de koning willen nemen.
    De prinses zou ons misschien wel eens willen uitnodigen.

Wat is juist?

In bovenstaande zinnen wordt verteld ...

- ☐ a ... wat er is gebeurd.
- ☐ b ... wat er gaat gebeuren.
- ☒ c ... wat misschien wel nooit gebeurt.

Vul aan:

zou(den) + willen + infinitief + graag/best eens/wel eens geeft aan dat er sprake
is van ...

- ☐ a ... een vriendelijke vraag.
- ☒ b ... een wens.
- ☐ c ... een voorstel in het verleden.

OPDRACHT 29

Werk in tweetallen.

Het onmogelijke gebeurt. Je komt in het bezit van de toverlantaarn van Aladdin. Je mag van de geest maar liefst vijf wensen doen. Wat wens je voor jezelf?

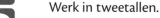

> ⬇ **tip** **Structuurwoorden**
>
> Als je een tekst schrijft, breng je met structuurwoorden structuur
> aan in je tekst. Deze woorden helpen je ook om een tekst beter te begrijpen. In de
> volgende tabel vind je een overzicht van de belangrijkste structuurwoorden en het
> verband dat ze aangeven. Zoals je ziet zijn het heel vaak conjuncties of adverbia.

tijd	voordat, terwijl, tijdens, zolang, gedurende, nadat, nadien, daarna, toen, ten slotte, vervolgens, tegelijkertijd
opsomming	daarnaast, en, bovendien, ten eerste, ten tweede, verder, ook, ten slotte, in de eerste plaats, in de tweede plaats
reden en oorzaak	want, daarom, namelijk, immers, omdat, vanwege, aangezien
tegenstelling	enerzijds ... anderzijds, maar, hoewel, toch, daarentegen, deson-danks, integendeel, ondanks (het feit dat), terwijl
toelichting	zo, bijvoorbeeld, dus
voorwaarde	als, indien, mits, tenzij, wanneer
conclusie	dus, dan ook

OPDRACHT 30 Je ideale toekomst

Er zijn veel manieren om optimisme te oefenen, maar de oefening die je welzijn volgens onderzoek het meest vergroot, is de schrijfopdracht 'Mijn best mogelijke toekomst'. Ga op een rustige plek zitten en neem twintig tot dertig minuten de tijd om na te denken over wat je van het leven verwacht binnen één, vijf of tien jaar van nu. Schrijf een tekst over al je wensen en gebruik 'zou(den)' en vijf structuurwoorden.

Bron: De Maakbaarheid van het Geluk – Sonja Lyubomirsky

OPDRACHT 31 Preposities

Onderstaande werkwoorden met vaste prepositie behoren tot de 2000 meest frequente werkwoorden.

Vul de juiste prepositie in.

1 Ga lekker ___naar___ buiten, ___naar___ het strand of het bos.

2 Zoiets moet je ___tegen___ je docent zeggen!

3 Als ik zonnebloemen zie, moet ik altijd denken ___over___ de zomer.

4 Wil je dit ___aan___ je buurman geven?

5 Zal ik je even ___aan___ het station brengen?   naar

6 Ik hou ___van___ inventieve oplossingen.

7 Wanneer ben je ___met___ deze cursus begonnen?

8 Dat weet ik niet. Dat moet je ___aan___ iemand anders vragen.

met 9 Heb jij ___aan___ haar gesproken ___over___ jouw plannen?

op 10 Lijk jij ___?___ een van je ouders?

11 ___Aan___ wie hebben jullie dat allemaal verteld?

op 12 We wachten ___voor___ de resultaten van de test.

in 13 Geloof jij ___voor___ het effect van complimenten geven?

om 14 Ze moest erg lachen _____ die grap.

15 Wil je me ___met___ mijn Nederlands helpen?

naar 16 Heb jij nog ___op___ die instantie geschreven vanwege je klacht? Misschien kun je ook beter een klachtenbrief schrijven ___aan___ de directeur.

OPDRACHT 32 Preposities

Onderstaande werkwoorden met vaste prepositie behoren tot de 2000 meest frequente werkwoorden.

Vul de juiste prepositie in.

1 Ik luister bijna nooit _____ de radio, ik kijk meestal tv maar ik kijk nooit _____ thrillers.

2 Die foto herinnert me _____ mijn jeugd.

3 Heb je je schrijfopdracht gecontroleerd _____op_____ fouten?

4 Pas _____op_____ . het afstapje!

5 We hopen _____ een zomer met veel zon.

6 Heeft hij zich al _____ jullie voorgesteld? *aan*

7 Zullen we stoppen _____ deze zinloze discussie? *met*

8 Wilt u vóór 1 maart _____op_____ deze mail reageren? *extremely much!*

9 Ik ben me rot geschrokken _____van_____ dat lawaai. *van*

10 De directie heeft nog niet beslist _____over_____ . de reorganisatie.

11 Ik ben me aan het voorbereiden _____op_____ het Staatsexamen NT2 II. *of*

12 _____Uit_____ de tekst blijkt dat je kunt oefenen _____op_____ positief denken.

13 We hebben lang gezocht _____naar_____ het lokaal want we konden het niet vinden.

14 Deze methode bestaat _____uit_____ een boek en een website.

15 Als je hem wilt spreken, moet je hem even _____aan_____ zijn jasje trekken.

16 Waar wijs je _____naar_____ ? Ik snap niet wat je bedoelt. *point*

OPDRACHT 33 Preposities

Onderstaande werkwoorden met vaste prepositie behoren tot de 2000 meest frequente werkwoorden.

Vul de juiste prepositie in.

1 Wij genieten _____ het mooie weer.

2 Je kunt geen appels _____ peren vergelijken.

3 Wil je je ervaringen _____ ons delen?

4 Kun jij je meestal herinneren waar je 's nachts _____ hebt gedroomd?

5 Fijn dat je bent doorgegaan _____ deze nieuwe cursus.

6 Wil je alsjeblieft ophouden _____ dat gefluit!

7 Ik moest erg wennen _____ al die fietsen in Nederland.

8 Deze discussie leidt _____ niets.

9 _____ welk genre behoort deze film?

10 De fabrikant levert alleen _____ winkels.

11 Mijn broer is _____ mijn beste vriendin getrouwd.

12 U bent van harte uitgenodigd. We rekenen _____ uw komst.

13 Zullen we ons beperken _____ het onderwerp en niet over allerlei andere zaken gaan praten?

14 Je weet vaak niet _____ welke politieke partij iemand stemt.

15 De directeur wilde niet ingaan _____ deze kwestie. Hij wilde er niet op reageren.

16 Ik heb uiteindelijk toegegeven _____ hun eisen. Ik had geen keus.

OPDRACHT 34 Onregelmatige werkwoorden

fluiten ▪ ondernemen ▪ ontbijten ▪ ontbreken ▪ strijken ▪ verheffen ▪ vermijden ▪ verwerven ▪ waarnemen ▪ wegen

Vul de bovenstaande werkwoorden in de juiste werkwoordsvorm in (imperfectum of participium).

1 Toen ik gisteren mijn overhemden _____, bleek dat er twee knopen _____.

2 Kun je toelichten hoe je die vaardigheden hebt _____?

3 Groente en fruit worden bij de kassa _____.

4 Als de uitslag van een dopingcontrole positief is, betekent het juist dat er een verboden middel is _____

5 Hij heeft verschillende pogingen _____ om met haar in contact te komen, maar zij _____ elk contact met hem.

6   Wordt er in jouw land op straat naar vrouwen _____gefloten_____? Vinden vrouwen dat positief of juist niet?

7   Ik heb nog niet _____ontbeten_____. Kan ik hier ergens een broodje kopen?

8   Hij _____verhief_____ zijn stem, anders kon hij niet boven het lawaai uit
komen.

Op de website bij dit boek staan nog meer oefeningen bij dit hoofdstuk. Je vindt ze
op **www.coutinho.nl/nederlandsopniveau**.

Vocabulairelijst hoofdstuk 1

vet = 0-2000 meest frequente woorden; *cursief = woorden met een frequentie tussen 2000 en 5000;*
normaal = woorden met een frequentie boven 5000

Idiomatisch taalgebruik
iets niet uitvlakken
ergens van opkijken
het positiefste wat ervan af kan

Compliment
beledigen
belediging, de
beweren
bewering, de
gaaf
keurig
nature, van
neigen
neiging, de
ondergeschikt
redelijk
suggereren
suggestie, de
toegeven aan

Zonnig de herfst in
aandachtspunt, het
aarzelen
aarzeling, de

adem, de
begeleiden
begeleiding, de
bewaren
gebeurtenis, de
geest, de
geest halen, zich iets voor de
geloofwaardig
gespannen
gevoelig
inademen
inademing, de
nagenieten van
ondertussen
overbelast
schoonheid, de
toegang, de
toevoegen (aan)
toevoeging, de
trouw
uitademen
uitademing, de
uitvinden
uitvinding, de
verminderen

vermindering, de
verrassen
verrassing, de
waarnemen
waarneming, de

aangezien
daardoor
daarna
daarom
daarvoor
indien
mits
naarmate
ofschoon
opdat
sinds
tenzij
zolang

Preposities
beginnen met / aan *begin*
behoren tot *belong*
beperken tot
beslissen over
bestaan uit *consist of*
blijken uit
brengen naar
controleren op *to check*
delen met *share with*
denken aan *think about*
doorgaan met
dromen over / van *dream of*
gaan naar *go to*
geloven in *believe in*
genieten van *enjoy*
geven aan
helpen met *help with*
herinneren aan
hopen op
houden van *like, love*

ingaan op
kijken naar *look at*
lachen om *laugh at*
leiden tot
leveren aan
lijken op
luisteren naar
oefenen met
passen op
reageren op
rekenen op
schrijven aan / naar
schrikken van
spreken over iets met iemand
stemmen op
stoppen met
toegeven aan
trekken aan
trouwen met
vergelijken met
vertellen aan *tell to ..*
voorstellen aan
vragen aan *ask ..*
wachten op
wennen aan
wijzen naar
zeggen tegen / (aan)
zich voorbereiden op
zoeken naar *look for*

Onregelmatige werkwoorden
fluiten
ondernemen
ontbijten
ontbreken
strijken
verheffen
vermijden
verwerven
waarnemen
wegen

Reflectie
Reflecteer op elk punt. Wat kun je? Vul het overzicht in.

Dit kan ik	nog niet	bijna	voldoende
Lezen			
Ik kan bij allerlei soorten berichten, artikelen of verslagen snel bepalen of het de moeite waard is deze nader te bestuderen, zoals bij de website www.happynews.nl.			
Ik kan teksten begrijpen over actuele onderwerpen waarin de schrijver een bepaald standpunt inneemt, zoals bij *Compliment*.			
Ik kan lange en complexe instructies begrijpen, mits er gelegenheid is om moeilijke stukken meerdere malen te lezen, zoals bij *Zonnig de herfst in*.			
Luisteren			
Ik kan de essentie begrijpen van moeilijker tv-programma's als er in standaardtaal en in normaal tempo wordt gesproken, zoals bij *Zing, vecht, huil, knippen in de voedselbank*.			
Ik kan complexe informatie begrijpen over onderwerpen uit het dagelijks leven of het eigen beroep of vakgebied, zoals bij *Hoe gaat het met het imago van Nederland?*			
Gesprekken voeren			
Ik kan gevoelens genuanceerd uiten en adequaat reageren op gevoelsuitingen van anderen, zoals het geven en krijgen van complimenten.			
Monologen			
Ik kan duidelijke, samenhangende verhalen vertellen, zoals het navertellen van een artikel van de website www.happynews.nl.			
Ik kan een duidelijk en gedetailleerd betoog houden over onderwerpen uit de eigen interessesfeer of werkgebied, zoals de presentatie over een held en zoals in de opdracht *Toen en nu*.			
Schrijven			
Ik kan een redelijk gedetailleerd verslag schrijven, zoals in de opdracht *Andere tijden*.			
Ik kan een samenhangend verhaal schrijven, zoals *Je ideale toekomst*.			

2

Sociaal

 OPDRACHT 1 Ik-leving

Werk in tweetallen. Deze cartoon van Dokus heeft een duidelijke boodschap.
Verwoord de boodschap in één zin.

 OPDRACHT 2 Social talk

Voorbeeldzinnen:
Hé, hoe is het met jou?
Kom je hier vaker?
Heb je een leuke vakantie gehad?

Werk in tweetallen. Je ontmoet iemand op een feestje, receptie, congres of vergadering. Je staat naast elkaar iets te drinken. Je wilt geen stilte laten vallen dus je begint een gesprek.

Voer een gesprek van vijf minuten.

OPDRACHT 3 Lekker dat zonnetje zo

Reageer op de volgende zinnen.

Bij de koffiemachine

1   Zo, eerst even een kopje koffie.
2   Nou, het apparaat heeft er niet zo veel zin in, geloof ik.
3   Ik dacht dat er een nieuw apparaat was.

Over het weer

4   Het is een stuk frisser dan gisteren.
5   Je kunt merken dat de lente in de lucht hangt.
6   Lekker dat zonnetje zo.

Op het station

7   Op tijd rijden is blijkbaar erg moeilijk.
8   Ik snap niet waarom die wijzigingen niet worden aangekondigd.
9   Wat is de wifi-verbinding hier traag!

In de rij voor de kassa

10   Ze mogen wel een paar nieuwe kassa's openen.
11   Wat een drukte ook altijd op zaterdag.

In de kroeg

12   Die wijn hier is niet te drinken!
13   Wat een jong publiek opeens.
14   Ze draaien hier tenminste wel goede muziek.
15   Die rij bij het vrouwentoilet is altijd belachelijk lang.

Op een festival

16   Wat een toplocatie, hè!
17   Wat irritant dat we geen doppen op onze waterflesjes krijgen.

Luister naar gesprekken om je heen, op straat, in de bus, bij de kassa. Noteer drie van dergelijke zinnen en de reacties daarop.

OPDRACHT 4 Verkeersregels

Je gaat straks een interview lezen met de titel *Fietsetiquette: Hoe hoort het eigenlijk?*

Wat weet je over de verkeersregels van fietsers? Wat mag wel en wat mag niet? Wat doe je zelf wel of niet? Waar ben je verbaasd over?

Praat hierover in groepjes.

De fiets

De fiets is het populairste vervoermiddel in Nederland. Toch is de fiets niet door een Nederlander bedacht. In 1867 werden de eerste fietsen in Nederland geïmporteerd. Dat waren de Michaux-vélocipèdes, van de Fransman Pierre Michaux. Rond 1880 waren er in verschillende Nederlandse steden al speciale fietsverenigingen. Die organiseerden wedstrijden en toertochten. Net als de Engelsen reden de clubleden tijdens hun tochten in uniform. Voorop fietsten mannen met hoorns. Die moesten de andere mensen op de weg waarschuwen met hun getoeter. De fiets werd als gevaarlijk beschouwd, omdat je hem niet hoorde aankomen. Tegenwoordig zijn er in Nederland meer fietsen dan mensen.

OPDRACHT 5 Vocabulaire vooraf

Wat betekenen de volgende woorden en/of zinnen? Twee antwoorden zijn juist, één antwoord is fout. Welk antwoord is fout?

1 zich verheven voelen
    ☐ a boven andere mensen staan
    ☐ b iets optillen   *— to pick up*
    ☒ c denken dat je beter bent

2 coulant
    ☐ a streng
    ☒ b gemakkelijk   *flexible*
    ☐ c soepel

3 Dan wordt het een ander verhaal.
    ☐ a Dat is een andere situatie.
    ☐ b Dat is verzonnen.   *— made up*
    ☐ c Dat verandert de zaak.

verzinnen — um imaginatie

4 de vrijbuiter ☒ a iemand die van avonturen houdt
⬜ b iemand die zich niet aan de regels houdt
☒ c iemand die graag in de natuur is

5 koste wat (het) kost ☒ a zelfs als het duur is
⬜ b hoe dan ook — anyway, in any case
☒ c het maakt niet uit wat ik ervoor moet doen

6 keurslijf ☒ a iets wat belemmert — to hinder, impede
straightjacket
☒ b een benauwende toestand · narrow/cramped
☒ c iets wat stevigheid geeft strength
condition robustness

Fietsetiquette: Hoe hoort het eigenlijk?

Michiel Slütter

5 **Reinildis van Ditzhuyzen is een autoriteit op het gebied van etiquette. Ze schreef** Hoe hoort het eigenlijk? – De Dikke Ditz. **In september kwam de** Dutch Ditz, manners in the Netherlands **uit. Met op de omslag een fietser, want Van Ditzhuyzen is een fanatieke fietser: 'Belachelijk, zo'n bordje "Verboden fiets neer te zetten".'** ↳ ridiculous

10
Moeten fietsers altijd hun hand uitsteken?

'Ik denk weleens: had je hand even uitgestoken, dan had ik niet op je
15 hoeven wachten. Ze zouden het inderdaad meer moeten doen. Het is namelijk prettig voor je mede-weggebruikers. In de omgang heb je eigenlijk maar twee regels. De ene is
20 dat je duidelijk moet zijn en de andere dat je rekening moet houden met de ander. Alle andere regels, zoals je hand uitsteken of licht op je fiets, kun je daar uit afleiden. Maar
25 als ik alleen fiets, steek ik natuurlijk geen hand uit. Dan kan je wel duidelijk zijn, maar voor wie? Regels zijn een middel om een doel – een aangename samenleving – te berei-
30 ken, geen doel op zich.'

Misdragen fietsers zich meer dan vroeger? unimaginable

'Het aantal fietsers is onvoor-stelbaar gegroeid en als er meer
35 mensen zijn, roept dat altijd meer ergernissen op. Moet je kijken wat er allemaal bij stations staat. Vroeger zette je je fiets neer en hup, de trein in. Dat kan niet meer.
40 Ik moet eerder van huis om mijn fiets te stallen. De fietsmand laat ik maar helemaal zitten want die neemt te veel ruimte in. Daar moet je allemaal aan denken tegenwoor-
45 dig. Nee, niet iedereen bereidt zich zo voor natuurlijk. Er staat zo veel troep bij die stations. Ze zetten mess hem maar neer en als ze er eentje (troop) laten vallen, rapen ze hem niet op.
50 Zo'n haast hebben ze.'

Moeten fietsers niet wat netter gaan parkeren?

'Winkels willen soms niet dat je je fiets er neerzet omdat je de etalage
55 niet meer kan zien, maar ik vind dat je fietsen overal moet kunnen parkeren. Dat is nou juist het grote voordeel. Je moet geen kwartier hoeven lopen. Voor senioren is het
60 voordeel van de fiets ook juist dat ze hun boodschappen niet naar de auto mee hoeven zeulen. Mijn moeder fietste tot voor kort naar de markt. Dan zei ze: 'Gooi de kaas
65 maar in mijn fietstas.' Senioren kunnen niet goed sjouwen. Als je bij winkelcentra een hele grote centrale fietsstalling maakt, ver bij de winkels vandaan, verdwijnt
70 het voordeel van de fiets. Er zijn steden die de fietsen niet meer in de winkelstraat willen. Sommige winkeliers zetten bordjes voor de etalage: 'Verboden fietsen te plaat-
75 sen'. Dat vind ik nogal ongastvrij tegenover je klanten. Laatst zei ik er wat van in een winkel met zo'n bordje: 'Mevrouw, hoe wilt u nu dat ik hier kom als ik mijn fiets hier
80 niet mag neerzetten?' Toen legde ze uit dat dat verbod niet voor eigen klanten gold. Maar zet dan gewoon een bordje in je venster-bank: 'Alleen klanten mogen hun
85 fiets hier neerzetten.' Ik vind wel dat je je fiets hoort neer te zetten voor de winkel waar je naar binnen gaat. Als je naar vrienden gaat, moet je hem ook niet bij de buren
90 op de stoep zetten.'

Ergert u zich wel eens aan auto-mobilisten?

'Steeds minder, want er zijn steeds meer vrijliggende fietspaden. Fan-
95 tastisch is dat. Maar je hebt wel-eens dat automobilisten laten mer-ken dat ze zich verheven* voelen boven fietsers door bijvoorbeeld ongeduldig te toeteren. Maar ik
100 laat me niet aan de kant toeteren. Fietsen is veel deftiger. Soms is niet helemaal duidelijk wie voorrang heeft, de auto of ik. Dan steek ik gewoon over. Zeker als het hard
105 regent. Dan kunnen ze best een béétje coulant* zijn. Ander voor-beeld: ik schrik me kapot als een automobilist niet in zijn spiegel kijkt en ineens rechtsaf slaat. Le-
110 vensgevaarlijk. Meestal hebben ze niet eens door wat ze doen. Ik geef soms een klap op de achterkant. Niet dat ze dat horen, maar het is een uiting van machteloosheid.'
115

**Soms zijn situaties verwarrend of onlogisch. Bijvoorbeeld: bij een smalle, tijdelijke brug hangt een bord: fietsers afstappen. Maar
120 met je fiets aan de hand neem je als fietser meer ruimte in. Dus de meesten blijven fietsen. Wat als een voetganger dan roept: 'Kan-ker, ga lopen'?**

125 'Dat maakte ik pas ook mee. Ik kan dan uitleggen dat hij blij moet zijn, want dat ik anders meer ruimte in zou nemen, maar ik vind ook dat je met mensen die 'kanker' zeggen
130 niet in discussie hoeft te gaan.

Ach, waar gaat het allemaal over. Tjongejongejonge. Veel mensen gaan direct schelden, want die willen altijd hun gelijk halen als ze
135 dat formeel hebben. Maar daar geef ik niet zo veel om. Kijk, als de ander daardoor van de brug wordt geduwd, wordt het een ander verhaal★.'

140 'Ik heb zelf een hekel aan die grote vierkanten. Dan moet je schuin aan de overkant zijn en moet je twee keer voor het stoplicht wach-
145 ten om daar te komen. Ach ja, ik ben natuurlijk ook een schande- lijke fietser, want ik steek gewoon door, hahaha. Fietsers zijn altijd een soort vrijbuiters★.'

150

Op de stoep fietsen. Mag dat?
'Op de stoep fietsen mag op zich niet, maar ja. Regels zijn er niet om koste wat kost★ aan vast te
155 houden. Dat denken veel men- sen wel, maar dat denken ze fout. Dan worden regels een keurslijf★. Als de weg is opgebroken of het fietspad wordt vervangen of er
160 staat een auto op het fietspad om

te laden en te lossen, zou ik dus af moeten stappen om over de stoep te mogen lopen. Als er verder niemand loopt, fiets ik door. Als er
165 een agent zou komen die me aan zou spreken: 'Mevrouw, u fietst op de stoep', zou ik vriendelijk zeggen: 'U heeft helemaal gelijk. Maar die auto staat hier wel gevaarlijk
170 geparkeerd.' Als ik het netjes uitleg mag het vast wel.'

'Ik ga zeker niet op de auto schel- den, omdat hij op het fietspad
175 staat. Hij moet toch érgens laden en lossen. Als hij op de rijweg gaat staan, wordt het helemaal een zootje. Het leven is nooit helemaal zoals het hoort. De afwijkingen
180 horen erbij. Maar kijk, ik moet niet keihard over de stoep gaan fietsen, zodat iemand anders zich wezen- loos schrikt. Ik kan de mensen niet genoeg zeggen: gebruik je gezon-
185 de verstand, maar houd daarbij rekening met de ander. Dat is alles eigenlijk.'

Uit: Vogelvrije Fietser, 30 oktober 2012

★Vocabulaire vooraf, zie opdracht 5

OPDRACHT 6 Fietsetiquette: hoe hoort het eigenlijk?

Lees de tekst en zeg of de zinnen 'waar' of 'niet waar' zijn volgens de tekst.

	waar	niet waar
1 De *Dikke Ditz* is geschreven door R. van Ditzhuyzen.	☑	☐
2 Er moeten meer regels opgesteld worden.	☐	☑
3 De fietsen kunnen bij het station snel ergens worden neergezet.	☐	☑

	waar	niet waar
4 In de winkelstraten is fietsen niet toegestaan. *soms*	☐	☐
5 Er worden steeds meer vrijliggende fietspaden aangelegd.	☐	☐
6 Er wordt te veel getoeterd door automobilisten.	☐	☐
7 Sommige borden worden genegeerd door fietsers, bijvoorbeeld als ze moeten afstappen.	☑	☐
8 Er wordt regelmatig iemand van de brug geduwd.	☐	☑
9 Op de stoep mag in principe niet worden gefietst.	☑	☐
10 Soms worden auto's op het fietspad geparkeerd om te laden of te lossen.	☑	☐

Vocabulaire

afleiden uit (r. 24)

Dat hij een goed salaris heeft, kun je wel afleiden uit het feit dat hij om de twee jaar een nieuwe auto koopt.

onvoorstelbaar (r. 33/34)

Midden op de oceaan zie je 's nachts onvoorstelbaar veel sterren. Als je daar nooit bent geweest, kun je je niet voorstellen hoe mooi dat is.

ergernis, de / zich ergeren (aan) (r. 36, 91)

In de bus erger ik me eraan als kinderen blijven zitten, terwijl oude mensen moeten staan. Ik heb dan de neiging om mijn ergernis daarover uit te spreken.

troep, de (r. 47)

Er ligt erg veel troep op straat. Waarom worden er geen afvalbakken geplaatst?

haast, de / zich haasten (r. 50)

1 ▪ Ik heb haast. De trein vertrekt over vijf minuten en ik wil ook nog koffie kopen. Ik moet me echt haasten.
  ▪ Haastige spoed is zelden goed.
2 Ik moet nog even geld pinnen, want ik heb haast geen contant geld meer.

gooien (naar) (r. 64)

Tijdens de protesten gooiden enkele demonstranten stenen naar de politie. Zij werden gearresteerd.

toeteren (r. 99)

Je mag in Nederland in de auto alleen toeteren als er gevaar dreigt. Als je je claxon gebruikt terwijl er niets aan de hand is, kun je een bekeuring krijgen.

voorrang, de (r. 102)

In Nederland heb je voorrang als je van rechts komt, maar in Engeland moet je dan juist voorrang geven. Daar moet je wel even aan wennen als je gaat autorijden.

gevaarlijk (r. 110, 169)

Het gevaarlijkste kruispunt van Nederland bevindt zich in Groningen. Daar gebeuren de meeste ongelukken. Met borden en verkeerslichten heeft men geprobeerd het veiliger te maken.

uiting, de / zich uiten (r. 114)

Als een baby huilt, is dat meestal een uiting van dorst. Hoe moet een baby zich anders uiten?

verwarrend / de verwarring / in de war raken, zijn (r. 116)

De nummering van de lokalen in het universiteitsgebouw is heel verwarrend. Ik raak altijd in de war. Zo bevindt lokaal 0346 zich op de vierde verdieping.

overkant, de (r. 143)

Als u die winkel zoekt, dan bent u hier aan de verkeerde kant van de gracht. Hij zit namelijk aan de overkant.

schandelijk / de schande (r. 146/147)

Vroeger was het een schande als een vrouw ging werken in plaats van dat ze thuisbleef om voor de kinderen te zorgen. Men vond dat schandelijk. Nu denkt men daar gelukkig anders over.

afwijking, de / afwijken (week af, is afgeweken) (r. 179)

Maak je geen zorgen. Normaal gesproken is het niet zo warm. Dit is een afwijking van de normale temperatuur.

verstand, het / (on)verstandig (r. 185)

Mensen die hun verstand gebruiken, doen een lange broek aan in de bossen. Het is onverstandig om daar met blote benen te wandelen, want er zijn allerlei insecten.

OPDRACHT 7

Welk woord past het best in de zin?

1 Het is gevaarlijk / verstandig om in het donker zonder licht door de stad te fietsen.

2 Mijn buurman zet zijn radio altijd heel hard als er voetbal op is. Dat is verwarrend / een ergernis voor de hele straat.

3 Agressief gedrag kan een uiting / afwijking zijn van onmacht.

4 Het is onvoorstelbaar / schandelijk hoe sterk mensen in bepaalde situaties kunnen zijn. Heel gewone mensen blijken dan soms echte helden te zijn.

5 Wordt op een kruispunt de afwijking / voorrang niet geregeld door verkeerslichten, verkeersborden of verkeerstekens? Dan gaat de tram altijd voor.

6 Hoe kon je zoveel geld uitgeven in het casino? Waar zit je overkant / verstand?

7 Je moet vooral geen troep / haast uit de auto toeteren / gooien als je op de snelweg rijdt.

OPDRACHT 8

Herschrijf de volgende zinnen. Gebruik daarbij woorden uit het vocabulaire.

1 Zijn gedrag irriteert me enorm.

_____

2 Ik weet niets van scheikunde. Kun jij me helpen?

_____

3 Die molen staat aan de andere kant.

_____

4 Ik moet snel weg! Ik moet op tijd zijn voor het examen.

_____

5 De kinderen gedragen zich heel slecht. Ze schelden en ze vloeken.

_____

6 Ze spreken soms drie talen door elkaar. Dan wordt het gesprek voor mij erg onduidelijk.

_____

7 Het is niet veilig om 50 kilometer per uur op de snelweg te rijden.

_____

8 Sherlock Holmes weet altijd met behulp van details uit te vinden wie de misdaad gepleegd heeft.

OPDRACHT 9

Welk woord uit de lijst hoort bij de volgende zinnen?

1 In een file zijn er altijd mensen die op hun claxon
drukken. Alsof dat helpt!

2 De meeste automobilisten maken zich enorm
boos over mensen die steeds heel dicht achter
hen blijven rijden.

3 De oude vrouw geeft brood aan de vogels: het
brood gaat in de lucht en de vogels vangen het.

4 Een minister die iets steelt uit een supermarkt.
Dat kan toch niet! Vreselijk!

5 Er is iets niet goed met zijn hart. Dat had hij al bij
de geboorte.

6 Het is niet veilig om zonder licht op de snelweg
te rijden.

7 Het is ontzettend druk op deze weg. Ik wil naar
de andere kant maar dat kan alleen via het zebra-
pad.

8 Hier ligt veel rommel: lege koffiebekers, verpak-
king van kauwgom …

9 Hoe kan ik zeggen wat ik voel? Ik weet het niet. Ik
heb er geen woorden voor.

10 Ik moet snel zijn, want de winkel gaat over vijf
minuten dicht.

11 Je kunt aan Berts gedrag merken dat hij verliefd is
op Sandra.

12 Let goed op, want verkeer dat uit die straat komt,
mag eerst de weg op. Stop dus!

13 Soms mogen fietsers eerst, soms auto's. Dat is
niet logisch en lastig om te onthouden!

14 Je bent zeven jaar en je hebt een vriend(in). Die gaat verhuizen, jullie weten niet meer van elkaar waar je woont. En dan, twintig jaar later, wordt hij/zij je nieuwe buurman/-vrouw! _____

15 Ik wil niet te emotioneel zijn nu. Ik wil logisch denken. _____

OPDRACHT 10

Reageer op onderstaande vragen en zinnen met de woorden tussen haakjes.

1 Waarom ben je zo laat? Kon je de weg niet vinden? (verwarrend / in de war)
2 Waarom stop je? (voorrang)
3 Waarom schreeuwt hij de hele tijd zo hard? (uiting)
4 Hoe weet je dat hij getrouwd is? (afleiden uit)
5 Ik woon in een studentenhuis. (troep)
6 Wat vind je vervelend? (zich ergeren aan)
7 Ik heb de piramides bij Caïro bezocht. (onvoorstelbaar)
8 Ga je mee parachutespringen op Texel? (gevaarlijk)
9 Wat weet jij van het azijnzuurmolecuul? (verstand van)
10 Waar kan ik deze vieze bekertjes en sinaasappelschillen laten? (gooien)

Grammatica – passivum

De zinnen uit opdracht 6 zijn allemaal passieve zinnen. Bespreek met elkaar wat je weet over passieve zinnen. Wat weet je over:

- de werkwoorden;
- de tijden;
- de vorm;
- het gebruik van *er*;
- het gebruik van *door*;
- het gebruik van een passieve zin versus een actieve zin?

Check je kennis achter in het boek (Bijlage 4).
Kijk nu nog eens naar de zinnen in opdracht 6. Maak de zinnen actief.

OPDRACHT 11

Maak de zinnen passief. Wat denk je, is *door ...* nodig?

1 Veel senioren gebruiken de fiets.

2 De kaasboer heeft de kaas in de fietstas gegooid.

3 Reinildis van Ditzhuyzen schreef *Hoe hoort het eigenlijk? – De Dikke Ditz.*

4 Heeft de automobilist de klap op de achterkant gehoord?

5 De winkeliers gebruiken de stoep om te lossen en te laden.

6 Ik vond het ergerlijk dat mensen altijd troep in mijn fietsmand gooiden.

7 Automobilisten toeteren ongeduldig.

8 Ze hebben een grote fietsenstalling bij het winkelcentrum gemaakt.

9 Fietsen fietsers vaak over de stoep?

10 Het is een ergernis dat veel klanten de fietsen voor de etalage neerzetten.

OPDRACHT 12

Je ziet als antwoord op de vragen steeds een actieve en een passieve zin. Kies het meest logische antwoord.

Voorbeeld:

Wat is de betalingstermijn?

☐ a U moet de rekening binnen twee weken betalen.

☒ b De rekening moet binnen twee weken betaald worden.

Antwoord b is logischer omdat deze regel waarschijnlijk niet alleen voor de aangesproken persoon geldt, maar voor iedereen die de rekening krijgt.

1 Wat staat er in dat artikel over fraude?

☒ a In het artikel wordt beweerd dat er fraude is gepleegd.

☐ b De journalist beweert dat men fraude heeft gepleegd.

2 Kun je me iets vertellen over de organisatie van het project?

☐ a Het project wordt begeleid door een team van deskundigen.

☒ b Een team van deskundigen begeleidt het project.

3 Waar heb jij je pinpas?

☐ a Mijn pinpas wordt door mijn vriend bewaard.

☒ b Mijn vriend bewaart mijn pinpas.

4 Mag je hier roken?

☐ a Hier mag niet gerookt worden. ✓

☐ b Jij mag hier niet roken.

5 Heeft de politie wel of geen fouten gemaakt?

☐ a Er is toegegeven dat er fouten zijn gemaakt. ✗

☐ b De politie heeft toegegeven dat zij fouten heeft gemaakt. ✓

6 Wat leuk, zo'n uitnodiging voor een etentje!

☐ a Ik word nooit verrast met zo'n uitnodiging. ✗

☐ b Niemand verrast mij met zo'n uitnodiging.

7 Zijn er extra studieplekken gekomen in de bibliotheek?

☐ a Nee, het aantal studieplekken is juist verminderd. ✗

☐ b Nee, de directie van de bibliotheek heeft het aantal studieplekken juist verminderd.

8 Je moet nog water bij de saus doen.
- ☐ a Er is al water aan de saus toegevoegd.
- ☐ b Ik heb al water aan de saus toegevoegd. _X_

Grammatica – *het* en *er* in passieve zinnen

Kijk naar de volgende zinnen. Wat kun je zeggen over het gebruik van *het/dat* en er?

Het wordt volgende week besproken.
Het wordt heel erg gewaardeerd.
Het werd gisteren uitgezonden.
Dat wordt de volgende keer uitgelegd.
Dat werd inderdaad vaak overdreven.
Dat is allemaal al opgeborgen.

Er wordt voor koffie en thee gezorgd.
Er worden eerst foto's gemaakt.
Er werd niets over zijn afwezigheid gezegd.
Er is niets besloten.
Er is geen onderzoek verricht.

OPDRACHT 13 Spring maar achterop

De ene helft van de groep bekijkt een filmpje, terwijl de andere groep buiten het lokaal is. Daarna wisselen jullie en bekijkt de andere helft van de groep een ander filmpje.
Daarna gaan jullie in tweetallen zitten en vertellen jullie elkaar wat jullie hebben gezien.

OPDRACHT 14 Schelden en vloeken

Op straat en op televisie hoor je regelmatig scheldwoorden en vloeken.

- ▪ Wat is het verschil tussen schelden en vloeken?
- ▪ Wat vind je van scheldwoorden en vloeken?
- ▪ Welke scheldwoorden ken je?
- ▪ Welke scheldwoorden worden voor mannen gebruikt en welke voor vrouwen?

Op de website vind je de link naar een beeldfragment waarin Rutger Castricum van Geen Stijl op bezoek gaat bij Peter Smit van de Bond tegen Vloeken. Bekijk het fragment en beantwoord de volgende vragen.

1 Welke drie scheldwoorden worden het meest gebruikt?

_Sh.it_ _Gvd_ _kut/ klote_

2 Wat probeert Peter Smit te bereiken?

3 Welke vijf alternatieven worden voorgesteld? Wat vind je daarvan?

4 De Bond tegen het Vloeken heeft als symbool een papegaai. Waarom?

Heftig reageren

Bijvoorbeeld:

Dat is toch belachelijk!
Wat een idioot!
Nou zeg!
Dat is toch te gek om los te lopen!
Hoe verzin je het?
In wat voor wereld leven we?
Zoiets heb ik nog nooit gehoord!

Onvriendelijk:
Jeetje, wat een herrie!
Donder op man. Ik zat hier.

Vriendelijk:
Zou u de muziek wat zachter willen zetten?
Vindt u het erg om ergens anders te gaan zitten? Ik zat hier al.

OPDRACHT 15 Reageren op gedrag

Op de website vind je links naar filmpjes met situaties waarin iemand zich op een asociale manier gedraagt. Bedenk bij elke situatie een vriendelijke manier van reageren. Let ook op de intonatie.

OPDRACHT 16 Beste Berna en Ronald

Schrijf een e-mail aan de auteurs van *Nederlands op niveau*. Leg ze daarin uit waarom je het wel of juist niet nodig vindt om aandacht te besteden aan schelden en scheldwoorden.

> Beste Berna en Ronald,
>
> In jullie boek *Nederlands op niveau* besteden jullie aandacht aan schelden en scheldwoorden.
> Ik vind dat ...
>
>
>
> Met vriendelijke groet,

OPDRACHT 17 Vocabulaire vooraf

Welk woord uit het rechterrijtje hoort er niet bij?

1 fulmineren   schreeuwen, fluisteren, vloeken, razen
2 weerwoord   reactie, motivatie, antwoord, tegenargument
3 schromelijk   ernstig, verschrikkelijk, voorzichtig, erg
4 excessief   extreem, buitengewoon, te veel, bijzonder
5 leuteren   plukken, kletsen, babbelen, zwammen

OPDRACHT 18 Vocabulaire vooraf

Welke betekenis is niet juist?

1 iemand met de neus op de feiten drukken
　☐ a iemand ergens mee confronteren
　☐ b iemand iets goed laten ruiken
　☐ c iemand iets duidelijk maken

2 Er is iets niet in orde.
　☐ a Het is niet juist.
　☐ b Het is niet goed.
　☐ c Iets is niet recht.

Altijd en overal online, want zonder wifi geen leven

Sheila Kamerman

5 **Op de camping, in het zwembad en op de klapstoel: iedereen is overal online. Hoe sociaal is dat eigenlijk? En ben je dan verslaafd of niet?**

Paul Braun (19) is wel eens helemaal spastisch geworden toen hij
10 een week geen wifi had. En dus geen bereik met zijn telefoon. En dus geen contact met zijn vrienden via sociale media. Constant trok hij zijn telefoon uit zijn broekzak. Het
15 leek wel een tic. Hij doet het even voor. Telkens staarde hij naar het schermpje tot de waarheid weer doordrong: Geen bereik.

20 Zowat iedereen is tegenwoordig altijd online. En jongeren al helemaal. In de vakantie worden vooral ouders met de neus op de feiten gedrukt*. Kinderen willen alleen
25 op een camping staan als er gratis wifi is. Zonder wifi geen leven. Kijk ze in hun klapstoeltjes via de telefoon constant foto's posten van het zwembad. En kijken waar
30 hun vrienden uithangen. En geïrriteerd raken als die niet online zijn. Of omdat ze ergens zijn waar geen wifi is.

35 Maar de vakantie was toch om thuis even los te laten? Om er even helemaal uit te zijn?
Je kunt je voorstellen dat volwassenen geen afstand van hun werk nemen als ze op vakantie steeds hun
40 men als ze op vakantie steeds hun

mail checken, zegt Linda Muusses, sociaal- en organisatiepsycholoog aan de VU in Amsterdam. Voor kinderen en jongeren geldt dat
45 niet, die checken echt niet hun schoolwerk. Voor hen gaat het vaak om de sociale contacten. Je kunt je de vraag stellen of ze daar socialer of minder sociaal van
50 worden.

Dát heeft Muusses niet onderzocht. Ze deed wel onderzoek naar internetverslaving en onderzocht
55 het effect van overmatig internetgebruik op relaties. Als mensen niet kunnen stoppen met internetten, daardoor slaap tekortkomen, of minder tijd doorbrengen met
60 vrienden en familie omdat ze liever internetten, heeft dat effect op hun partner. Muusses: Een partner die zich niet kan beheersen, en dus niet kan stoppen met inter-
65 netten, wordt minder vertrouwd. En vertrouwen is in relaties heel belangrijk.

Kort geleden fulmineerde* de directeur van de psychiatrische uni-
70 versiteitskliniek in het Duitse Ulm, Manfred Spitzer, in deze krant tegen het gebruik van 'beeldscher-

men'. Kinderen leren van de werke-
75 lijkheid, van echte ervaringen, van
het directe contact met andere
mensen, zegt hij. En dus totaal
niet van computers, smartphones,
tablets of tv. Zijn boek *Digitale De-*
80 *mentie* is een bestseller.

Maar fel weerwoord* is er ook.
Patti Valkenburg, hoogleraar media, jeugd en samenleving aan de
85 UvA, vindt dat Spitzer schromelijk* overdrijft. De meeste kinderen leren wel degelijk van het
internet, zijn niet eenzamer dan
kinderen zonder wifi en niet ver-
90 slaafd. Er is wel een relatief kleine
groep die excessief* internet. Die
kinderen, zegt Valkenburg, hebben
extra aandacht nodig.
Maar wanneer is sprake van over-
95 matig internetgebruik? Het is lastig
vast te stellen als iedereen met een
smartphone of tablet in zijn hand
rondloopt. Als de virtuele wereld
belangrijker wordt dan de gewone
100 wereld, is er iets niet in orde*.

Jongeren voelen het vaak wel aan. Je
ziet de tegenreactie ook al: jongeren die 'telefoons stapelen' – de
105 telefoons tijdens de borrel op een
stapel leggen. Soms moet degene
die zich niet kan beheersen en z'n
telefoon grijpt, de rekening betalen.

110 De wifi-loosheid van Paul Braun
duurde trouwens wel langer dan
een week, maar hij wende eraan. Hij was twee maanden in

Zuid-Afrika voor een cursus en
115 een groot deel van die periode
had hij geen wifi. Het was ook wel
lekker rustig. Toen hij daarna een
aantal weken op de Fiji-eilanden
doorbracht (zonder wifi), ging dat
120 prima.
Floris van Vliet (20) vindt het best
asociaal als iemand tijdens een
gesprek telkens op zijn telefoon
kijkt. Je denkt dan toch: boeit het
125 gesprek je niet? Hij is een vriend
van Paul Braun en is samen met
hem in Rotterdam voor de introductieweek voor studenten. Paul
Braun gaat bedrijfskunde studeren
130 en Floris van Vliet scheepsbouw-
kunde. Beiden zijn online natuurlijk, en voor de introductieweek is
dat weer heel handig. Hun groep
eerstejaarsstudenten heeft een
135 groeps-WhatsApp aangemaakt.
Ze kunnen makkelijk afspreken,
iedereen weet het als er wat verandert in het programma en wie een
vraag heeft, stelt die aan allen.
140

Maar ook: iedereen leutert* maar
door. Ik werd wakker en zag 270
berichten in mijn inbox, zegt Van
Vliet. Van de andere eerstejaarsstu-
145 denten dus. Braun knikt. Die gaan
ze dan de volgende ochtend niet
meer zitten lezen. Soms scroll ik
er doorheen en kijk naar de foto's,
zegt Braun. Als de foto interessant
150 is, dan lees ik de tekst eromheen
even. Hij doet dat ook bij vrienden.
Zo zie je het snelst wat je moet weten en de rest kan je missen.

Internetverslaafd is Van Vliet be-
155 slist niet. Ik ben niet zo'n persoon
die op Facebook of Twitter zet: 'Ik
ga nu douchen.' Of: 'Tandenpoet-
sen!' Toen hij op popfestival Low-
lands was, een paar dagen geleden,
160 liet hij zijn telefoon in de tent. Hij
was dáár, op dát moment aan het

genieten. Wat er elders gebeurde,
maakte even veel minder uit.
De vakantie was er toch om er
165 even helemaal uit te zijn?
Uit: *NRC Handelsblad*, 22 augustus 2013

*Vocabulaire vooraf, zie opdracht 17
en18.

OPDRACHT 19 Altijd en overal online

Lees de tekst en beantwoord de volgende meerkeuzevragen. Welk antwoord is juist?

1 Gebruik van internet op vakantie door volwassen en kinderen …
   ☐ a … is hetzelfde.
   ☐ b … is anders omdat volwassenen afstand moeten kunnen nemen van hun werk.
   ☐ c … is anders omdat het voor kinderen vooral om de sociale contacten gaat.

2 Iemand die te veel internet …
   ☐ a … slaapt te weinig.
   ☐ b … vindt zijn relatie niet belangrijk.
   ☐ c … is onbetrouwbaar.

3 Welke stelling is juist volgens de tekst?
   ☐ a Er zijn verschillende meningen over of je wel of niet leert van internet.
   ☐ b Kinderen met wifi voelen zich meer alleen dan kinderen zonder wifi.
   ☐ c Kinderen die te weinig aandacht krijgen, gaan te veel internetten.

4 Welke stelling is juist volgens de tekst?
   ☐ a Jongeren vinden het normaal als de telefoon tijdens een gesprek ge-checkt wordt.
   ☐ b Eerstejaarsstudenten gebruiken hun mobiele telefoon om afspraken met elkaar te maken.
   ☐ c Jongeren zetten veel overbodige informatie op internet.

Vocabulaire

verslaafd zijn (aan) / de verslaving (r. 6, 54)

Steeds meer jongeren zijn tegenwoordig verslaafd aan gamen. Men spreekt van een verslaving als ze meer dan 16 uur per dag aan het gamen zijn.

telkens (r. 16)

Telkens als ik iets met je wil afspreken, heb je geen tijd. Heb je het elke keer zo druk?

staren (r. 16)

- In de bus zat die vrouw de hele tijd naar mij te staren. Ze keek zo lang naar me dat ik de neiging had om te vragen: 'Wat is er aan de hand?'
- Soms is het goed als je een paar minuten uit het raam staart. Niets doen en nergens aan denken.

doordringen (tot) (drong door, is doorgedrongen) (r. 18)

1 Het positieve nieuws drong niet tot hem door. Hij kon het niet geloven!
2 In dat gebied zijn nog maar weinig mensen geweest. Het is moeilijk om door te dringen in dat gebied, omdat er geen paden zijn.

zowat (r. 20)

Zowat al mijn vrienden komen op mijn feest. Bijna iedereen, behalve James en Vera.

overmatig (r. 55)

Alles wat je te veel doet, is niet goed. Dat geldt voor overmatig internetgebruik, maar ook voor drankgebruik.

tekortkomen (kwam tekort, is tekortgekomen) (r. 58)

Ik heb het erg druk. Ik kom tijd tekort om alles te doen.

beheersen, (zich) / de beheersing (r. 63)

1 Hij werd woedend, hij kon zich niet beheersen en begon met spullen te gooien. Hij had zichzelf niet onder controle.
2 Ik beheers de stof van het vorige hoofdstuk, dus ik ben niet bang voor de test. Ik begrijp alles.

fel (r. 82)

1 Wat schijnt de zon fel. Ik moet even een zonnebril opzetten.

2   Ik vind donkergroen mooier dan felgroen. Ik hou niet van die opvallende kleuren.

3   Ik denk dat ik iets verkeerds heb gezegd, want ze reageerde erg fel. Het was bijna agressief.

overdrijven (overdreef, overdreven) (r. 86)

Je zegt dat ik dag en nacht online ben, maar dat is overdreven. Ik lig 's nachts gewoon te slapen.

sprake (zijn) van / ter sprake komen (r. 94)

1   ▪   Er is sprake van een toename van het aantal ooievaars in Nederland.

▪   Ze zeiden dat hij fraude had gepleegd, maar daar is geen sprake van. Het is onderzocht en het was niet zo.

▪   – 'Mocht jij toen je 16 jaar was, uitgaan en 's nachts om 2 uur thuiskomen?'

– 'Geen sprake van, mijn ouders waren heel streng.'

2   'Hebben jullie nog over dat asociale gedrag gepraat?' 'Nee, dat is niet ter sprake gekomen.'

stapelen (r. 104)

Wil je de borden op elkaar stapelen? Zo'n stapel borden neemt minder ruimte in dan wanneer je de borden naast elkaar zet.

boeien / boeiend (r. 124)

1   Die film boeide me niet. Ik vond hem niet interessant, hoewel het boek wel boeiend was.

2   De inbreker werd door de politie geboeid en zo meegenomen naar het politiebureau.

aanmaken (r. 135)

Als je de opdrachten op de website wilt maken, dan moet je eerst een account aanmaken. Anders heb je geen toegang tot de website.

knikken (r. 145)

In Nederland knik je je hoofd bij *ja* en schud je met je hoofd bij *nee*. In sommige landen is dat precies andersom.

beslist (r. 154/155)

Ik ben beslist niet afhankelijk van mijn mobieltje. Absoluut niet.

elders (r. 162)

Ben je het weekend thuis of ben je elders?

OPDRACHT 20

Vul een werkwoord in. Denk om de juiste vorm en tijd.

1 Ze vertelde dat ze werd uitgescholden door een fietser, maar dat was *verkeerd begrepen*. De fietser zei alleen dat ze moest uitkijken.

2 Wist je dat je ook *een afspraak maken* kan zijn aan cosmetische chirurgie? Er zijn mensen die meer dan vijftig operaties hebben gehad.

3 Ik moet dit jaar veertig studiepunten halen. Op dit moment heb ik er dertig, dus ik *moet* er nog tien *toevoegen*.

4 Nou, nou, kan het wat minder! Je reageert wel erg fel. *Ontspan* je!

5 Ik had al een profiel op die website *gezet*, maar ik heb nog wat dingen gewijzigd.

6 Wil je dat ik die boeken *opruim* of wil je liever dat ik ze naast elkaar leg?

7 Het is onvoorstelbaar, maar ze is *doorgedrongen* tot de laatste ronde. Wat goed van haar!

8 Ze *knikte*. Daaruit leidde ik af dat ze het met me eens was.

9 Hebben we het hier al eerder over gehad? Volgens mij is dit onderwerp nog niet *behandeld*.

10 Ik geloof dat hij helemaal in de war was. Hij *kijkt* naar me alsof hij het in Keulen hoorde donderen.

OPDRACHT 21

Welke woorden betekenen ongeveer hetzelfde? Combineer de woorden uit het linker- en rechterrijtje.

1 fel   a elke keer

2 telkens   b interessant

3 beslist   c bijna

4 elders   d zeker

5 boeiend   e ergens anders

6 zowat   f te veel

7 overmatig   g heftig

OPDRACHT 22

Kun je de tekst navertellen met behulp van de volgende woorden uit het vocabulaire?

Vanuit het perspectief van Paul Braun:
Toen hij op vakantie was, …
geen wifi
telkens — *each time*
zich niet beheersen
elders
verslaafd — *enslaved*

Vanuit het perspectief van Linda Muusses:
onderzoek doen naar
internetverslaving
overmatig
tekortkomen
zich niet beheersen

Vanuit het perspectief van Patti Valkenburg:
fel
overdrijven
sprake van
overmatig

Vanuit het perspectief van jongeren in het algemeen:
stapelen
boeien
aanmaken
beslist niet

OPDRACHT 23

1 'Ik schrik me kapot als een automobilist niet in zijn spiegel kijkt en ineens rechtsaf slaat. Levensgevaarlijk.'

levensgevaarlijk betekent
_____

2 'Maar kijk, ik moet niet keihard over de stoep gaan fietsen, zodat iemand anders zich wezenloos schrikt.'

keihard betekent
_____

Bij welke versterkingen in de tekst horen de volgende woorden?

blij ▪ eerlijk ▪ gek ▪ gezond ▪ hekel ▪ nodig ▪ trots ▪ vervelend ▪ wakker

De oude man was nog altijd kern___*gezond*___. Daar was hij
ape___*trots*___ op. Zijn kinderen waren er dol___*blij*___ mee, omdat
ze veel van hem hielden. Hij was goud___*eerlijk*___. Hij zou nooit iemand
bedriegen. Toch had zijn buurvrouw een bloed___*vervelend*___ aan hem. Die
buurvrouw was zelf stront_____. Zij had hem echter
brood___*nodig*___, omdat hij altijd boodschappen voor haar deed. Volgens
hem was zij zelf knetter___*gek*___, omdat zij elke morgen al om 5:30 uur
klaar___*wakker*___ was en dan de radio heel hard aanzette.

Grammatica – passivum met modale werkwoorden
Kijk naar de volgende zinnen.

De complimenten **mogen** aan de hele groep *worden doorgegeven / doorgegeven worden*.
De wonderlamp **moest** eerst *worden opgepoetst / opgepoetst worden*, voordat er een wens **kon** *worden gedaan / gedaan* **kon** *worden*.
Het verschil **kan** niet *worden waargenomen / waargenomen worden*.
Ik beloof jullie: de Himalaya **zal** door ons voor de winter *zijn beklommen / beklommen zijn*.
Ik moet me snel inschrijven want ik **wil** voor volgend jaar *zijn geregistreerd / geregistreerd zijn*.

OPDRACHT 24

Maak de zin af. Kies de juiste vorm in kolom 1 en 2. Kolom 2 en 3 kunnen worden verwisseld.

De telefoon ... uitgezet.

		Kolom 1	Kolom 2	Kolom 3 Participium
Onvoltooid	presens	moet/moest	worden/zijn	uitgezet
	imperfectum	moet/moest	worden/zijn	uitgezet
Voltooid	perfectum	moet/moest	worden/zijn	uitgezet
	plusquamperfectum	moet/moest	worden/zijn	uitgezet

OPDRACHT 25

Geef antwoord op de vraag. Maak gebruik van de woorden tussen haakjes. Maak passieve zinnen.

1 Moeten de studenten het boek kopen? (mogen, bibliotheek, lenen)

2 Wat is de deadline voor het essay? (moeten, 21 april, inleveren)

3 Hoe konden de studenten weten wat ze moesten doen? (kunnen, opdracht, afleiden)

4 Hoe komen we van het vliegveld bij ons hotel? (zullen, ophalen)

5 Waarom ga je naar de kapper? (willen, knippen)

6 Wat gaan we vandaag doen? (moeten, troep, opruimen)

7 Wil je een sigaret? (mogen, roken, café)

8 Waarom hangt Peter een briefje met 'bezet' op zijn deur? (willen, storen)

_____

9 Wat veel mensen hier! Wat gaat er straks gebeuren? (zullen, prijs, uitreiken)

_____

10 Hoe kan ik een pakket retour sturen? (kunnen, PostNL-locatie, afgeven)

_____

OPDRACHT 26 Goed geregeld

Werk in een groep van drie of vier personen. Jullie moeten gezamenlijk regels opstellen voor een van de volgende situaties:
- het samenwonen in een studentenhuis
- omgangsregels op het werk
- de dagelijkse gang van zaken binnen een sportclub
- een uitstapje met je studiegenoten, werk of sportclub

Probeer in je regels passieve constructies te gebruiken, zoals:
Er mag tussen 1.00 en 8.00 uur geen harde muziek gedraaid worden.
De fietsen kunnen in de fietsenstalling worden gezet.
Er mag niet gerookt worden in de bus.

Elke groep krijgt van de docent een blad met meer informatie.

OPDRACHT 27 Vocabulaire vooraf

Omschrijf de betekenis van de volgende woorden.

1 het verenigingsleven
2 afkopen
3 waarden en normen
4 het vliegwieleffect
5 het sneeuwbaleffect
6 de ervaringsdeskundige

OPDRACHT 28 Vocabulaire vooraf

Combineer het idiomatisch taalgebruik in het linkerrijtje met de betekenis in het rechterrijtje.

pull your finger out

1	de handen uit de mouwen steken		a	aan het werk gaan
2	iets in de markt zetten		b	actief meedoen
3	aan de slag gaan		c	geen geld meer hebben
4	aan de grond raken		d	respect hebben voor iets
5	iets waar je *u* tegen zegt		e	een nieuw product of dienst gaan verkopen

OPDRACHT 29 Vrijwilligerswerk

Op de website vind je de link naar een beeldfragment over vrijwilligerswerk. Bekijk het fragment en beantwoord de vragen.

1 Welke persoonlijke informatie krijg je over de hoofdpersoon?

2 Wat was de reactie van de hoofdpersoon toen hij werd geconfronteerd met vrijwilligerswerk bij de tennisvereniging?

3 Wat zijn volgens hoogleraar Lucas Meijs de twee belangrijkste redenen om vrijwilligerswerk te doen?

4 Welke andere redenen noemt hij nog?

5 Wat vertelt Ruud Pluijter, coördinator van de vrijwilligers over vrijwilligerswerk?

6 Wat is het doel van Resto?

7 Wat heeft Ruud Pluijter zelf meegemaakt?

8 De hoofdpersoon heeft besloten om vrijwilligerswerk te gaan doen en meldt zich aan bij stichting Laluz. Wat doet deze stichting?

9   Wat vertelt de directeur van Laluz over vrijwilligerswerk?

10   Wat vertelt hoogleraar Meijs over de organisatie van vrijwilligerswerk?

11   Welk vrijwilligerswerk gaat de hoofdpersoon uiteindelijk doen?

OPDRACHT 30 Samenvatten

Schrijf met behulp van de antwoorden op bovenstaande vragen een samenvatting van het fragment.

OPDRACHT 31 Asociaal?

Spreek in groepjes over de volgende zinnen en vragen.

BEROEMDE
VRIJWILLIGERS

KLAAS VAAK

REPELSTEELTJE

SINTERKLAAS

EN ROBIN HOOD

Loesje

Postbus 1045
6801 BA Arnhem
www.loesje.nl

1   Reageer op de tekst van Loesje.
2   Ben je asociaal als je niet aan vrijwilligerswerk doet?
3   Zou jij willen werken zonder daar salaris voor te krijgen?
4   Wat zijn de positieve en wat zijn de negatieve kanten van vrijwilligerswerk? Vul het schema op bladzijde 83 in.

+	−

OPDRACHT 32 Vrijwilligerswerk

Op de website vind je een link naar www.vrijwilligerswerk.nl. Bekijk de vacatures in je eigen regio. Welke vrijwilligersfunctie spreekt jou aan en waarom?

OPDRACHT 33 De sollicitatiebrief

Lees eerst de teksten hierna over het schrijven van sollicitatiebrieven.
Schrijf dan een brief waarin je solliciteert naar de vrijwilligersfunctie die jou leuk lijkt. Gebruik daarbij de tips uit het artikel en kijk ook naar het voorbeeld daarna.

Over aapjes schrijven mag, standaardzinnen niet

Anne-Martijn van der Kaaden

Clichés ('perfectionist'), holle woorden ('uitdaging') en overdrijvingen zijn niet wenselijk in je sollicitatiebrief. Gelukkig geven talloze carrièresites tips. Maar zijn deze adviezen ook bruikbaar? nrc.next legt ze voor aan hr-experts.

Tip 1:
'Taalfouten zijn storender dan een generieke openingszin. Het begin van een sollicitatiebrief is dus echt niet zo belangrijk als velen denken.'
(bron: sollicitatiedokter.nl)

Wouter Gregorowitsch, campus consultant bij Ebbinge & Company: 'Taalfouten zijn absoluut uit den boze. De eerste zin geeft aan dat je solliciteert. Generiek of niet, duidelijkheid is gewenst.'

Coosje Knape, recruiter bij De Brauw Blackstone Westbroek: 'Taalfouten kunnen écht niet. Als jij niet de moeite hebt genomen om een nette brief te schrijven, dan zegt dat niet alleen iets over je taalvaardigheid, maar tevens over je motivatie.'

Tip 2:
'Begin je sollicitatiebrief altijd met jezelf voor te stellen! Graag zou ik mezelf even willen voorstellen. Mijn naam is Jan Piet Klaassen, en ik wil graag solliciteren voor de functie...'
(sollicitatiebriefmaken.com)

Gregorowitsch: 'Je naam staat al boven- en onderaan je brief. Daarnaast stuur je een cv mee. Jezelf voorstellen is ruimteverspilling; er is minder plek voor je motivatie.'

Knape: 'Zo wek je niet per se iemands interesse. De lezer snapt echt wel wat de bedoeling is van je schrijven, maar door de manier waarop je dat doet, kan jij het verschil maken.'

Tip 3:
'Vertel in je eigen woorden wat je nu écht wilt overbrengen. Wedden dat de toon precies goed is?' (intermediair.nl)

Voorbeeld via Stichting AAP: 'Natuurlijk hoef ik u niet te schrijven dat een aap ontzettend veel overeenkomsten heeft met een mens. In sommige dingen ben ik namelijk net een berberaapje. Ik heb graag veel mensen om me heen en leg snel en makkelijk goede contacten.'

Gregorowitsch: 'Creatief voorbeeld. Vertel in eigen woorden wat je wilt overbrengen. Betrek het op jezelf, maar blijf zakelijk.'

Knape: 'Misschien is jezelf vergelijken met een aap een apart voorbeeld, maar inderdaad: wees authentiek.'

Tip 4:
'Laat een effectieve, onderscheidende brief door ons schrijven. Je hoeft er helemaal niets voor te doen, behalve een vragenlijstje in te vullen.'
(schrijvensollicitatiebrief.nl)

Gregorowitsch: 'Schrijf altijd je brief zelf! Het verscherpt je motivatie, wat weer belangrijk is voor je sollicitatiegesprek.'

Knape: 'Ik mag hopen dat niemand deze tip serieus neemt. Ik prik er direct doorheen wanneer een brief bestaat uit gestandaardiseerde teksten.'

Tip 5:
'Schrijf op een post-it papiertje een tekst in de trant van "Deze ziet er goed uit! N." Plak dit op uw cv en verstuur het naar de werkgever. Uw brief komt terecht op een stapel op het bureau van de hr-manager. En die heeft geen idee wie 'N' is, maar zal toch geneigd zijn uw sollicitatie met voorkeur te behandelen.' (925.nl)

Gregorowitsch: 'Bedenk goed naar welk bedrijf je je brief stuurt. Als creativiteit gewenst is, pas dit dan ook toe op je motivatiebrief. Het gaat echter om de inhoud van je brief.'
Knape: 'Ik vind dit een leuke tip! Ik ontving ooit een theezakje in een envelop. De sollicitant schreef: "U bent mogelijk verrast door bijgevoegd theezakje. Omdat u veel brieven zult ontvangen voor deze positie, hoop ik door dit gebaar bij u *on top of mind* te blijven."'
Een versie van dit artikel verscheen op woensdag 24 juli 2013 in nrc.next.

Voorbeeldbrief

Jouw naam
Straat en nummer
Postcode, Plaats
E-mailadres
Telefoonnummer

Utrecht, 25 januari 2015

Naam bedrijf
T.a.v. de heer / mevrouw ...
Straat en nummer
Postcode, Plaats

Betreft: vacature horecamedewerker

Geachte mevrouw ...,

Via een medewerker van u hoorde ik dat u op zoek bent naar nieuw barpersoneel. Met deze brief wil ik u ervan overtuigen dat ik de juiste persoon ben voor deze baan.

Ik ben 21 jaar en volg op dit moment een cursus 'Nederlands op niveau' aan het Taleninstituut in Utrecht. Om mijn Nederlands verder te oefenen ben ik op zoek naar een mogelijkheid om een paar avonden in de week in een café te gaan werken. Ik heb ruime ervaring opgedaan in de bediening bij eetcafé De Bastaard in Utrecht. Ik heb daar bijna drie jaar gewerkt, maar moest er afgelopen zomer mee stoppen wegens te zware studiedruk.

Ik werk hard, ben communicatief sterk en kan gemakkelijk sociale contacten leggen. Tot in de late uurtjes doorwerken is voor mij geen probleem en wanneer dit nodig is ben ik bereid overuren te maken.

Ik hoop uw belangstelling gewekt te hebben en kom graag een en ander toelichten in een persoonlijk gesprek.

Met vriendelijke groeten,

Handtekening

Je naam

Bijlage: curriculum vitae

De sollicitatiebrief

Een sollicitatiebrief moet voldoen aan een aantal formele eisen.
- Bovenaan vermeld je je eigen adres.
- Daaronder zet je de datum van verzending.
- Dan volgt de naam en het adres van de werkgever.
- Vervolgens kun je achter de aanduiding 'Betreft:' vermelden naar welke functie je solliciteert.
- Je sluit je brief af met 'Met vriendelijke groeten,' of als het een erg formele brief is met 'Hoogachtend,' .
- Dan volgt je handtekening met daaronder je naam.
- Onderaan de brief zet je: 'Bijlage: curriculum vitae'.

Voeg aan je sollicitatiebrief altijd een curriculum vitae (cv) toe. Daarin vermeld je kort en zakelijk wie je bent en wat je kwaliteiten zijn. Een cv is altijd formeel van toon en is nooit langer dan twee A4'tjes. Vermeld alleen feiten: opleiding, werkervaring, relevante vaardigheden, hobby's en nevenactiviteiten. Vergeet niet dat je jezelf ook wilt verkopen! Leg daarom de nadruk op baantjes, studies en activiteiten die aansluiten bij de functie.

Op internet zijn veel voorbeelden te vinden van sollicitatiebrieven en cv's. Je kunt deze goed als inspiratiebron gebruiken. Kopieer echter nooit een brief in zijn geheel en let goed op dat er in de voorbeeldzinnen geen fouten staan!

Bron: http://www.carrieretijger.nl/carriere/solliciteren

Het sollicitatiegesprek

Sollicitatiegesprekken verlopen meestal volgens een bepaald schema. Dat schema is:
- Introductie
- Informatie over de organisatie en de functie
- Vragen aan de kandidaat
- Vragen van de kandidaat
- Afsluiting

Veelvoorkomende vragen in sollicitatiegesprekken zijn:
- Waarom solliciteert u juist bij dit bedrijf?
- Waarom solliciteert u juist naar deze baan?
- Waarom denkt u geschikt te zijn voor deze functie?
- Wat zijn uw zwakke kanten? Noem er drie.
- Wat zijn uw sterke kanten? Noem er drie.
- Wat heeft u het bedrijf te bieden?

Bron: Taal in zaken; zakelijk Nederlands voor anderstaligen

OPDRACHT 34 Het sollicitatiegesprek

Je gaat sollicitatiegesprekken voeren in groepjes van drie. Iedereen krijgt een andere rol. Verdeel de volgende rollen.

Persoon A:

Je bent uitgenodigd voor een sollicitatiegesprek naar aanleiding van je brief uit opdracht 33.

Persoon B:

Je bent de eigenaar van het bedrijf. Persoon A heeft je een sollicitatiebrief gestuurd en jij hebt persoon A uitgenodigd voor een gesprek. Je stelt onder andere de bovenstaande vragen. Je vraagt ook of persoon A uitgebreid wil ingaan op zijn opleiding en werkervaring.

Persoon C:

Je neemt geen deel aan het sollicitatiegesprek, maar je luistert naar de manier waarop je medecursisten spreken. Let op de woordvolgorde en het correct gebruik van de werkwoorden. Maak aantekeningen. Na de discussie geef je feedback aan persoon A en B.

1 Persoon A en B: Voer een sollicitatiegesprek naar aanleiding van de sollicitatie-brief. Gebruik bovenstaand schema en de veelvoorkomende vragen.
   Persoon C: Luister goed naar persoon A en B, maak aantekeningen en geef je feedback aan persoon A en B.
2 Wissel nog tweemaal van rol en herhaal de opdracht.

OPDRACHT 35 Een woord van dank

Een goede vriend van je heeft je geholpen bij het schrijven van een sollicitatie-brief. Je hebt de baan gekregen. Je bent er erg blij mee en je wilt je vriend graag bedanken. Schrijf een korte mail waarin je je vriend bedankt voor zijn hulp. Vertel hem hoe blij je bent en nodig hem uit om bij je te komen eten.

OPDRACHT 36 Wat gaan we doen? (zou – zouden)

Op welke manier kun je een voorstel formuleren? Formuleer concrete voorstel-len. Maak gebruik van 'zullen'.

Je wilt met een groepje vrienden iets leuks gaan doen. Je hebt een goed voorstel:

Persoon A: Nee, dat is te duur.
Hij doet een ander voorstel:

Persoon B: Nee, dat vind ik niet leuk.
Hij doet weer een ander voorstel:

Iedereen: Ja, dat is een goed idee.

Lees nu de voorbeelden en beantwoord de vragen.

1 Je wilt met een groepje vrienden iets leuks gaan doen. Je zegt: 'We zouden naar het strand kunnen gaan of we zouden naar de film kunnen gaan. We zouden ook naar het dancefestival kunnen gaan. Zeggen jullie het maar.'

Wat is juist?
- ☐ a Je wilt met je vrienden naar het strand én naar de film én naar het dancefestival.
- ☐ b Je wilt met je vrienden naar het strand óf naar de film óf naar het dancefestival.
- ☐ c Je wilt met je vrienden iets doen, maar zij mogen zeggen wat jullie gaan ondernemen.

2 Een cursist vraagt aan zijn docent: 'Hoe kan ik mijn Nederlands verbeteren?' De docent antwoordt: 'Je zou vrijwilligerswerk kunnen gaan doen. Je zou ook naar Nederlandse tv-series kunnen kijken. Je zou ook naar het taalcafé kunnen gaan.'

Wat is juist?
- ☐ a De docent adviseert de cursist om vrijwilligerswerk te gaan doen én naar Nederlandse tv-series te kijken én naar het taalcafé te gaan.
- ☐ b De docent adviseert de cursist om vrijwilligerswerk te gaan doen óf naar Nederlandse tv-series te kijken óf naar het taalcafé te gaan.
- ☐ c De docent noemt een paar manieren om het Nederlands te verbeteren, maar de cursist moet zelf kiezen wat hij gaat doen.

Wat is juist?
'Zou(den)' in combinatie met 'kunnen' en een infinitief geeft aan dat er sprake is van ...

- ☐ a ... een wens.
- ☐ b ... een advies.
- ☐ c ... een mogelijkheid.

OPDRACHT 37

Je gaat met een vriendin op vakantie. Jij houdt van het strand. Zij houdt van de stad. Waar zouden jullie naartoe kunnen gaan?

tip Woordwolken zijn handig bij het uitbreiden van je vocabulaire en het oefenen van je spreekvaardigheid. Je kunt ze zelf maken met het programma Wordle.net.

 OPDRACHT 38 Spreken met woordwolken

Dit zijn woordwolken:

Zoek op internet (bijvoorbeeld in Wikipedia) naar een artikel over een onderwerp dat je interessant vindt. Kopieer de hele tekst. Ga dan naar wordle.net en klik 'create' aan. Plak de gekopieerde tekst in het kader dat in beeld verschijnt. Klik dan op 'Go'.

Je ziet een woordwolk verschijnen met daarin de woorden die vaak voorkomen in het artikel. Zijn er woorden bij die je niet kent? Zoek die dan op en probeer er twee correcte zinnen mee te maken.

Print de woordwolk. Vertel in de les aan een medecursist over het onderwerp dat je gekozen hebt. Gebruik tijdens het vertellen zo veel mogelijk woorden uit de woordwolk.

 OPDRACHT 39 Party & taal

Deze opdracht is een herhalingsopdracht met het vocabulaire van hoofdstuk 1 en 2, inclusief de werkwoorden met preposities en onregelmatige werkwoorden. De docent verdeelt jullie in twee teams en geeft jullie verdere instructies.

 OPDRACHT 40 Preposities

Vul de juiste prepositie in.

1 Jongeren besteden veel tijd _____ *aan* _____ sociale contacten.

2 Ik geef niet _____ *om* _____ luxe dingen.

3 Dat hoort _____ bij _____ deze generatie.

4 Waar leer jij het meeste _____ van _____ ?

5 Ik let wel even _____ op _____ je bagage.   – pay attention

6 Hij staarde de hele tijd _____ naar _____ mij.

7 Ik erger me _____ aan _____ asociaal gedrag.

8 Als lifter ben je afhankelijk _____ van _____ automobilisten.

9 De vakantie is een periode om afstand te nemen _____ (van) _____ het werk.

10 Heb jij ook een hekel _____ aan _____ keiharde muziek?

11 Complimentjes hebben een positief effect _____ aan op _____ mensen.

12 Ben jij enthousiast _____ over _____ fietsliftplaatsen?

13 Jongeren zijn gericht _____ op _____ contact met andere jongeren.

14 In deze cursus leggen we de nadruk _____ op _____ communicatie.

15 Zij doet onderzoek _____ naar _____ motivatie bij mensen die ontslagen zijn.

16 Het is belangrijk dat automobilisten rekening houden _____ met _____ fietsers.

17 Hij brengt veel tijd door _____ naar met _____ gamen.   (met)

18 Zijn jongeren verslaafd _____ aan _____ hun mobiele telefoon?

19 Ik heb geen zin _____ in _____ felle discussies.

20 Ik denk dat topsport vooral _____ op _____ discipline aankomt.

21 Je kunt dat _____ uit _____ zijn woorden afleiden.

22 Wil je ook _____ aan _____ het project meedoen?

23 Ik wil even nadenken _____ over _____ jouw vraag.

24 Ik heb erg opgekeken _____ van _____ haar beslissing. Dat had ik niet verwacht.

25 Heb je nog iets toe te voegen _____ aan _____ mijn opmerkingen?

⚙ **OPDRACHT 41** Onregelmatige werkwoorden

afwijken ▪ gedragen ▪ onthouden ▪ ontslaan ▪ opbergen ▪ toestaan ▪
verkopen ▪ vervangen

Vul de bovenstaande werkwoorden in de juiste werkwoordsvorm in (imperfectum of participium).

1 De resultaten _Weken___af_____ van de verwachte waarden en
waren daardoor niet echt geloofwaardig.

2 Is hij _____ontslagen_____ of is hij vrijwillig met zijn baan gestopt?

3 De jongeren ____gedroegen_____ zich slecht. Ze beledigden voorbijgangers en gooiden met afval.

4 De ouders ____toestonden_____ dat de directeur van de school het
gedrag van hun kinderen op school ter sprake bracht.

5 Ik ben vergeten waar ik mijn sleutels heb ___opgeborgen_____ en nu
kan ik het huis niet in.

6 Ik heb ____onthouden_____ dat ik de sleutels ergens in een lade heb
gestopt.

7 De man ___verkocht_____ gestolen fietsen omdat hij verslaafd
was aan heroïne.

8 Al onze oude lampen zijn ____vervangen_____ door energiezuinige
lampen.

// Op de website bij dit boek staan nog meer oefeningen bij dit hoofdstuk. Je vindt ze
op **www.coutinho.nl/nederlandsopniveau**.

Vocabulairelijst hoofdstuk 2

vet = 0-2000 meest frequente woorden; *cursief = woorden met een frequentie tussen 2000 en 5000;* normaal = woorden met een frequentie boven 5000

Receptief
afkopen
coulant
ervaringsdeskundige, de
excessief
fulmineren
keurslijf, het
leuteren
schromelijk
sneeuwbaleffect, het
verheven voelen, zich
verenigingsleven, het
vliegwieleffect, het
vrijbuiter, de
waarden en normen
weerwoord, het

haast, de
haasten, zich
haastig
onvoorstelbaar
overkant, de
schandelijk
schande, de
toeteren
troep, de
uiting, de
verstand, het
(on)verstandig
verwarrend
verwarring, de
in de war raken / zijn
voorrang, de

Idiomatisch taalgebruik
koste wat (het) kost
aan de grond raken
de handen uit de mouwen steken
iets in de markt zetten
iemand met de neus op de feiten drukken
er is iets niet in orde
aan de slag gaan
iets waar je u tegen zegt
dan wordt het een ander verhaal

Fietsetiquette: hoe hoort het eigenlijk?
afleiden uit
afwijken,
afwijking, de
ergeren aan, zich
ergernis, de
gevaarlijk
gooien (naar)

Altijd en overal online
aanmaken
beheersen, (zich)
beheersing, de
beslist
boeien
boeiend
doordringen tot
elders
fel
knikken
overdrijven
overmatig
stapelen
staren
tekortkomen
telkens
ter sprake komen / sprake (zijn) van
verslaafd zijn (aan)

verslaving, de

zowat

Preposities

afhankelijk zijn van

afleiden uit

afstand nemen van

besteden aan

doorbrengen met

effect hebben op, een

enthousiast zijn over

ergeren aan, zich

gericht zijn op

geven om

hekel hebben aan, een

horen bij

leren van

letten op

meedoen aan

nadenken over

nadruk leggen op, de

onderzoek doen naar

opkijken van

rekening houden met

richten op, zich

staren naar

toevoegen aan

verslaafd zijn aan

zin hebben in

Onregelmatige werkwoorden

afwijken

gedragen

onthouden

ontslaan

opbergen

toestaan

verkopen

vervangen

Reflectie

Reflecteer op elk punt. Wat kun je? Vul het overzicht in.

Dit kan ik	nog niet	bijna	voldoende
Lezen			
Ik kan teksten begrijpen over actuele onderwerpen waarin de schrijver een bepaald standpunt inneemt, zoals *Fietsetiquette: Hoe hoort het eigenlijk?* en *Altijd en overal online, want zonder wifi geen leven.*			
Ik kan in teksten over onderwerpen van algemeen belang of binnen het eigen vak- of interessegebied nieuwe informatie en specifieke details vinden, zoals in het krantenartikel met sollicitatietips.			
Luisteren			
Ik kan gedetailleerde aankondigingen en instructies begrijpen zoals de filmpjes over asociaal gedrag.			
Ik kan de essentie begrijpen van moeilijke tv-programma's als er in standaardtaal en in normaal tempo wordt gesproken, zoals *Ben je asociaal als je niet aan vrijwilligerswerk doet?*			
Gesprekken voeren			
Ik kan contacten met moedertaalsprekers van het Nederlands onderhouden zonder hen onbedoeld te irriteren of te amuseren zonder dat zij zich anders moeten gedragen dan in gesprekken met native speakers, zoals bij *Social talk.*			
Ik kan in vertrouwde situaties actief meedoen aan discussies over onderwerpen van algemene aard, zoals bij de discussie over vrijwilligerswerk.			
Ik kan gevoelens genuanceerd uiten en adequaat reageren op gevoelsuitingen van anderen, zoals bij *Heftig reageren.*			
Ik kan de voortgang van het werk of van een gezamenlijke activiteit op weg helpen, zoals bij het opstellen van regels.			
Ik kan op betrouwbare wijze gedetailleerde informatie doorgeven, zoals bij het navertellen van bekeken filmpjes, het bespreken van fietsregels en het navertellen van de tekst *Altijd en overal online, want zonder wifi geen leven.*			

Ik kan complexe informatie en adviezen met betrekking tot het eigen vak- of interessegebied uitwisselen, zoals bij het navertellen van een zelf gekozen artikel.			
Ik kan initiatief nemen in een vraaggesprek, kan ideeën ontwikkelen en ze uitbreiden met een beetje hulp of stimulans van de gesprekspartner, zoals bij het sollicitatiegesprek.			
Monologen			
Ik kan verslag doen van ervaringen en gebeurtenissen, en daarbij meningen met argumenten onderbouwen, zoals het beschrijven van mijn opleiding en werkervaring tijdens het sollicitatiegesprek.			
Schrijven			
Ik kan in correspondentie ingaan op de persoonlijke betekenis van ervaringen en gebeurtenissen, zoals het schrijven van een e-mail over mijn mening over schelden en een bedankje aan een vriend.			
Ik kan adequate zakelijke en formele brieven schrijven, zoals een sollicitatiebrief.			
Ik kan een begrijpelijke samenvatting maken, zoals van het luisterfragment over vrijwilligerswerk.			

Kelly's expat shopping

Kelly'

3

Progressief

OPDRACHT 1 Korte film

Op de website vind je de link naar een reclamefilmpje, 'Wie is toch die man die op zondag altijd het vlees komt snijden?' Bekijk het filmpje. Wat is het doel van het filmpje?

Het aanrecht wordt traditioneel gezien als de werkplek van de huisvrouw. Kun je de 'slogan' *Het enige recht van de vrouw is het aanrecht* uitleggen?

*little ✓
s.th.   interpret*

OPDRACHT 2 Vocabulaire vooraf

Wat betekenen de volgende uitdrukkingen? Combineer de uitdrukkingen uit het linkerrijtje met de betekenis uit het rechterrijtje.

take a closer look at...

1	iets onder de loep nemen	a actie ondernemen *taking act---*
2	geen haar op m'n hoofd die daaraan denkt	b bezig zijn *being busy*
3	in het geweer komen	c ergens moeite voor moeten doen *having to make an effort*
4	in de weer zijn *be on the go*	d het gebeurt absoluut niet
5	het komt je niet aanwaaien *it does not come to you*	e goed onderzoeken *good research.*

Cor Vos: Alles fiftyfifty is zo makkelijk nog niet

Opzij-columnist Cor Vos neemt afscheid. In zijn laatste bijdrage neemt hij zijn vaderschap – en dat van andere papa's – kritisch onder de loep*.
5 **'Ik kan echt wel wat harder werken, thuis. En met mij een hoop andere mannen.'**

Mijn vrouw en ik werken allebei 36 uur per week en denken dat
10 we de taken ook fiftyfifty hebben verdeeld. Dochter Lieke (2) en zoon Stijn (2 maanden) willen we opvoeden in een gezin waarin hun ouders een compleet gelijkwaardig
15 voorbeeld voor ze zijn. Ik wil niet de man zijn die op zondag het vlees snijdt**. En mijn vrouw wil niet als enige recht het aanrecht hebben**. Toch zijn we er niet aan ontkomen
20 dat ik degene ben die klust in huis en dat mijn vrouw als traditionele moeder het ontbijt verzorgt en de was opvouwt.

25 De laatste jaren zijn vaders meer voor hun kinderen gaan zorgen. We vinden het inmiddels dood-normaal dat een man in tv-recla-mes staat te koken – dat is dan een
30 leuke man.

Twintig jaar geleden was daar nog geen denken aan. Mijn schoonva-der ging vroeger graag wandelen
35 met zijn zoon in de kinderwagen en werd meewarig aangekeken door voorbijgangers. Alsof het zielig was dat hij met zijn zoon op stap moest.

40 Nu zie je overal in het straatbeeld mannen rondlopen met het al-lernieuwste model kinderwagen. Sommigen denken er vrouwen mee te versieren, maar dat is een
45 ander verhaal.

Dat vaders dit soort taken steeds meer op zich nemen, is goed voor de ontwikkeling van kinderen en
50 geeft vrouwen de kans om meer te werken. Ik heb het om me heen zien gebeuren, al ging het vaak niet vanzelf. Toen een van mijn collega's een jaar of zes geleden zwanger
55 werd, ging ze ervan uit dat zij en haar man vanzelfsprekend elk vier dagen per week zouden gaan wer-ken. Dat gebeurde niet, geen haar op z'n hoofd die daaraan dacht*.
60 Het gevolg was dat zij dan maar drie dagen per week ging werken.

Nu, een jaar of vier en een hoop pittige gesprekken verder, heeft hij
65 dan toch een 'papadag'. En werkt zij een dag per week meer.

Niet alleen bij de verdeling van het aantal werkuren gaat het moei-
70 zaam. Er zijn globaal twee soorten zorgtaken. Enerzijds voorlezen, bui-ten spelen of wandelen; leuke din-

gen om te doen, gericht op de ontwikkeling van kinderen. Anderzijds
75 zijn er zorgtaken als aankleden,
eten geven en naar bed, school of
opvang brengen. Hoe meer de ene
ouder deze laatste soort taken op
zich neemt, hoe meer vrijheid de
80 andere ouder krijgt om te gaan
werken. Het is dus belangrijk dat
ouders met name deze taken gelijk
verdelen.

85 Maar dat gebeurt dus niet, blijkt
uit recent onderzoek. 'Een veel
groter aandeel van de zorguren
van moeders dan die van vaders
wordt besteed aan urgente zorg en
90 routinematige fysieke en logistieke
zorg dan aan educatieve en recreatieve zorg voor kinderen,' schrijven Renske Keizer en Pearl Dykstra
over zorgende vaders in Demos,
95 een wetenschappelijk tijdschrift
over demografie. Uit hun analyse
met gegevens van de Netherlands
Kinship Panel Study komt naar voren dat ook hogeropgeleide vaders,
100 van wie bekend is dat ze gemiddeld genomen meer voor hun kinderen zorgen, de laatste tien jaar
de serieuze zorgtaken niet gelijk
verdeeld hebben met de moeder.
105 Ik maak me daar dus ook schuldig
aan. En ik realiseer me nu pas wat
dat eigenlijk betekent. Met name
het laatste jaar ben ik harder gaan
110 werken. Er zijn steeds meer dagen
waarop ik me 's morgens naar het
werk haast zonder te ontbijten.

's Avonds kom ik laat thuis als het
eten al is opgediend. Mijn vrouw
115 doet op zo'n dag bijna alles. Op
vrijdag heb ik mijn 'papadag', maar
ook dan ben ik nog vaak met werk
bezig.

120 Papadag – het woord alleen al.
Waarom is er geen mamadag?
Omdat mama's alle dagen voor de
kinderen zorgen – behalve op die
ene bijzondere dag. Dan gaat papa
125 wat leuks met de kinderen doen.
En als mama thuiskomt moeten
ze nog in bad, moet het eten nog
gekookt, het huis opgeruimd, de
was gevouwen, de bedden opge-
130 maakt. Terwijl mannen denken dat
ze er met een papadag zijn en hun
vrouw een enorme gunst bewijzen.
Uit het onderzoek van Keizer en
Dykstra blijkt dan ook: moeders
135 besteden ongeveer twee keer zo
veel tijd aan zorg voor kinderen
dan de vaders.

Vrouwen zijn eigenlijk gek dat
140 ze dit doen. Hoe kan het dat dit
standhoudt; waarom komen vrouwen niet in het geweer?* Volgens
mijn vrouw komt dat voort uit
schuldgevoel. 'Heb je ooit gehoord
145 van een man die zich schuldig
voelt omdat hij zijn kind achterlaat
bij de opvang? Dat hebben vrouwen wel.' Hun schuldgevoel compenseren ze door extra veel zorg
150 te geven. Werkende moeders zijn
vaak enorm druk bezig met hun
kinderen op aanvullende manieren

falls it to your lap. comes easily to

on the go

aandacht te geven. De moeder van mijn vrouw las 's avonds echt geen
155 drie boekjes voor en ging geen cakejes met haar kinderen zitten bakken. Die was al de godganse dag met haar vijf kinderen in de weer geweest*.
160

Mijn dochter is na haar Pippi-fase nu vol van prinsesjes. Ze haalt op handen en voeten een doekje over de vloer en zingt: 'Zing, zing, nach-
165 tegaal!' Dan speelt ze Assepoester na, uit de tekenfilmversie van Walt Disney. En die maakt schoon. Zoals brave meisjes doen. Vroeg op-staan, ontbijt maken voor de hele
170 familie en de kippen voeren. Niet klagen maar stug doorgaan want dan 'worden al je dromen werke-lijk waar'. Lees: een fee komt bij je langs en tovert een jurk voor je.
175

Gelukkig heeft Lieke al jong rea-liteitszin. Aan het einde van de Assepoester-film zegt mijn vrouw tegen haar: 'En ze leven nog lang
180 en gelukkig – ja, zo gaat dat in sprookjes.'

'Ja,' zegt mijn dochter, 'in het echt niet.'
185 'Wat zeg je?' vraagt mijn vrouw. 'In het echt niet.'

Precies. In het echt komt geluk niet aanwaaien* en worden je dromen niet zomaar werkelijk waar. Je zult
190 om te beginnen de taken fiftyfifty moeten verdelen. En als je dat denkt te hebben gedaan, zal je nog eens goed moeten kijken of je de taken ook eerlijk hebt verdeeld.
195 Een hoop mannen kunnen echt wel wat harder werken, thuis. Uit onderzoek van de Universiteit Utrecht blijkt dat mannen hun 'deelname aan kindgerelateerde
200 activiteiten' vergroten wanneer hun partner meer uren werkt. Dan voelt de man in huis zich meer ver-antwoordelijk voor de zorgtaken. Kortom: als het echt moet, kúnnen
205 we het heus wel. *really truly*

Echt werk maken van het gedroom-de gelijkheidsideaal, ik begin er maar vast mee. Morgen kom ik op
210 tijd thuis, net als die topvrouw van Facebook. Ik kook op een doorde-weekse dag. En de was vouwen heb ik ook al in geen jaar gedaan.

Uit: Opzij, 21-5-2013

*Vocabulaire vooraf, zie opdracht 2
**Zie opdracht 1

OPDRACHT 3 Alles fiftyfifty is zo makkelijk nog niet
Lees de tekst en beantwoord de volgende vragen.

Vroeger kwamen er
① geen mannen in
tv-reclames staan te koken.

1 Noem drie dingen die vroeger anders waren dan nu.

② Mannen kunnen nu wandelen met zijn kinderen zonder zielig te zijn
③ Nu mannen en vrouwen als ouder zijn op weg naar gelijkheid

2 Als een ouder (meer) wil gaan werken, welke zorgtaken zou dan de andere ouder meer moeten gaan doen?

bij het opvoeden streken van hun kinderen.

3 Wat blijkt uit het onderzoek van R. Keizer en P. Dykstra?

☐ a Hogeropgeleide vaders zorgen gemiddeld meer voor hun kinderen.
☐ b Vaders besteden meer uren aan recreatieve en urgente zorg dan moeders.
☐ c Moeders besteden meer uren aan logistieke en fysieke zorg dan vaders.

4 Wat doet een papa op papadag? Wat doet een mama op papadag?

5 Waar verbaast de auteur zich over?

6 Waarom doen werkende moeders zo veel extra dingen met hun kinderen? Hoe
deden de moeders dat vroeger?

7 Wanneer gaan vaders meer zorgtaken op zich nemen? Waarom?

Vocabulaire

hoop (r. 5)

Vergeleken met dertig jaar geleden zijn er een hoop dingen veranderd. Er zijn veel veranderingen geweest in mannenrollen en vrouwenrollen. Tegenwoordig zorgen mannen ook voor de kinderen.

verdelen / de verdeling (r. 11, 68, 84)

Hoe hebben jullie het werk verdeeld? Wie doet wat? Is het een eerlijke verdeling?

gelijkwaardig (r. 14)

Natuurlijk zijn mannen en vrouwen niet gelijk, maar daarom kunnen ze wel gelijkwaardig worden behandeld. Het is toch belachelijk dat mannen meer salaris krijgen voor hetzelfde werk! Mannen en vrouwen zijn evenveel waard.

ontkomen (aan) (ontkwam, is ontkomen) (r. 19)

- Of je nu wilt of niet, je moet dat doen. Je ontkomt er niet aan.
- Het is de politie niet gelukt om de dieven te arresteren. Ze ontkwamen door in een auto te vluchten.

klussen / het klusje (r. 20)

- 'Theo, wie klust er bij jullie thuis?'
- 'Ik doe de technische klusjes en mijn vriendin doet de huishoudelijke klusjes. Heel stereotiep.'

zielig (r. 38)

O, kijk eens naar dat hondje. Wat zielig! Hij kan zich bijna niet bewegen.

versieren / de versiering (r. 44)

1 Wat doe jij als je een vrouw leuk vindt en haar wilt versieren? Ga je dan flirten?
2 Als er in Nederland iemand jarig is, versieren we de kamer met slingers en ballonnen.

uitgaan van (ging uit van, is uitgegaan van) (r. 55)

- 'We hebben volgende week een afspraak. Jij wist nog niet of die kon doorgaan.'
- 'Ga er maar van uit dat die afspraak doorgaat. Als het anders is, dan laat ik het je wel weten.'

pittig (r. 64) *fittable* *sterk*

1   Het was een pittige test. Ik had niet verwacht dat hij zo moeilijk zou zijn.
2   Dat is wel een dame die weet wat ze wil. Het is een pittige dame.
3   Dit eten is voor mij een beetje te pittig. Er zitten heel scherpe kruiden in.

moeizaam (r. 69/70) *difficult*

Het was een moeizaam proces. Het ging absoluut niet makkelijk.

opvang, de / opvangen (ving op, opgevangen) (r. 77) *to take care of*

Als ouders werken dan kunnen kinderen naar de kinderopvang. Soms vangen
ook de grootouders de kinderen op. *nursery*

met name (r. 82)

In Nederland werken met name vrouwen parttime. Mannen kunnen dat ook
doen, maar vooral vrouwen met kinderen doen het. *in particular*

aandeel, het (r. 87)

Dat project doen we samen. Iedereen levert zijn aandeel, zodat we met elkaar
het werk doen. *to share*

opmaken (uit), (zich) (r. 129/130) *tidy up*

1   De slaapkamer ziet er keurig uit. Alles is opgeruimd en het bed is opgemaakt.
2   Ik heb al het geld opgemaakt. Het spijt me, ik heb niets meer over. *— spend up*
3   Ik maak me nooit op. Ik gebruik alleen een beetje lippenstift, maar verder *make up (face)*
    niets. Ik hou van puur natuur.
4   Ik maak uit zijn woorden op dat hij binnenkort gaat verhuizen. Hij vertelde
    namelijk dat hij de huur van zijn huis per de eerste van de volgende maand
    heeft opgezegd. *to understand that. gather that*
    ↳ cancelled

gunst, de (r. 132) *a favour*

–   'Zou ik je om een gunst mogen vragen?'
–   'Ja natuurlijk, waar kan ik je mee helpen?'

braaf (r. 168)

Het is wel een héél braaf kind. Hij luistert áltijd naar zijn ouders en doet
precíes wat ze zeggen.

good, honest. obedient well-behaved

OPDRACHT 4

Welk woord past het best in de zin?

1 Er wordt gezegd dat het een pittige / brave opleiding is.
2 Deze maatregel is bedoeld om moeizame / met name vrouwen in topfuncties te krijgen.
3 Welk aandeel / verdeling lever jij in het huishouden?
4 Zou je me willen helpen met een gunst / klusje?
5 Hij vond het zielig / gelijkwaardig dat ik geen mobiele telefoon had.
6 Je kunt ervan uitgaan / eruit opmaken dat ik meedoe aan het project.
7 Na het auto-ongeluk werden ze goed opgevangen / ontkomen.
8 Ze is altijd zorgvuldig versierd / opgemaakt.
9 Het contact tussen hem en zijn baas verliep zielig / moeizaam.

OPDRACHT 5

Reageer op onderstaande zinnen met het woord tussen haakjes.

1 Als je in Nederland woont, moet je soms door de regen naar je werk of opleiding. (ontkomen aan)
2 Hoe zullen we dat gaan organiseren? (verdelen)
3 Zijn de beide voetbalteams even sterk? (gelijkwaardig)
4 Hoe is je nieuwe baan? (pittig)
5 Mogen we bij de test een woordenboek gebruiken? (uitgaan van)
6 Hoe weet je dat het gebouw dan gesloten is? (opmaken uit)
7 Ik zag in het park dat vijf jonge eendjes door een hond werden opgegeten. (zielig)
8 Ik erger me aan al die troep! (hoop)
9 Was de film boeiend? (met name)
10 Is er nog eten over? (opmaken)

OPDRACHT 6

Maak de volgende zinnen af.

1 We hebben het hele weekend geklust in huis, zodat _____

_____ .

2 Het is een heel brave hond, hoewel _____

_____ .

3 Willen vrouwen graag versierd worden of _____

_____?

4 Zou je me een gunst willen doen? Zou je _____

_____?

5 Hoewel de tasjesdieven op de scooter zijn ontkomen, _____

_____.

6 Natuurlijk kun je ervan uitgaan dat _____

_____.

7 Ik ben tevreden over zijn aandeel als _____

_____.

Schrijf een tussenzin. De inhoud moet aansluiten bij de eerste en laatste zin.

8 Er is geen geld meer beschikbaar voor kinderopvang. _____

_____.

Nu moeten ouders een andere oplossing vinden voor hun kinderen.

9 Het waren moeizame onderhandelingen. _____

_____.

We zijn tevreden over het eindresultaat.

 OPDRACHT 7

Werk in tweetallen. Bespreek de opdrachten en vragen.

1 Noem drie soorten opvang.
2 Noem drie klusjes.
3 Noem drie zaken die je zielig vindt.
4 Welke gunsten kan iemand aan jou vragen? Noem er drie.
5 Welke dingen kunnen moeizaam gaan? Noem er drie.
6 Welke zaken kun je verdelen? Noem er drie.
7 Aan welke dingen kun je niet ontkomen? Noem er drie.

OPDRACHT 8 Mannen en vrouwen

Geef van de volgende stellingen aan of dit in jouw land gebeurt en hoe vaak.

		nooit	soms	vaak	altijd
1	Mannen voeden de kinderen ook op.				
2	De taakverdeling tussen mannen en vrouwen is fiftyfifty.				
3	Mannen repareren de dingen in huis.				
4	Vrouwen stoppen met werken als er kinderen zijn.				
5	Vrouwen doen de boodschappen.				
6	Mannen koken het eten.				
7	Vrouwen zorgen voor hun (schoon)ouders.				

Werk in drietallen. Vergelijk de scores met elkaar en bespreek hoe de taakverdeling tussen mannen en vrouwen in jullie land is.

OPDRACHT 9 Een zinvolle dag

Je hebt een vrije dag gehad. Je huisgenoot komt 's avonds thuis van haar werk en vraagt wat je hebt gedaan. Vertel dat. Gebruik daarbij de plaatjes.
Daarna vertelt jouw huisgenoot wat zij heeft gedaan.

Jij	Je huisgenoot
10.00 – 11.00 uur:	9.00 – 11.00 uur:

na 11.00 uur:	na 11.00 uur:
's middags:	's middags:

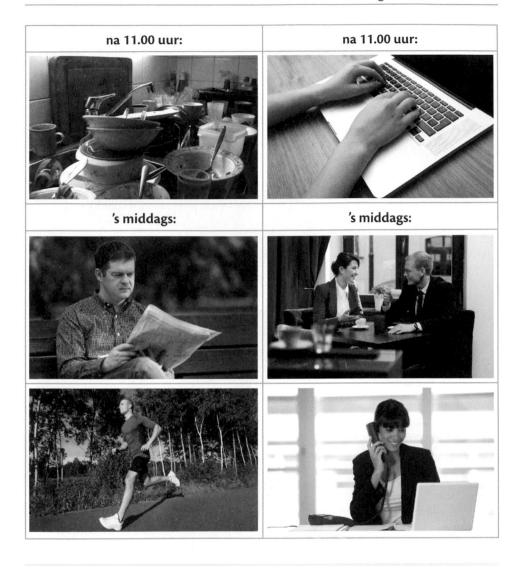

Grammatica – het gebruik van *er* (1)

Hieronder staan allemaal zinnen met *er*. Bekijk de zinnen. Wat weet je allemaal al over *er*?

I **Er** zijn twee soorten zorgtaken.
Er zijn steeds meer dagen waarop ik me 's morgens naar het werk haast zonder te ontbijten.
Er ligt een kind in de wandelwagen.

- Welke functie heeft *er* in de zinnen bij I?

II Welke dingen kunnen moeizaam gaan? Noem er drie.
Welke zaken kun je verdelen? Dat zijn er veel.

- Welke functie heeft *er* in de zinnen bij II?

III Ik begin er maar vast mee.
Ik dacht er niet aan.

- Welke functie heeft *er* in de zinnen bij III?
- Waar kan *er* naar verwijzen? Dus: Waar begin je maar vast mee? Waar dacht je niet aan?

IV We zijn er niet aan ontkomen dat ik klus in huis.
Ze hoopte erop dat zij elk vier dagen per week zouden gaan werken.

- Welke functie heeft *er* in de zinnen bij IV?
- Waar verwijst *er* naar? Dus: Waar zijn jullie niet aan ontkomen? Waar hoopte ze op?
- Wat is het verschil tussen de zinnen bij III en IV?

OPDRACHT 10

Hebben de volgende werkwoorden wel of geen prepositie? Zo ja, wat is de prepositie?

zien ▪ kijken ▪ proberen ▪ wachten ▪ doen ▪ houden ▪ kunnen ▪ reageren ▪ horen ▪ schrikken ▪ durven ▪ zoeken ▪ gebruiken ▪ spreken ▪ onderzoeken ▪ beginnen ▪ nodig hebben ▪ stoppen ▪ toegeven ▪ loslaten ▪ gaan ▪ brengen

Alle werkwoorden kun je dus verdelen in twee categorieën: werkwoorden met en werkwoorden zonder prepositie.
Soms valt een werkwoord in beide categorieën, omdat het zowel met als zonder prepositie kan voorkomen.

OPDRACHT 11

Kijk naar het schema.

Werkwoorden zonder prepositie	Werkwoorden met prepositie
Wat zie je?	Waar kijk je naar?
Ik zie de auto. / Ik zie hem. Ik zie het huis. / Ik zie het.	Ik kijk naar de auto. / Ik kijk ernaar. Ik kijk naar het huis. / Ik kijk ernaar.
NB: bij personen Wie zie je? Ik zie mijn man. / Ik zie hem. Ik zie mijn vrouw. / ik zie haar.	NB: bij personen Naar wie kijk je? Ik kijk naar mijn man. Ik kijk naar hem. Ik kijk naar mijn vrouw. Ik kijk naar haar.

Lees de zinnen hieronder en spreek ze hardop uit.

Luister ook naar de zinnen. De woorden *het* en *er* hoor je bijna niet.

1 Ik probeer het.
2 Ik doe het.
3 Je kunt het.
4 Ik hoor het.
5 Ik durf het.
6 Ik gebruik het.
7 Ik onderzoek het.
8 Ik heb het nodig.
9 Ik geef het toe.
10 Ik laat het los.

11 Ik wacht erop.
12 Ik hou ervan.
13 Ik reageer erop.
14 Ik schrik ervan.
15 Ik zoek ernaar.
16 Ik spreek erover.
17 Ik begin ermee.
18 Ik stop ermee.
19 Ik ga ernaartoe.
20 Ik breng je ernaartoe.

OPDRACHT 12

Maak van de bovenstaande zinnen een vraag. Een medecursist beantwoordt de vraag.

Voorbeelden:
Ik probeer het.
Wat probeer je?
Ik probeer jou te bereiken.

Ik wacht erop.
Waar wacht je op?
Ik wacht op een reactie.

Je ziet dat *het* en *er* allebei naar iets verwijzen wat je expliciet kunt maken.

 OPDRACHT 13

Maak nu van de korte zinnen met *er* een langere zin.

Voorbeeld:
Ik wacht erop.
Ik wacht er al een paar weken op.
Ik wacht er niet langer meer op.

Wat kun je zeggen over de positie van de prepositie?

 OPDRACHT 14

Kijk naar het schema.

Werkwoorden zonder prepositie	Werkwoorden met prepositie
Ik zie het. / **Dat** zie ik.	Ik kijk ernaar. / **Daar** kijk ik **naar**.

Je gebruikt *dat* en *daar* om meer nadruk te geven. Deze woorden kunnen aan het begin van de zin staan.

Lees de zinnen hieronder en spreek ze hardop uit.
Luister ook naar de zinnen.

1 Dat probeer ik.
2 Dat doe ik.
3 Dat kun je.
4 Dat hoor ik.
5 Dat durf ik.
6 Dat gebruik ik.
7 Dat onderzoek ik.
8 Dat heb ik nodig.
9 Dat geef ik toe.
10 Dat laat ik los.

11 Daar wacht ik op.
12 Daar hou ik van.
13 Daar reageer ik op.
14 Daar schrik ik van.
15 Daar zoek ik naar.
16 Daar spreek ik over.
17 Daar begin ik mee.
18 Daar stop ik mee.
19 Daar ga ik naartoe.
20 Daar breng ik je naartoe.

OPDRACHT 15

Reageer op de volgende vragen of zinnen. Gebruik in je reactie ook *het* of *dat*.

1 Wanneer is dat onderwerp ter sprake gekomen? (weten)
2 Wat is jouw reactie op die verdeling? (vinden)
3 Ik kan me voorstellen dat ze dolblij is met dat resultaat. (begrijpen)
4 Ik had toch aan hem doorgegeven dat ik niet kon komen? (zeggen)
5 Weet je nog wat *leuteren* betekent? (vergeten)
6 Ik heb gehoord dat ze een alcoholverslaving heeft. (geloven)
7 Heb je hier ook wifi? (proberen)
8 Bij stress is het belangrijk om rustig adem te halen. (lukken)
9 Doet jouw password het? (gebruiken)
10 Hoe komt het dat het systeem overbelast is? (onderzoeken)

OPDRACHT 16

Kijk naar het schema voor de positie van *er* en de positie van de prepositie.

| **wachten op** |
| Ik wacht **erop**. |
| Ik wacht **er** al een paar weken **op**. |
| Ik moet **er** nog een paar weken **op** wachten. |
| Ik heb **er** al een paar weken **op** gewacht. |

Reageer nu op de volgende vragen. Gebruik in je reactie ook *er* of *daar*.

1 Geef jij per maand veel geld uit aan kleding? (besteden aan)
2 Ik ga even koffie halen. Wil jij op de spullen passen? (letten op)
3 Is muziek belangrijk voor jou? (geven om)
4 Houd jij van huishoudelijke klusjes? (een hekel hebben aan)
5 Wat vind je van die nieuwe werkverdeling? (enthousiast zijn over)
6 Wat vervelend al die stapels papieren! (zich ergeren aan)
7 Zullen we een boswandeling maken? (zin hebben in)
8 Kun jij een week leven zonder internet? (verslaafd zijn aan)
9 Als je op een eiland woont, dan is de boot naar het vaste land heel belangrijk. (afhankelijk zijn van)
10 Is een carrière belangrijk voor jou? (gericht zijn op)
11 Is het gedrag van fietsers sociaal of asociaal? (onderzoek doen naar)
12 Zou je die afspraak niet op woensdagmiddag willen plaatsen? Dan kan ik name-lijk nooit. (rekening houden met)

OPDRACHT 17

In het onderstaande schema staan zinnen met een scheidbaar werkwoord met een prepositie.

Kijk naar het schema voor de positie van *er* en de positie van de prepositie.

> **nadenken over**
> Ik denk **erover** na.
> Ik denk **er** even **over** na.
> Ik wil **er** nog even **over** nadenken.
> Ik heb **er** goed **over** nagedacht.

Schrijf nu een reactie op de volgende vragen of zinnen. Gebruik in je reactie ook *er* of *daar*.

1 Vind jij het ook een belachelijk plan? (afhangen van)

_____

2 Ik stop volgende maand met mijn opleiding. (doorgaan met)

_____

3 Ik heb Julia al een poos niet gezien in de cursus. (ophouden met)

_____

4 Besteed jij veel tijd aan internetten? (tijd doorbrengen met)

_____

5 Heb jij wel eens iets gewonnen met een loterij? (meedoen aan)

_____

6 Vind je het spannend om een presentatie te moeten geven? (opzien tegen)

_____

7 Staat dat echt letterlijk in de tekst? (afleiden uit)

_____

8 Ik weet nog niet of ik wel of niet meega met die excursie. (nadenken over)

_____

9 Wist je dat hij onlangs is getrouwd? (opkijken van)

_____

10 Heb ik zo alle ingrediënten voor de saus? (toevoegen aan)

_____

OPDRACHT 18 Vocabulaire vooraf

Wat betekenen de volgende woorden?

de hokjesgeest	*stereotype / label + split..*
bijbenen	*go more slowly...*
geboren en getogen	*born + raised*
de waan van de dag	*career delusion*
iemand de deur wijzen	*get out! (point to the door)*
lef hebben	*[have a nerve*
	[keep you nerve + r —

OPDRACHT 19 Bonte vrouwen

Op de website vind je de link naar een beeldfragment uit het programma *Bonte Vrouwen*, aflevering *De hokjesgeest voorbij*. Het betreft een interview met Mounia en Juliana, twee ambitieuze juristes met een volledige baan die samenwerken.

full

Als je een woord hoort dat je niet kent, schrijf je dat op. Probeer met wat er vervolgens verteld wordt te bepalen wat het woord betekent.

> ⬇ **tip** **Woordbetekenis afleiden**
>
> Tijdens het vertellen bouwen beide vrouwen hun verhalen goed op. Herhaaldelijk zeggen ze hetzelfde op een andere manier nog eens zodat het voor de luisteraar gemakkelijker is om ze te volgen. Dat is iets wat je moet gebruiken bij het luisteren. Als je een woord hoort dat je niet kent, kun je uit het vervolg afleiden wat het betekent.

Bekijk het fragment en beantwoord de vragen.

1 Juliana spreekt haar kritiek uit op de Nederlandse advocatuur. Op welke twee punten heeft zij kritiek?

_____

_____

2 Mounia en Juliana vertellen allebei iets over wat je ervoor moet doen om 'part-ner' te worden. Wat zegt Mounia? En wat zegt Juliana?

_____

_____

_____

3   Wat vertelt Mounia over haar jeugd en haar moeder? Hoe hebben de gebeurtenissen haar beïnvloed?

4   Wat verraste Juliana toen ze in Nederland kwam? Waarom was ze verrast?

5   Juliana heeft het over het verschil tussen mannen en vrouwen. Wat zegt ze erover?

6   Wat bedoelt Mounia met: 'Er zal niemand zijn die je de deur wijst omdat je lef hebt.'

Calvijn

Het woord calvinisme is afgeleid van de naam van Johannes Calvijn (1509-1564). Deze naam wordt dikwijls in één adem genoemd met die van Maarten Luther (1483-1546) en Huldrych Zwingli (1484-1531). In de zestiende eeuw bekritiseerden zij de katholieke kerk. Ze werden protestanten genoemd. Hun kritiek richtte zich onder meer op de macht van de Paus en de grote rijkdom van de kerk in tijden waarin de meeste mensen in Europa dagelijks honger leden. De protestanten wilden terug naar de zuivere leer van de kerk en de oorsprong van de Bijbel.

 OPDRACHT 20 Calvinisme
Maak de volgende deelopdrachten.

Met het woord *calvinisme* wordt een verzameling eigenschappen bedoeld die typisch Nederlands zouden zijn. Nederlanders zijn calvinistisch en dus:

- bescheiden;
- sober;
- zuinig;
- plichtsgetrouw;
- hardwerkend;
- principieel.

A Ken je deze woorden? Zo niet, zoek ze op in je woordenboek.

B De woorden die in het linkerrijtje staan, hebben een positieve bijklank. Er zijn woorden die qua betekenis lijken op deze woorden, maar die een negatieve bijklank hebben. Welke woorden uit het linker- en rechterrijtje horen op deze manier bij elkaar?

1	bescheiden	a	armoedig
2	sober	b	slaafs
3	zuinig	c	nederig
4	plichtsgetrouw	d	gierig

C Ken je enkele voorbeelden van typisch calvinistisch gedrag door Nederlanders? Bespreek ze in tweetallen.

D Dagblad *Trouw* heeft een zogenoemde C-test ontwikkeld om te bepalen hoe calvinistisch iemand is. De gemiddelde Nederlander heeft een C-factor van 56. In de test staan onder andere de volgende stellingen.

	calvinist	jij
Kinderen streng opvoeden bereidt ze voor op het leven.	☒ eens ☐ oneens	☐ eens ☒ oneens
Ik geniet van lekker luxe eten en dat mag wat kosten.	☐ eens ☒ oneens	☐ eens ☒ oneens
Als ik wat beloof, kom ik dat altijd na.	☒ eens ☐ oneens	☐ eens ☐ oneens
Eigenlijk zou ik harder moeten werken.	☒ eens ☐ oneens	☐ eens ☐ oneens
Mooie kleding vind ik belangrijk.	☐ eens ☒ oneens	☐ eens ☒ oneens
Alle mensen zijn gelijk.	☐ eens ☒ oneens	☒ eens ☐ oneens
Ik ben liever beheerst dan uitbundig.	☒ eens ☐ oneens	☒ eens ☐ oneens

Reageer op de stellingen vanuit
- het perspectief van een calvinist;
- je eigen perspectief.

Ben jij wel of niet calvinistisch ingesteld?

Een oordeel geven

Oude dingen worden soms negatief beoordeeld en soms ook positief, afhankelijk van de smaken en voorkeuren van de spreker.

Bijvoorbeeld:
(Luister naar de manier waarop de voorbeeldzinnen worden uitgesproken.)

Negatief:
Zo doen we dat al lang niet meer.
Die jurk, die kan echt niet meer.
Die muziek is zo jaren tachtig.
Dat zijn middeleeuwse toestanden.
Hij doet alles nog op de ouderwetse manier.
Vroeger was alles beter.

Positief:
Dat is de traditionele manier van doen.
Wat een mooie klassieke jurk.
Die muziek is ouderwets goed.
In die goeie ouwe tijd.
Hij is nog een echte vakman.
Vroeger was alles beter.

OPDRACHT 21 Positieve en negatieve reacties

Bedenk een zin waarop gereageerd kan worden met een van de bovenstaande reacties, bijvoorbeeld: 'Deze slager slacht zelf koeien.'
Loop vervolgens door de klas en spreek je zin telkens uit tegenover een mede-cursist. Let daarbij goed op je intonatie. Je medecursisten geven een reactie. Ze kunnen bijvoorbeeld zeggen: 'Hij doet alles op de ouderwetse manier.' Of: 'Hij is nog een echte vakman.'
Let ook goed op hun intonatie. Schrijf alle reacties op. Geef met een plusje of een minnetje aan of de reactie positief of negatief was. Reageren je medecursisten adequaat? Zo niet: waar ligt dat aan?

OPDRACHT 22 Waarom een tatoeage? (1)

Vroeger hadden Nederlandse zeelui tatoeages. Tegenwoordig zie je iedereen ermee lopen. Waarom nemen mensen een tatoeage? Werk in tweetallen en bedenk zo veel mogelijk redenen waarom mensen iets op hun lichaam laten tatoeëren.

OPDRACHT 23 Waarom een tatoeage? (2)

Waarom nemen mensen een tatoeage? Een aantal wetenschappers probeerde de laatste decennia een antwoord te vinden op die vraag.

De antwoorden zijn onder te verdelen in zeven categorieën:

1 Ter decoratie. Je koopt geen nieuwe armband, maar laat twee zwaluwen zetten.
2 Het uitdragen van persoonlijke waarden, zoals het vredesteken.
3 Eerbetoon aan de favoriete band of voetbalclub.
4 De impuls. Komt voor bij enthousiaste drinkers.
5 Het kracht bijzetten van een (nieuwe) liefdesrelatie.
6 Het vastleggen van een moment – een kampioenschap van Feyenoord, de eerste zwarte president van Amerika.
7 Kracht en steun. Veelal na een ingrijpende gebeurtenis ingezet.
Uit: *De Volkskrant*, Modekenners & tatoeages, 5 maart 2014

Vergelijk de redenen uit opdracht 22 met bovenstaande redenen. Zijn er verschillen?

OPDRACHT 24 Vocabulaire vooraf

Wat betekenen de volgende uitdrukkingen? Combineer de uitdrukkingen uit het linkerrijtje met de betekenis uit het rechterrijtje.

1 geen blad voor de mond nemen   a de baas zijn

2 van top tot teen   b gelijk hebben

3 het gelijk aan je zijde hebben   c zeggen wat je vindt

4 het voor het zeggen hebben   d helemaal

> **'Als Rihanna een Dali-snor onder haar neus getatoeëerd wil hebben, dan zet ik die.'**
>
> *Ir. Rob Buiter*
>
> 5
>
> 'Het ligt aan je gereformeerde opvoeding!' Tatoepionier Henk Schiffmacher (Harderwijk, 1952), neemt geen blad voor de mond*, zoveel is 10 duidelijk. Als ik hem vraag hoe het komt dat ik met mijn inktloze huid denk dat ik de norm ben, en hij met zijn van top tot teen* getatoeëerde lichaam de uitzondering, geeft hij vol 15 overtuiging de schuld aan de conservatieve, protestantse volksaard van de Nederlanders anno nu.

'Het ligt aan die types als Luther, Calvijn en Zwingli. Die hebben het
20 verpest. Binnen de meer barokke, katholieke stroming heb je die problemen met uitbundige versiering van je lichaam veel minder.' Schiffmacher heeft het gelijk van de ge-
25 schiedenis aan zijn zijde*. Veel van de oude gemummificeerde stukken lichaam die ooit zijn gevonden zijn getatoeëerd; van de 2.500 jaar oude chief van de Scythen, die in
30 Rusland is gevonden, tot Ötzi, de sneeuwman uit Oostenrijk. 'Volgens mij kun je dat verklaren uit de primaire behoefte van intelligente mensen om zich te onderscheiden
35 van dieren', zegt Schiffmacher.

'In de menselijke geschiedenis is het versieren van je lijf eerder de norm dan de uitzondering. Alleen
40 sinds die gereformeerden het voor het zeggen hebben*, hebben we seks in het donker en is zelfs make-up des duivels.' Maar het kan altijd nog erger, benadrukt Schiff-
45 macher. 'Er zijn tijden geweest dat tatoeages zelfs verboden waren, maar dat was altijd onder dictators als Hitler, Stalin, Marcos of Soeharto. En daar haalden ze dan altijd
50 een of andere van God gegeven boodschap bij.'

Tattoo museum
Zijn eigen eerste tatoeage – *tattoo*,
55 in het universele internationale jargon – liet Schiffmacher zetten toen hij halverwege de twintig was.

Nu, op zijn zestigste lijkt alleen zijn gezicht nog onbewerkt. 'Een tattoo
60 is een uiting van een bepaalde periode in je leven. Zoals de geschiedenis ook zijn sporen achterlaat in de vorm van rimpels en littekens, zo kun je die geschiedenis ook
65 zelf laten zien met tatoeages. Een tatoeage is een non-verbale manier van communiceren met je omgeving. Ik vind het vaak zelfs een ontroerende manier om te laten zien
70 wie je bent en hoe je denkt.'

In de loop der jaren heeft Schiffmacher zich ontwikkeld tot dé ambassadeur voor de tattoo, in
75 Nederland en daarbuiten. Ook wereldsterren als Robbie Williams, Kurt Cobain, Lady Gaga en de Red Hot Chili Peppers lagen bij hem onder de naald. 'Ik durf gerust te
80 stellen dat het voor een groot deel aan mij te danken is dat de tattoo weer een beetje meer geaccepteerd is geworden.'

85 Sinds de jaren zeventig verzamelt hij ook alles wat met versiering van het menselijk lichaam te maken heeft: van piercings en andere objecten, tot echte stukken huid met
90 tatoeages erop. 'Mijn oudste stuk is de gemummificeerde arm van een Peruaanse Nazca-vrouw, van 2.500 jaar oud.' Sinds november 2011 is die collectie van Schiffmacher
95 te zien in het Amsterdam Tattoo Museum, tegenover Artis, 'het grootste tattoo-museum ter we-

reld. Door alle drukte die dat met zich meebrengt, kom ik eigenlijk
100 nauwelijks meer aan het eigenlijke tatoeëren toe.'

Spijt

Dat iemand ooit spijt van een
105 tattoo kan hebben, dat wil er bij Schiffmacher niet in. 'Wat is dat nou voor onzin?! Je bedoelt dat je de initialen van een vriendin weg wilt halen als het uit is? Dat is toch
110 geen optie? Een tattoo *lasts longer than a romance*, vriend! Het leven laat zijn sporen na op een lichaam. Je billen of je tieten gaan hangen, je tandvlees kruipt omhoog, en ja, de
115 sporen van een romance kun je zien in een tattoo. Dat is allemaal dezelfde categorie onomkeerbare sporen van het leven. Ik hoor dat ook van studenten die bij de anatomielessen
120 een preparaat op tafel krijgen waar een hartje of een anker of zo op blijkt te staan. Dan is het ineens niet meer een doods preparaat, maar wordt het weer wat het echt is: een
125 onderdeel van iemand die liefde en verdriet heeft gekend.'

Schiffmacher vindt overigens wel dat je een beetje moet nadenken

130 over een tattoo. 'Achteraf laseren is hoe dan ook geen optie. Door die laserbehandeling gaan inktdeeltjes door je lijf zwerven. Geen idee wat daar op den duur mee gebeurt. En
135 je moet een beetje vooruit denken. Als je weet dat je billen ooit gaan hangen, dan moet je daar rekening mee houden bij het ontwerp. Met opzichtige politieke uitingen moet
140 je volgens mij ook voorzichtig zijn. En het is ook niet heel handig om met een duidelijke Feyenoord-tattoo in de Arena rond te gaan lopen, of met 'AFCA' in de Kuip**.
145 Maar verder? Er is nu wat gedoe over die zangeres Rihanna die een tattoo in haar gezicht zou willen. Nou ik kan je wel zeggen, als ze bij mij aanklopt omdat ze een Dali-
150 snor op haar bovenlip getatoeëerd wil hebben, dan zet ik die met plezier voor haar.'

Bron: Kennislink.nl, 5 april 2013

*Vocabulaire vooraf, zie opdracht 24
**De Arena is de naam van het voetbalstadion van AFCA uit Amsterdam, ofwel AFC Ajax, kortweg Ajax genoemd. De Kuip is het voetbalstadion van Feyenoord uit Rotterdam.

OPDRACHT 25   Als Rihanna een Dali-snor wil ...

Lees de tekst. Over vijf van de zeven categorieën uit opdracht 23 wordt ook iets in de tekst gezegd. Welke categorieën zijn dat en wat wordt erover gezegd?

OPDRACHT 26   Tatoeages vind ik ...

Wat vind jij van tatoeages? Hoe wordt er in het land waar je vandaan komt op gereageerd?

Moet een tattookunstenaar alles doen wat een klant wil? Waar ligt de grens?

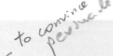

Vocabulaire

overtuiging, de / overtuigen (overtuigde, overtuigd) (r. 15)
Galileo was ervan overtuigd dat de aarde rond was. Niet iedereen deelde die overtuiging. De meeste mensen waren het toen niet met hem eens.

verpesten (r. 20)
Ik vind dat het uitzicht is verpest. Doordat er een hypermodern gebouw naast het kasteel is gezet, is de schoonheid van het landschap verloren gegaan.

uitbundig (r. 22)
De supporters reageerden uitbundig tijdens de wedstrijd. Ze bliezen op toeters en zwaaiden met vlaggen.

benadrukken (r. 44)
De politicus benadrukte nog eens hoe gevaarlijk het is om drugs te gebruiken. Hij wilde dat iedereen dat wist.

jargon, het (r. 56)
Het jargon van juristen is onbegrijpelijk voor niet-juristen. Niet omdat je het niet kunt verstaan, maar omdat het te ingewikkeld is.

rimpel, de (r. 63)

Deze speciale gezichtscrème zal het aantal rimpels in je gezicht verminderen, maar uiteindelijk is er geen ontkomen aan.

wrinkle

litteken, het (r. 63)

Op zijn arm zat een litteken. Hij was daar als kind door een hond gebeten.

scar

ontroerend / de ontroering (r. 68/69)

Het was een ontroerend moment toen de vader zijn zoon omhelsde, nadat hij hem jaren niet had gezien. Hij wreef hem over zijn rug en kneep hem in zijn wang. Ze moesten allebei huilen.

naald, de (r. 79)

Ik wilde deze knoop aan mijn jas zetten, maar het lukt me niet de draad door de naald te krijgen. De draad gaat er telkens naast. Ik vind het een vervelend klusje.

needle

moreover

overigens (r. 128)

Fijn dat je wilt meewerken aan het verslag. O ja, ik kom overigens wat later op de vergadering. Jullie hoeven niet op mij te wachten.

zwerven (zwierf, gezworven) (r. 133)

De oude man heeft geen huis en geen familie. Hij zwerft door de stad, op zoek naar eten. Dat is toch zielig?

to wander

opzichtig (r. 139)

In het calvinistische milieu vroeger hielden mensen niet van opzichtige kleding. Ze droegen dus geen kleren met felle kleuren en veel bloot.

showy

OPDRACHT 27

Welk woord past het best in de zin?

1 De wetenschapper benadrukte / verpestte dat de temperatuur op aarde stijgt.
2 Doordat de vissers altijd buiten in weer in wind aan het werk zijn, krijgen ze zo veel littekens / rimpels in hun gezicht.
3 De film was zo ontroerend / uitbundig dat veel mensen in het publiek zaten te huilen.
4 'Plaats delict' is jargon / overtuiging. Het verwijst naar een plek waar een misdaad gepleegd is.

OPDRACHT 28

Reageer op onderstaande zinnen met het woord tussen haakjes.

1 Vindt deze politicus dat mannen en vrouwen niet gelijkwaardig zijn? (overtuiging)
2 Hoe reageerden ze toen hij geslaagd was voor het examen? (uitbundig)
3 Hij was vroeger zo'n brave jongen. Hoe gaat het met hem? (zwerven)
4 Vond je het examen pittig? (verpesten)
5 Weet je zeker dat hij komt? (benadrukken)
6 Waarom krab je steeds op je hoofd? (litteken)
7 Waarvoor gebruiken deze dokters botox? (rimpel)
8 Wat een geweldig plan is dat! (overigens)
9 Hoe zeg je dat ook alweer als je iets moeilijk terug kunt vinden?* (naald)
   * Zie ook: spreekwoord.nl

OPDRACHT 29

A Het woord *benadrukken* is afgeleid van *nadruk* zoals het *bekritiseren* is afgeleid van het woord *kritiek*. Welke woorden kun je op deze manier vormen met:

boete _____

doel _____

graf _____

last _____

licht _____

loon _____

nadeel _____

oordeel _____

teken _____

wonder _____

B Maak met al deze woorden een zin.

C *be-* kan ook toegevoegd worden aan een bestaand werkwoord. Zo is *bekijken* afgeleid van *kijken* en *beklimmen* van *klimmen*. Ken je nog meer van dergelijke werkwoorden? Kies vijf voorbeelden en maak met het origineel en de afgeleide telkens een zin.

Voorbeeld:
kijken: Ik kijk graag naar misdaadfilms.
bekijken: Je moet deze vaas goed bekijken als je wilt weten of hij gelijmd is.

OPDRACHT 30

In de tekst staat de volgende zin:

Als ik hem vraag hoe het komt dat ik met mijn inktloze huid denk dat ik de norm ben, en hij met zijn van top tot teen getatoeëerde lichaam de uitzondering, ...

Er zijn in het Nederlands meer combinaties met alliteratie zoals *van top tot teen*. Bekijk de volgende combinaties. Wat denk je dat ze betekenen? Vul ze in onderstaande zinnen in.

bont en blauw ▪ koetjes en kalfjes ▪ in vuur en vlam ▪ voor dag en dauw ▪ nooit ofte nimmer ▪ water bij de wijn ▪ dubbel en dwars ▪ paal en perk ▪ door weer en wind ▪ hebben en houden ▪ in rep en roer ▪ wikken en wegen ▪ van hot naar her ▪ van top tot teen

1 Hij vertrok met z'n hele _____ naar het buitenland.

2 Romeo stond _____ *dag + dauw* _____ toen hij onder het balkon met Julia sprak.

3 Je kunt niet alles krijgen wat je hebben wilt. Je zult dus _____ moeten doen.

4 Na lang _____ *wikke + wege* _____ besloot hij het boek toch maar niet te kopen.

5 Ik ben van _____ *hot no her* _____ gefietst om een hoesje voor mijn smartphone te kopen, maar ik kon nergens een geschikt hoesje vinden.

6 Nederlanders fietsen _____ *door weer + wind* _____ naar hun werk. Zelfs als het regent, sneeuwt of hagelt laten ze de auto staan.

7 Hij heeft een prijs voor zijn boek gekregen. Hij heeft dat _____ *dubbel + dwars* _____ verdiend. Het is inderdaad een erg mooi boek.

8 De man zat _____ onder de blauwe plek-

ken. Ze hadden hem helemaal _____ geslagen.

9 Ik zou _____ in Siberië willen wonen. Ik

vind het daar in de winter veel te koud.

10 Een bakker moet altijd _____ opstaan,

zodat de mensen 's ochtends vers brood kunnen eten.

11 – Waar hadden jullie het de hele tijd over?

– Nergens over. We hebben alleen maar over _____

_____ gepraat.

12 Het drugstoerisme zorgde in Limburg voor veel overlast en de regering besloot

_____ te stellen door een pasje in te voeren.

13 De hele school was _____ toen bekend

werd dat het popidool de volgende dag op bezoek zou komen.

OPDRACHT 31

In de tekst staat de volgende zin:

... en is zelfs make-up des duivels.

Er zijn in het Nederlands meer combinaties met zo'n oude naamvalsvorm.
Bekijk de volgende combinaties. Wat denk je dat ze betekenen? Kies de juiste
combinatie in onderstaande zinnen.

ter attentie van	op den duur	ten noorden van
in koelen bloede	ten einde raad	ten onder
uit den boze	ten gevolge van	ter plaatse
heden ten dage	van harte	te allen tijde
ten eerste / ten slotte	van nature	

1 Ik heb verschillende redenen waarom ik op een progressieve partij stem. Ten
eerste / Van harte vind ik het heel belangrijk dat we solidair zijn met elkaar.
2 Ten einde raad / Van nature is hij een rustig persoon. Ik begrijp niet waarom hij
zich zo liet gaan.
3 De felicitatie moet verstuurd worden ter attentie van / ten gevolge van Menno
van Straten.

4   Als je nog verdergaat, verandert op den duur / ten noorden van het landschap
    van helemaal vlak naar heuvelachtig.

5   Heden ten dage / Te allen tijde is het zo dat je je docent mag tutoyeren.

6   De politie kwam net te laat ten onder / ter plaatse om getuige te zijn van het
    incident.

7   Jack de Ripper vermoordde zijn slachtoffers uit den boze / in koelen bloede.

8   Ten einde raad / Van nature probeerde de vrouw via het wc-raampje naar bui-
    ten te komen.

9   De huizen hebben schade opgelopen ter attentie van / ten gevolge van de aard-
    bevingen.

10 Dat is toch uit den boze / in koelen bloede, dat ze die vluchtelingen helemaal
    geen eten en drinken hebben gegeven!

11 De ramen moesten heden ten dage / te allen tijde gesloten blijven vanwege de
    smog.

12 De Titanic was het nieuwste van het nieuwste op het gebied van de scheep-
    vaart, maar ging toch met man en muis ten onder / ter plaatse.

13 Op den duur / Ten noorden van de Waddeneilanden begint de Noordzee.

14 Ten slotte / Van harte gefeliciteerd!

Grammatica – het gebruik van *er* (2)
In het begin van dit hoofdstuk heb je al gezien dat **er** vooruit kan wijzen.
Hier staan die zinnen nog een keer.

We zijn **er** niet aan ontkomen dat ik klus in huis.
Ze hoopte **erop** dat zij elk vier dagen per week zouden gaan werken.

OPDRACHT 32
Maak volledige zinnen.

Voorbeelden:
letten op (wij doen allebei huishoudelijke klusjes)
Ik let erop dat wij allebei huishoudelijke klusjes doen.

letten op (genoeg bewegen)
Ik let erop om genoeg te bewegen.

1   rekening houden met (een jaar in het buitenland gaan wonen)

_____

uit e leggen   ken mer ken

2 de nadruk leggen op (een eerlijke taakverdeling is belangrijk)

3 genieten van (fietsen in de zon)

4 zorgen voor (de kinderen worden opgevangen)

5 houden van (een andere taal leren)

6 uitgaan van (alles wordt georganiseerd)

7 niet ontkomen aan (huishoudelijke klusjes doen)

8 letten op (bereikbaar zijn)

9 opkijken van (hij wil een tatoeage hebben)

10 afleiden uit (zij heeft een goede baan)

OPDRACHT 33

Werk in tweetallen. Stel elkaar de volgende vragen en beantwoord ze met een
volledige zin. Gebruik _er_ als vooruitwijzer.

1 Waar heb je een hekel aan?
   Ik heb er een hekel aan als ...
   Ik heb er een hekel aan dat ...
2 Waar kun je niet aan wennen?
   Ik kan er niet aan wennen om ...
   Ik kan er niet aan wennen dat ...
3 Waar denk je over na?
4 Waar ben je enthousiast over?
5 Waar heb je zin in?
6 Waar erger je je aan?
7 Waar schrik je van?
8 Waar vertrouw je op?

OPDRACHT 34 Het Jongerenlagerhuisdebat

Op de website vind je de link naar een uitzending van de finale van het Jonge-renlagerhuisdebat. In het gekozen fragment zie je een debat in twee teams over de stelling:

'Wie vet eet en ongezond leeft, moet vet betalen voor de zorgpremie.'

Een van de scholieren geeft een uitgebreide reactie op deze stelling. Daarna mogen de andere scholieren mee debatteren. Wie wat wil zeggen, gaat staan. De presentator bepaalt wie mag spreken.

A   Bekijk het fragment. Luister vooral naar de argumenten van de verschillende sprekers. Noteer de argumenten die ze aanvoeren. Welke argumenten spreken jou aan? Met welke ben je het niet eens?

B   Bekijk het fragment nog een keer. Let nu op het taalgebruik van de sprekers. Wat zeggen ze precies? Maak telkens een keuze uit a of b.

1   ☒ a   Daar zijn wij het volledig mee eens.
    ☐ b   Daar zijn wij het hoofdzakelijk mee eens.

2   ☐ a   Uiteraard, die keuze hebben de mensen zelf, maar willen ze er dan ook de consequenties van aanvaarden?
    ☒ b   Uiteraard, die keuze hebben de mensen zelf, maar dan moeten ze er ook de consequenties van aanvaarden.

3   ☐ a   Ik wil het even hebben over jouw solidariteit.
    ☒ b   Ik wil even een beroep doen op jouw solidariteit.

4   ☒ a   Ik denk dat iedereen het doel heeft om gelukkig te zijn.
    ☐ b   Het is bekend dat iedereen het doel heeft om gelukkig te zijn.

5   ☒ a   Jojante, ik vind het veel te zwart-wit, want jij walst zo over al die problemen heen die die mensen hebben.
    ☐ b   Jojante, het is echt veel te zwart-wit, want jij walst zo over al die problemen heen die die mensen hebben.

6   ☒ a   En wij denken dat wij door deze regel een bepaald bewustzijn creëren onder deze burgers.
    ☐ b   En wij zijn ervan overtuigd dat wij door deze regel een bepaald bewustzijn creëren onder deze burgers.

Flour

7 ☐ a Daar wil ik graag even iets over zeggen.
   ☒ b Daar wil ik graag even op doorgaan.

Florine

8 ☐ a Ik verwacht niet dat de staat mijn privacy op deze manier aantast
         en mij op deze manier elke dag op mijn vingers kijkt.
   ☒ b Ik wil niet dat de staat mijn privacy op deze manier aantast en mij
         op deze manier elke dag op mijn vingers kijkt.

9 ☒ a Dus dan kunnen we heel makkelijk een testje doen om te kijken of
         iemand te dik is, of iemand rookt.
   ☐ b Dus dan moeten we elk jaar een testje doen om te kijken of iemand
         te dik is, of iemand rookt.

Pieterd

10 ☐ a Ja, ik zou je toch graag even een probleem willen aanpraten.
   ☒ b Ja, ik zou toch graag even een probleem willen aankaarten. ↳

Piter

11 ☐ a Maar laten we alsjeblieft even kijken naar de domme mensen die
         ongezond eten.
   ☒ b Maar laten we alsjeblieft even kijken naar waarom mensen
         ongezond eten.

Olivier

12 ☒ a Om even te reageren op dat prachtige voorbeeld inderdaad.
   ☐ b Om even in te gaan op dat prachtige voorbeeld inderdaad.

13 ☐ a En dat vind ik zo vreselijk scherp aan jullie plan.
   ☒ b En dat vind ik zo vreselijk verwerpelijk aan jullie plan.

Meerdere argumenten

Als je meerdere argumenten aanvoert om een standpunt te verdedigen of aan
te vallen, dan levert dat vaak een sterkere argumentatie op. Om de verschillende
argumenten te onderscheiden, kun je de volgende woorden gebruiken:

het is belangrijk om ...	**Het is belangrijk om** Nederlands te kunnen spreken als je in Nederland woont.
ten eerste ..., ten twee-de ..., ten slotte ...	**Ten eerste** is het dan makkelijker om vrienden te ma-ken. **Ten tweede** heb je dan veel meer kans op een baan. **Ten slotte** kun je dan ook begrijpen waar die gekke Nederlanders zich altijd zo druk om maken.

overigens ...	De meeste Nederlanders beheersen hun moedertaal **overigens** ook lang niet zo goed.
trouwens ...	Dat is **trouwens** in wel meer landen zo.
behalve dat ...	**Behalve dat** je je moet kunnen redden, wil je toch ook graag je emoties kunnen uiten.
daarbij komt ...	**Daarbij komt** dat het veel gemakkelijker is om iemand in vertrouwen te nemen als hij je eigen taal spreekt.
daarnaast ...	**Daarnaast** wil je niet dat mensen gaan denken dat je niet in staat bent om een andere taal te leren. / Je wilt **daarnaast** niet dat mensen gaan denken dat je niet in staat bent om een andere taal te leren.
bovendien ...vooral ook omdat ...	**Bovendien** komt het nogal ongeïnteresseerd over./ Het komt **bovendien** nogal ongeïnteresseerd over. **Vooral ook omdát** er al zo veel negatieve vooroordelen zijn over buitenlanders.
een ander argument is ...	**Een ander argument is** dat er heel mooie Nederlandse poëzie geschreven is, waar je waarschijnlijk optimaal van zult genieten als je de taal beheerst.
zelfs als dit niet opgaat, dan nog ...	**Zelfs als dat niet opgaat, dan nog** zul je af en toe uitdrukkingen tegenkomen die te mooi zijn om niet te gaan gebruiken.
wat nog belangrijker is ...	**Wat nog belangrijker is**, is om Nederlands te kunnen spreken.
reden temeer om ...	**Reden temeer** dus **om** allemáál zo veel mogelijk de puntjes op de i te blijven zetten.

Handwritten annotations: "besides", "except that", "an addition", "furthermore", "vatte", "bevnd", "especially because", "unnecessary"

OPDRACHT 35 Stellingen

Je gaat in tweetallen discussiëren over de onderstaande stellingen. Je krijgt van je docent argumenten voor en argumenten tegen de stellingen.

- Laten we het woordje 'u' in ere herstellen.
- Privacybescherming doe je zelf.
- Vuurwerk moet verboden worden.
- Het illegaal downloaden van muziek en films moet hard worden aangepakt.
- Bibliotheken zijn overbodig.

- Lantaarnpalen moeten 's nachts uit.
- Vrijheid van meningsuiting moet onbegrensd zijn.
- Meer Nederlandse vrouwen moeten full time werken.
- Er zijn veel slechte programma's op televisie.

OPDRACHT 36 Essay

Kies een stelling uit opdracht 35. Schrijf daarover een tekst van 150 tot 300 woorden. Verwerk twee argumenten voor en twee argumenten tegen in je tekst. Je kunt daarbij de informatie gebruiken die je hebt gekregen als argument voor of tegen. Geef ook je conclusie weer.

OPDRACHT 37 Oeps! Vergeten! (zou – zouden)

Lees de voorbeelden en beantwoord de vragen.

1 's morgens:
Vader: Ik zal de kinderen van school halen.
Moeder: Mooi, dan heb ik tijd om naar de kapper te gaan.

Wat is juist?
De vader uit bovenstaand voorbeeld ...

☐ a ... zegt dat hij de kinderen in de toekomst van school haalt.
☐ b ... belooft dat hij de kinderen van school haalt.

's avonds:
Moeder: Jij zou de kinderen toch van school halen?
Vader: Ja sorry, ik was het helemaal vergeten.

Wat is juist?
De moeder uit bovenstaand voorbeeld ...

☐ a ... stelt een vriendelijke vraag.
☐ b ... herinnert de vader aan zijn belofte.

2 Vader: Zou jij niet je kamer opruimen vandaag?
Zoon: Dat ga ik straks doen.

Wat is juist?
De vader uit bovenstaand voorbeeld ...

☐ a ... stelt een vriendelijke vraag.
☐ b ... herinnert de zoon aan zijn belofte.

Wat is juist?

Zou(den) in combinatie met een infinitief en eventueel 'toch' of 'niet' geeft aan dat er sprake is van ...

☐ a ... een vriendelijke vraag.

☐ b ... een herinnering aan een belofte.

OPDRACHT 38

Kijk naar de foto's. Bedenk bij elke foto welke belofte er is gedaan. Zeg vervolgens hoe iemand aan die belofte herinnerd kan worden.

Voorbeeld:

Persoon A doet een belofte: Ik zal de band plakken.

Persoon B herinnert persoon A aan zijn belofte: Jij zou toch de band plakken?

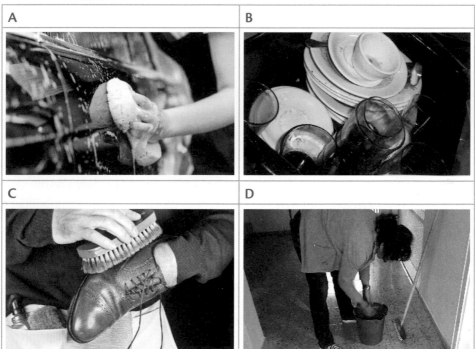

A

B

C

D

E	F
1 grote zak pasta 1 courgette 2 rode paprika's 1 pot tomatensaus 1 ui 1 bakje champignons 1 pot verse basilicum 1 bakje cherrytomaatjes	

 OPDRACHT 39 Preposities

Vul de juiste prepositie in.

1 Als je samen zorgt ___voor___ je kind, dan ontkom je er niet

___aan___ dat je ook de minder leuke dingen moet doen. Je kunt niet

alleen maar gezellig wandelen ___met___ je kind. Ik voel me ook verant-

woordelijk ___voor ?___ het huishouden, hoewel mijn partner daar niet

___van___ overtuigd is.

2 Ik ben bezig ___met___ het ontwerpen van een communicatieplan. Mo-

menteel communiceer ik daarover ___met___ mijn opdrachtgever. Er zijn

wat problemen ___met___ hem. Hij gaat er ___van___ uit dat het

communicatieplan over twee weken klaar is, maar dat lukt nooit. Ik ben ook

nog bezig ___met___ een ander project, maar daar kom ik al helemaal

niet ___aan___ toe.

3 Ik wilde me onderscheiden ___van___ anderen door het laten zetten van

een tatoeage. Nu heb ik er spijt ___van___, maar ik kan de schuld

___aan___ niemand anders geven dan ___aan___ mezelf. Er zijn

genoeg mensen geweest die gezegd hebben: 'Wees voorzichtig ___met___

het zetten van een tatoeage'.

4 Zij heeft de prijs te danken ___aan___ haar werk voor het onderzoeks-

instituut. Het instituut heeft zich onder haar leiding ontwikkeld ___tot___

een topinstituut. Dat is tenminste wat ik opmaak ___uit___ het rapport

waarin staat geschreven waarom zij die prijs heeft gekregen. Wat ik zo goed aan

haar vind, is dat ze zich niet schuldig maakt ___aan___ vriendjespolitiek.

OPDRACHT 40 Onregelmatige werkwoorden

bewegen ▪ bewijzen ▪ blazen ▪ knijpen ▪ spijten ▪ verstaan ▪ verwerpen ▪ wrijven ▪ zwerven

Vul de bovenstaande werkwoorden in de juiste werkwoordsvorm in (imperfectum of participium).

1 De plannen die ter sprake kwamen werden _____verwierpen werworpen_____, omdat ze afweken van het oorspronkelijke idee.

2 Ze _____kneep_____ heel hard in mijn arm en ik voelde een felle pijn.

3 Het is niet _____bewijzen bewezen_____ dat hij die troep heeft veroorzaakt en daarom krijgt hij geen boete.

4 De oude hippie _____zwierf_____ door de straten van Amsterdam met alleen een gitaar en een boek met songteksten uit de jaren zestig.

5 De tijger _____bewoog_____ niet. Doodstil zat hij naar ons te kijken.

6 De muzikant _____blaze_____ zo hard op zijn fluit dat hij blies zowat van zijn stoel viel.

7 Ik _____wreef wreef_____ over de plek waar de pijn het felst was.

8 Het _____ver speet_____ hem dat hij zich niet had weten te beheersen.

9 Omdat ze hem niet _____verstond_____ drong het niet tot haar door dat het een serieuze zaak was.

Taalbiografie

Focuspunten

Je bent nu halverwege het boek. Wat waren de focuspunten die je bij je taalbiografie had geformuleerd? Wat heb je gedaan om de genoemde punten te verbeteren? Hebben je medecursisten tips voor je hoe je ze kunt verbeteren? Bespreek dit in kleine groepjes.

 Op de website bij dit boek staan nog meer oefeningen bij dit hoofdstuk. Je vindt ze op **www.coutinho.nl/nederlandsopniveau**.

Vocabulairelijst hoofdstuk 3

vet = 0-2000 meest frequente woorden; *cursief = woorden met een frequentie tussen 2000 en 5000;*
normaal = woorden met een frequentie boven 5000

Receptief

bijbenen — *to keep up*

iemand de deur wijzen — *show s/ the door*

geboren en getogen — *born + raised*

hokjesgeest, de *pigeonhole*

lef hebben *have courage*

de waan van de dag

  (delusion)

Idiomatisch taalgebruik

het komt je niet aanwaaien

geen blad voor de mond nemen

het gelijk aan je zijde hebben

in het geweer komen

geen haar op m'n hoofd die daaraan denkt

iets onder de loep nemen

je sporen achterlaten

van top tot teen

in de weer zijn

het voor het zeggen hebben

Fiftyfifty

aandeel, het

braaf

gelijkwaardig

gunst, de

hoop

klussen

klusje, het

name, met

moeizaam

ontkomen (aan)

opmaken (uit), (zich)

opvang, de

opvangen

pittig

uitgaan van

verdelen

verdeling, de

versieren

versiering, de

zielig

Als Rihanna een Dali-snor wil

benadrukken

jargon, het

litteken, het

naald, de

ontroerend

ontroering, de

opzichtig

overigens

overtuigen

overtuiging, de

rimpel, de

uitbundig

verpesten

zwerven

Preposities

bezig zijn met

communiceren met

danken hebben aan, te

onderscheiden van, zich

ontkomen aan

ontwikkelen tot, zich

opmaken uit

overtuigd zijn van

problemen hebben met

schuld geven aan, de

schuldig maken aan, zich

spijt hebben van

toekomen aan	**Onregelmatige werkwoorden**
uitgaan van	bewegen
verantwoordelijk voelen voor, zich	bewijzen
voorzichtig zijn met	blazen
wandelen met	*knijpen*
zorgen voor	spijten
	verstaan
	verwerpen
	wrijven
	zwerven

Reflectie

Reflecteer op elk punt. Wat kun je? Vul het overzicht in.

Dit kan ik	nog niet	bijna	voldoende
Lezen			
Ik kan teksten begrijpen over actuele onderwerpen waarin de schrijver een bepaald standpunt inneemt, zoals *Cor Vos: alles fiftyfifty is zo makkelijk nog niet* en *Als Rihanna een Dali-snor onder haar neus getatoeeerd wil hebben, dan zet ik die.*			✓
Luisteren			
Ik kan gedetailleerde aankondigingen en instructies begrijpen, zoals het filmpje over de man die op zondag het vlees snijdt.		✓	
Ik kan de essentie begrijpen van moeilijker tv-programma's als er in standaardtaal en in normaal tempo wordt gesproken, zoals *Bonte vrouwen.*		✓	
Ik kan in discussies over thema's binnen het eigen vak- of interessegebied de argumentatie volgen en belangrijke punten in detail begrijpen, zoals *Het jongerenlagerhuisdebat.*	✓		
Gesprekken voeren			
Ik kan op betrouwbare wijze gedetailleerde informatie doorgeven, zoals bij de enquête over de taakverdeling van mannen en vrouwen en de beschrijving van de activiteiten van die dag.			
Ik kan in vertrouwde situaties actief meedoen aan discussies over onderwerpen van algemene aard, zoals over tatoeages.			

Ik kan in een discussie mijn mening naar voren brengen, verantwoorden en overeind houden, zoals bij de stellingen met betrekking tot het Calvinisme en de stellingen in het *Jongerenlagerhuisdebat*.			
Ik kan initiatief nemen in een vraaggesprek, ideeën ontwikkelen en ze uitbreiden met een beetje hulp of stimulans van de gesprekspartner, zoals bij de reflectie op de focuspunten.			
Schrijven			
Ik kan duidelijke, gedetailleerde teksten schrijven over thema's gerelateerd aan het eigen interessegebied, zoals het schrijven van een essay over een stelling.			

4 (Inter)nationaal

OPDRACHT 1 Op de kaart

Schaatsen is in Nederland een nationale sport. Internationaal zet dat dit land op de kaart. Een dropje is een typisch Nederlands snoepje. Internationaal wordt dat absoluut niet gewaardeerd. De hele wereld beschouwt de tulp als een symbool van Nederland. Maar de tulp is oorspronkelijk een Turkse bloem.

Werk in groepjes van drie of vier. Welke associaties hebben de anderen met jouw land? Kloppen die associaties volgens jou?

OPDRACHT 2 Typisch Nederlands

Op de website van de Vara staat de 'Typisch Nederlands Toets'. Hieronder staat een aantal vragen uit deze toets. Jullie gaan ze in twee groepen beantwoorden. Wie van jullie weet het meeste van Nederland?

1 Voor welk huisdier betaal je belasting in Nederland?
  - ☐ a Hond
  - ☐ b Kat
  - ☐ c Paard
  - ☐ d Alle bovenstaande

2 Waar zat Anne Frank verscholen tijdens de Tweede Wereldoorlog?
  - ☐ a In een kledingkast
  - ☐ b In het achterhuis
  - ☐ c Op het platteland
  - ☐ d In een kelder

3 Wie was de eerste politicus in Nederland die werd doodgeschoten?
- ☐ a Pim Fortuyn
- ☐ b Johan van Oldenbarnevelt
- ☐ c Gebroeders de Wit
- ☐ d Willem van Oranje

4 Wanneer je wordt uitgenodigd bij een typisch Nederlandse familie om 20.00 uur, schuif je dan aan bij het avondeten?
- ☐ a Er wordt wel gegeten, maar gasten dienen te wachten op de bank.
- ☐ b Nee, de gemiddelde Nederlander eet al om 18.00 uur.
- ☐ c Ja, en je kunt gerust vrienden meenemen.
- ☐ d Ja, maar je moet je eigen eten meenemen.

5 Van wie won Oranje de EK-finale voetbal in 1988?
- ☐ a Sovjet-Unie
- ☐ b West-Duitsland
- ☐ c Spanje
- ☐ d Brazilië

6 Wat is de Grondwet?
- ☐ a De Grondwet is in 1960 vervangen door het Wetboek van Strafrecht.
- ☐ b De Grondwet regelt de rechten en plichten rondom het openbaar grondbezit.
- ☐ c De Grondwet bevat de regels voor de staatsinrichting en de grondrechten van alle burgers.
- ☐ d De Grondwet is een Europees verdrag, waaraan alle Nederlandse wetten worden getoetst.

7 Wat is de Gay-Pride?
- ☐ a Een jaarlijkse demonstratie tegen homogeweld.
- ☐ b Een organisatie die opkomt voor de belangen van lesbische vrouwen, homoseksuele mannen, biseksuelen en transgenders.
- ☐ c Een optocht van praalwagens door de straten van Den Haag.
- ☐ d De dag waarop homo's hun recht opeisen om openlijk zichzelf te mogen zijn zonder enige vorm van discriminatie.

8 Het schilderij 'de Nachtwacht' is geschilderd door ...
- ☐ a Frans Hals
- ☐ b Piet Mondriaan
- ☐ c Vincent van Gogh
- ☐ d Rembrandt van Rijn

9 Wat was de naam van het IJsselmeer voordat het werd afgescheiden van de
   Noordzee?
   ☐ a Zuiderzee
   ☐ b Waddenzee
   ☐ c Flevomeer
   ☐ d Almere-Haven

10 Waarom wordt Nederland vaak Holland genoemd?
    ☐ a Omdat het zo kort en krachtig is.
    ☐ b Omdat de provincie Holland de belangrijkste provincie was.
    ☐ c Omdat koning Willem-Alexander tevens graaf van Holland is.
    ☐ d Omdat in de tijd van Napoleon, Nederland enkel uit Noord- en Zuid-
          Holland bestond.

11 In de provincie Drenthe heb je veel hunebedden. Wat waren hunebedden?
    ☐ a Grafheuvels
    ☐ b Tempels
    ☐ c Huizen
    ☐ d Offerplaatsen

12 Van welke grondstof is Nederland het rijkst geworden?
    ☐ a Aardgas
    ☐ b Kolen
    ☐ c Tin
    ☐ d Turf

13 Bij welke gelegenheid feliciteer je iemand in Nederland?
    ☐ a Oud en Nieuw
    ☐ b Dierendag
    ☐ c Op Bevrijdingsdag
    ☐ d Bij het behalen van een rijbewijs

14 Wat was de aanleiding tot de aanleg van de Deltawerken?
    ☐ a Versterken van de Hollandse Waterlinie, direct na de Tweede Wereld-
          oorlog
    ☐ b De watersnoodramp van 1953
    ☐ c De Sint-Elisabethsvloed van 1421
    ☐ d Een werkverschaffingsproject in de crisisjaren na 1933

Bron: typischnederlands.vara.nl.

OPDRACHT 3 Schooltypes

In de tekst bij opdracht 6 worden verschillende schooltypes genoemd: vmbo, mbo, havo, vwo. Wat weet je over deze schooltypes?

- Op welke leeftijd gaat een kind naar deze schooltypes?
- Hoelang duren de verschillende schooltypes?
- Wat kun je na deze schooltypes doen?
- Wie bepaalt naar welk schooltype een kind gaat?
- Wat is een stapelroute?

Bespreek dit in groepjes.

OPDRACHT 4 Vocabulaire vooraf

De woorden in het linkerrijtje staan in de tekst. De woorden uit het rechterrijtje zijn tegenstellingen. Welke woorden horen bij elkaar?

1 meerderheid	a tegenhouden
2 mislukken	b minderheid
3 platteland	c slagen
4 bevorderen	d stad

OPDRACHT 5 Vocabulaire vooraf

De woorden in het linkerrijtje staan in de tekst. Welke woorden uit het rechterrijtje betekenen ongeveer hetzelfde?

1 ondersteunen	a realiteit
2 gemengd	b relatie
3 werkelijkheid	c helpen
4 verhouding	d heterogeen

Integreren is een **achterhaald** concept

Interview door Marieke Kolkman

5 **Hoogleraar diversiteit en onderwijs Maurice Crul** schetste **vrijdag 22 maart 2013 in zijn oratie aan de VU een beeld van de superdiverse stad. In Amsterdam is het al de werkelijkheid dat geen enkele bevolkingsgroep een meerderheid vormt. Dan rijst de vraag wie zich nog moet aanpassen aan wie en hoe dan.**

10

Wat is er zo bijzonder aan de multiculturele stad dat je je oratie eraan wijdt?

'We zitten in een historisch mo-
15 ment voor de grote steden. In Amsterdam zijn als eerste stad van Nederland de mensen van Nederlandse afkomst niet meer in de meerderheid*. Er zijn alleen nog
20 maar minderheden. Onder jongeren van 15 jaar is zelfs maar een derde van Nederlandse afkomst. De groep Nederlandse Amsterdammers is bovendien het meest
25 in beweging: ze komen steeds de stad in en trekken weer weg. De klassieke migrantengroepen – Surinamers, Antillianen, Turken, Marokkanen – wonen hier vaak
30 al generaties. Eigenlijk zijn zij als groep de echte Amsterdammers. Dat is een grote verandering.'

Is dat echt zo'n groot verschil?
35 **We leven toch al veel langer samen in één stad?**
'Het is een psychologische verandering, met name voor de mensen van Nederlandse afkomst. Ze
40 raken hun dominante positie kwijt,

want ze zijn niet langer de meerderheidsgroep. Ze zullen moeten accepteren dat ze een etnische minderheidsgroep zijn zoals alle
45 anderen. En alle nieuwkomers, ook studenten van het Nederlandse platteland die hier komen studeren, zullen zich moeten aanpassen aan die superdiverse stad.
50 Mensen die zich niet aanpassen aan die superdiversiteit in de stad, krijgen een probleem. Je medestudent of leidinggevende zal steeds vaker een Marokkaanse of Turkse
55 Amsterdammer zijn. Als je daar als Nederlands-Amsterdamse jongere niet mee om kan gaan, heb je een probleem.'

60 **Wil je de witte Nederlander waarschuwen?**
'Dat is de ene kant van mijn boodschap. De andere kant is dat het integratiedenken is verou-
65 derd. Politieke partijen roepen nog steeds dat migranten en hun kinderen zich moeten aanpassen aan de Nederlandse normen en waarden. Vorige maand nog kwam
70 minister Lodewijk Asscher met

het participatiecontract, vanuit het idee dat als je in Nederland komt, je je moet aanpassen aan de Nederlandse normen en waarden.
75 Maar wie moet in een stad als Amsterdam die aanpassing gaan afdwingen als er niet één dominante groep is? Integreren in die zin is een achterhaald concept.
80

Tegelijkertijd is ook het idee van het multiculturalisme onder druk komen te staan. Het idee dat culturen gelijk zijn bleek in de
85 praktijk naïef, omdat sommige culturele gewoontes leiden tot de onderdrukking van anderen, zoals bij een ongelijke behandeling van vrouwen en bij negatieve opvattin-
90 gen over homoseksualiteit. Mede daardoor zit dat integratiedebat al geruime tijd op slot.'

Geef je in je oratie de oplossing?
95 'Ons internationale onderzoek naar tweedegeneratie Turkse jongeren in zeven Europese landen laat interessante dingen zien. De groep die de emancipatie van de
100 hele groep op gang brengt, en daarmee de opvattingen over bijvoorbeeld man-vrouwverhoudingen★ en seksualiteit, zijn de hoogopgeleiden. Zij trekken de ge-
105 meenschap weg van de conservatievere opvattingen van de eerste generatie. Daarvoor zijn twee dingen nodig: kansen in het onderwijs en participatie van vrouwen op de
110 arbeidsmarkt. In Zweden zie je die

twee dingen gebeuren. Veel meer tweedegeneratie Turkse jongeren stromen door naar het hoger onderwijs en veel meer tweedege-
115 neratie Turkse vrouwen gaan de arbeidsmarkt op.'

Wat doen ze in Zweden anders dan hier?
120 'Het onderwijs is anders ingericht. Alle kinderen gaan daar al vanaf twee, drie jaar naar een soort crèche. Dus migrantenkinderen leren daar eerder Zweeds dan hier
125 Nederlands. Bovendien worden kinderen daar later geselecteerd op onderwijsniveau. Bij ons gaan kinderen met twaalf jaar naar vmbo, havo of vwo, in Zweden zijn ze vijf-
130 tien. De taalachterstand waarmee migrantenkinderen door de latere start hier op school beginnen, lopen ze wel geleidelijk in, blijkt uit allerlei onderzoeken, maar de
135 schoolselectie komt op twaalfjarige leeftijd nog te vroeg. Als ze twee of drie jaar extra zouden krijgen, dichten ze dat gat verder en stromen meer jongeren door naar
140 havo en vwo en vervolgens naar het hoger onderwijs.
Een ander groot verschil tussen Zweden en Nederland is dat veel meer tweedegeneratie Turkse
145 vrouwen de arbeidsmarkt op gaan, ook als ze kleine kinderen hebben, en vaker fulltime dan in Nederland. Dat heeft te maken met die schoolvoorzieningen voor
150 kinderen. Veel meer vrouwen zijn

daardoor economisch zelfstandig en gaan die zelfstandigheid ook opeisen. Bovendien hebben ze andere opvattingen over man-vrouw-
155 verhoudingen en over seksualiteit, omdat ze niet in het traditionele patroon van hun moeders zijn terechtgekomen maar in een omgeving tussen andere hoogopge-
160 leiden. Het is dus eigenlijk een vrij simpel verhaal.'

Moeten we het hier dan net zo gaan aanpakken?
165 'Je kunt aanpassing eisen, zoals minister Lodewijk Asscher, of je kunt emancipatie bevorderen★, door de dingen te doen waarvan je weet dat ze de emancipatie vanuit
170 de groepen zelf in gang zetten. Lodewijk Asscher is ook verantwoordelijk voor de kinderopvang. Hij zou beter dat kunnen aanpakken, dan met een symbolisch contract
175 komen waar niemand iets mee gaat doen. Dat geeft toch het idee dat er een groep is die gedwongen moet worden om te emanciperen, terwijl er binnen die groep aan-
180 zienlijke groepen zijn die aan het emanciperen zijn, tegen de conservatieve opvattingen in de gemeenschap in.'

185 **Hoe staat het in Nederland met de emancipatie van de tweede generatie?**
'Van alle Europese landen is dat hier het meest gepolariseerd. We
190 hebben een flinke groep die naar

het hoger onderwijs gaat, mede dankzij de stapelroute via het mbo, maar we hebben ook een aanzienlijke groep die zonder diploma het
195 mbo verlaat. Dus je ziet aan de ene kant die hoogopgeleide tweede generatie die de arbeidsmarkt op gaat, die emancipeert, die trouwt met andere hoogopgeleide jonge-
200 ren. Ze trekken uit de migrantenbuurten, waardoor hun kinderen in een veel gemengdere★ omgeving opgroeien dan zij zelf.

205 Aan de andere kant heb je de voortijdig schoolverlaters. Die trouwen vroeg, vaak met een partner uit Turkije of Marokko, blijven wonen in de migrantenbuurten en
210 hebben kinderen die naar nog veel zwartere scholen gaan dan waar zij zelf op zaten. Hun situatie wordt eerder slechter dan beter, vergeleken met de tweede generatie. En
215 door hun eigen mislukte★ onderwijscarrière is het maar de vraag of ze hun kinderen zullen stimuleren om te gaan studeren, zoals hun ouders nog wel deden.
220 We willen natuurlijk graag weten of de hoogopgeleide groep zich voor de emancipatie van de hele gemeenschap gaat inzetten of dat ze voor een individueel traject
225 kiezen.'

Wat denk je?
'We hebben net honderdveertien hoogopgeleide jongeren geïnter-
230 viewd in Amsterdam en Rotter-

dam. Wat ons opviel, was dat zij heel sterk hulp geven aan mensen in hun directe omgeving en in pro-jecten. Negen van de tien jongeren 235 zeiden dat ze kinderen uit de familie ondersteunen★. Een derde is of was actief in huiswerkprojecten, mentorprojecten of rolmodelpro-jecten. Dus we zien tot nu toe wel 240 dat ze een link maken met mensen in hun omgeving. Jongeren die een mentor hebben gehad en nu in het hoger onderwijs zitten, willen dat zelf ook weer doen voor 245 jongere kinderen. Die band tussen de succesvolle groep en de rest van de gemeenschap wil je onderhou-den. Daar moet je als overheid op inspelen.'

Bron: www.kennislink.nl, 12 april 2013

★Vocabulaire vooraf, zie opdrachten 4 en 5

OPDRACHT 6 Integreren is een achterhaald concept

Lees de tekst. Wat doen ze in Zweden anders dan in Nederland? Vul onderstaande tabel in.

Nederland	Zweden

OPDRACHT 7 Integreren

Bespreek met een medecursist je ervaringen met je eigen integratie in Nederland. Wat vinden jullie van het Zweedse model? Moet de overheid volgens jullie integratie stimuleren of is het de verantwoordelijkheid van de immigranten zelf? Op welke manier worden immigranten in jullie eigen land ondersteund? Presenteer de resultaten samen aan de groep.

OPDRACHT 8

In de tekst staan veel samengestelde woorden. Woorden die uit twee of meer woorden bestaan. Uit welke delen bestaan de woorden hieronder? Zoek in de tekst andere samengestelde woorden die met hetzelfde eerste deel beginnen.

A   migrantenbuurten bestaat uit _____ en _____

   1 _____ 2 _____

B   onderwijsniveau bestaat uit _____ en _____

   1 _____

C   schooldiploma bestaat uit _____ en _____

   1 _____ 2 _____

Vocabulaire

achterhaald (r. 1)

Dat vrouwen geen toppositie zouden kunnen hebben, is een achterhaald idee. Dat is niet meer van deze tijd.

schetsen / de schets (r. 5)

- Kun jij een beeld van jouw toekomst schetsen? Hoe denk je dat jouw toekomst eruitziet?
- Ik liep vorige week in Nijmegen en wie schetst mijn verbazing: ik kwam daar een vriendin van mij tegen uit Duitsland! Ik kon het niet geloven.
- Rembrandt is bekend om zijn schilderijen, maar hij heeft ook veel schetsen gemaakt. Ik vind die zwart-witte schetsen bijzonder.

wijden aan (r. 13)

Dat hele boek is gewijd aan internationale relaties. Daar gaat het boek over.

afkomst, de / afkomstig (r. 18)

Mijn partner is van Turkse afkomst. Ze woont al jaren in Nederland, maar ze is afkomstig uit Istanbul.

mede (r. 52, 90)

- Ik heb die baan mede gekregen door mijn internationale ervaring. Dat was natuurlijk niet de enige reden.
- Heb jij veel contact met je medestudenten of medecursisten?

leidinggevende, de / de leiding (r. 53)

- Mijn leidinggevende geeft op een prettige manier leiding. Hoewel zij de baas is, ben ik verantwoordelijk voor mijn eigen taken.
- De leiding van ons bedrijf is internationaal. Zij bestaat zowel uit Nederlanders als uit buitenlanders.
- Het orkest speelt dat muziekstuk onder leiding van een bekende Japanse dirigent.

afdwingen (dwong af, afgedwongen) (r. 77)

- Respect kun je niet altijd afdwingen. Je krijgt het of je krijgt het niet.
- Voor mijn baan bij een internationaal bedrijf moest ik het Engels perfect beheersen. Ik heb toen afgedwongen dat ze mijn taaltraining zouden betalen. Daarmee is de leiding akkoord gegaan.

onderdrukking, de / onderdrukken (r. 87)

- Veel volkeren lijden onder de onderdrukking door een ander, dominant volk. Dat volk ziet hen niet als gelijkwaardig.
- Als ik moe ben en trek heb in eten, moet ik altijd gapen. Het is niet beleefd, maar ik kan dan het gapen niet altijd onderdrukken.

behandeling, de / behandelen (r. 88)

1 Ik heb veel last van mijn rug. Ik ben daarvoor al tien keer door een fysiotherapeut behandeld. Er komen, denk ik, nog wel tien behandelingen.
2 De behandeling van deze rechtszaak duurt wel een aantal maanden. Het duurt dus lang voordat deze zaak klaar is.
3 De kinderen werden niet goed behandeld, eigenlijk werden ze zelfs mishandeld.
4 In dit hoofdstuk behandelen we het thema nationaal – internationaal.

opvatting, de / opvatten (r. 89/90)

Wat zijn de opvattingen van die politieke partij? Wat zijn hun ideeën?

geruime tijd (r. 92)

Hij heeft geruime tijd over de wereld gezworven, een jaar of twee.

inrichten / de inrichting (r. 120)

- Hoe is jullie huis ingericht? Op welke verdieping is de woonkamer en op welke verdieping de keuken? Hebben jullie het modern ingericht of juist niet?
- De opleiding is zo ingericht dat je eerst twee jaar theorie hebt en dan een half jaar stage en vervolgens een onderzoeksproject.

opeisen / eisen / de eis (r. 153, 165)

- Als je recht op dat geld hebt, dan kun je dat opeisen. Je kunt eisen dat dat geld aan jou wordt gegeven.
- Mijn leidinggevende eist dat ik die opleiding ga volgen. Dat is een harde eis. Ik moet die opleiding dus gaan volgen.

aanpakken / de aanpak (r. 164)

Wat is een goede manier om woorden te leren? Wat is een goede aanpak? Kun je vertellen hoe jij dat aanpakt?

dankzij (r. 192)

Ik heb een appartement gevonden dankzij een tip van een collega. Ik ben blij dat mijn collega mij over dit appartement verteld heeft, anders had ik nu nog steeds geen woonruimte gevonden.

voortijdig (r. 206)

Ze zijn voortijdig met de tenniswedstrijd gestopt. Het goot. Door die enorme regenbui moesten ze voor het eind met de wedstrijd stoppen.

inzetten (voor), (zich) / de inzet (r. 221/222/223)

- In verband met de grote drukte had NS extra treinen ingezet. De extra reistijd bedroeg een halfuur.
- Zij heeft zich erg ingezet voor een beter salaris voor vrouwen. Uiteindelijk is haar dat gelukt.

onderhouden (onderhield, onderhouden) / het onderhoud (r. 247/248)

1 Je moet een auto goed onderhouden en dus regelmatig naar de garage gaan. Helaas is het onderhoud van een auto niet goedkoop.
2 Als vrienden in het buitenland wonen, moet je meer moeite doen om het contact te onderhouden.
3 Tijdens mijn studie hebben mijn ouders mij onderhouden. Zij gaven mij geld zodat ik kon studeren.

inspelen op (r. 248/249)
Steeds minder mensen kopen hun spullen in een winkel. Die markt krimpt. Winkels spelen daarop in door hun producten via internet te verkopen. Het is wel slim om daar rekening mee te houden.

OPDRACHT 9

Kies het meest logische woord.

1 Omdat hij zonder hulp niet van zijn gameverslaving af kon komen, koos hij voor een heel andere schets / aanpak.
2 Ze hebben de bibliotheek opnieuw ingericht / onderhouden, omdat de studenten te veel werden afgeleid door de kleurrijke gordijnen. De witte vitrages maken dat het studeren minder moeizaam gaat.
3 Ik wil me opeisen / inzetten voor een betere wereld, want ik vind dat er werkelijk schandelijke dingen gebeuren die we niet kunnen negeren.
4 De universiteit heeft met haar kinderopvang goed aangepakt / ingespeeld op het feit dat er hier veel moeders werken.
5 De minister maakte voortijdig / achterhaald een einde aan het gesprek, omdat hij zich begon te ergeren aan het feit dat de journalist hem belachelijk probeerde te maken.
6 Ik ben afgedwongen / afkomstig uit Groningen en ik beweer dat dit een van de mooiste steden van Nederland is.
7 Moet een land handel drijven met een ander land als de mensen daar behandeld / onderdrukt worden door het regime?

OPDRACHT 10

Herschrijf de volgende zinnen. Gebruik daarbij woorden uit het vocabulaire.

1 Zijn baas heeft hem gewaarschuwd dat hij niet nog eens te laat moet komen.

2 Succes is niet altijd een keuze. Meestal niet.

3 Waar je vandaan komt, bepaalt gedeeltelijk hoe je tegen de wereld aankijkt.

4 In de negentiende eeuw werden vrouwen behandeld als slaven.

5 Je zou ze eens goed duidelijk moeten maken dat ze je salaris per direct moeten uitbetalen.

_____

6 Ze stopten eerder dan was afgesproken.

_____

7 Ik heb de meubels vervangen, nieuw behang op de muren geplakt en het plafond geschilderd. Wat vind je ervan?

_____

8 De hele film gaat over transgenders.

_____

9 De manier waarop ze met hem omgingen, beviel hem niet.

_____

10 Hij heeft een heel andere mening over integratie dan zijn buurman.

_____

 OPDRACHT 11

Reageer op onderstaande zinnen met de woorden tussen haakjes.

1 Hoe had je financieel geregeld dat je een halfjaar in het buitenland kon studeren? (dankzij, geruime tijd)
2 Hoe verklaar je het succes van die methode? (mede, aanpak / aanpakken)
3 Waarom wil je naar dat ontwikkelingsland gaan? (zich inzetten voor, onderdrukken)
4 Wat vertelde jouw baas over de toekomstplannen? (schetsen / schets, inspelen op)
5 Wat hebben jullie prachtige meubels! Waar komen ze vandaan? (inrichting, afkomstig)
6 Hebben ze in het ziekenhuis dit traject voorgesteld? (behandeling, achterhaald)
7 Waarom ga je een talencursus in het buitenland volgen? (leidinggevende, eisen / eis)
8 Ik heb geprobeerd haar te overtuigen, maar dat lukte niet. Ze bleef bij haar mening. (afdwingen, opvatting)

OPDRACHT 12

Kies het juiste vervolg.

1 Waarom sliep je in de bioscoop?
- ☐ a Ik vond het een slome film.
- ☐ b Ik heb het een slome film gevonden.

2 Waarom ga je niet mee naar *La Grande Bellezza*?
- ☐ a Ik zag die film al.
- ☐ b Ik heb die film al gezien.

3 Wat voor werk deed je in Frankrijk?
- ☐ a Ik was ober in een chic restaurant.
- ☐ b Ik ben ober geweest in een chic restaurant.

4 Heb jij horecaervaring?
- ☐ a Ik was ober in een chic restaurant.
- ☐ b Ik ben ober geweest in een chic restaurant.

5 In mijn studententijd besteedde ik ongeveer vijftig euro per maand aan kleding, ...
- ☐ a ... terwijl ik aan uitgaan ongeveer het dubbele uitgaf.
- ☐ b ... terwijl ik aan uitgaan ongeveer het dubbele heb uitgegeven.

6 Waarom heb je geen geld meer?
- ☐ a Ik gaf het uit aan cadeautjes voor mijn familie.
- ☐ b Ik heb het uitgegeven aan cadeautjes voor mijn familie.

7 Hoe ging je tentamen?
- ☐ a Ik verprutste het.
- ☐ b Ik heb het verprutst.

8 Ik zag je gisterochtend op de trein stappen.
- ☐ a Ja, dat klopt. Ik ging naar mijn ouders in Leiden.
- ☐ b Ja, dat klopt. Ik ben naar mijn ouders in Leiden gegaan.

Grammatica – werkwoordstijden (1)

Welke werkwoordstijd wordt er in de a-zinnen gebruikt?
Welke werkwoordstijd wordt er in de b-zinnen gebruikt?

Bespreek de werkwoordstijden met elkaar. Streep door wat niet juist is.

Het perfectum
- legt wel een / geen relatie tussen het heden en het verleden.
- focust wel / niet op een bepaald moment.
- kan wel een / geen gewoonte in het verleden beschrijven.

Het imperfectum
- legt wel een / geen relatie tussen het heden en het verleden.
- focust wel / niet op een bepaald moment.
- kan wel een / geen gewoonte in het verleden beschrijven.

De modale werkwoorden (*kunnen, moeten, mogen, willen*) en de werkwoorden *denken, vinden, weten* worden vaak in het imperfectum gebruikt en heel weinig in het perfectum.

OPDRACHT 13

Vul de imperfectumvorm van het werkwoord in.

Voorbeeld:
Ik _____ (weten) niet dat zij Hongaars _____ (kunnen) spreken.
Ik wist niet dat zij Hongaars kon spreken.

1 Mijn zus _____ (kunnen) vroeger heel goed piano spelen.

2 We _____ (moeten) ons haasten om op tijd te komen.

3 Ik _____ (hoeven) vroeger niet veel huiswerk te maken.

4 Als kind _____ (mogen) we zaterdagavond altijd later naar bed.

5 We _____ (willen) dit jaar iets origineels gaan doen.

6 Wat _____ (vinden) jullie van de tekst?

7 'Is dat echt zo?' 'Dat _____ (weten) ik niet'.

8   Onze afdeling _____ (hoeven) dit jaar niet te bezuinigen,

dus we _____ (hoeven) het geld niet anders te verdelen.

9   De reisleider _____ (moeten) tijdens die reis veel proble-

men oplossen. Dat _____ (vinden) hij niet echt leuk.

10 De leidinggevende _____ (kunnen) haar medewerkers ten

slotte overtuigen.

11 Blijkbaar _____ (denken) hij dat het gevaarlijk was.

12 Ik _____ (mogen) me niet uitbundig gedragen. Dat

_____ (vinden) mijn moeder overdreven.

13 Naarmate we ouder werden, _____ (moeten) we thuis

meer huishoudelijke klusjes doen.

14 De mensen _____ (weten) vroeger niet dat de aarde rond is.

15 Aangezien de andere partij niet _____ (willen) meewerken,

was de samenwerking een moeizaam proces.

De keuze tussen perfectum of imperfectum kan nog door iets anders worden beïnvloed. Lees de volgende situaties.

Situatie 1
Een aantal jaren geleden **was** ik in Hongarije. Ik **was** daar met mijn gezin en **wilde** in een museum een gezinskaart kopen. De informatie over de tickets en tarieven **stond** in het Engels en in het Hongaars op de borden. De Engelse informatie **gaf** geen informatie over een gezinskaart, maar de Hongaarse wel. Omdat ik Hongaars spreek, **kon** ik dat lezen. Ik **vroeg** dus om een gezinskaart. De vrouw achter de balie **zei** dat dat alleen voor Hongaren **was**. Maar dat **stond** er toch niet!

Situatie 2
Mijn ouderlijk huis **was** groot. Eigenlijk **bestond** het uit twee huizen. Daarom **had** het twee voordeuren. Opvallend **waren** de grote ramen. Die **maakten** dat het binnen altijd heel licht **was**. In mijn herinnering **waren** er op de verschillende verdiepingen oneindig veel kamers met hoge witte plafonds en glanzend parket op de vloeren. Beneden **gaven** grote openslaande deuren toegang tot de tuin. In het voorjaar **bloeiden** daar prachtige magnolia's.

Welke werkwoordstijd wordt er in situatie 1 gebruikt?

_____

Welke werkwoordstijd wordt er in situatie 2 gebruikt?

_____

In beide situaties is er iemand aan het woord. Wat is het verschil tussen beide teksten?

In tekst 1 _____

en in tekst 2 _____.

Dus als je iets *vertelt* uit het verleden of iets *beschrijft* uit het verleden, gebruik je het _____. Je herkent een verhaal of een beschrijving aan de sequentie, de ononderbroken aaneenschakeling van samenhangende zinnen.

OPDRACHT 14

Hieronder staat een verhaaltje over buitenlanders in Nederland. Het speelt zich af in de verleden tijd. Vul de juiste vorm van het werkwoord tussen haakjes in.

De bezorger _____ (komen) zijn nieuwjaarswens overhandigen. Het _____ (zijn) een aardige, redelijk Nederlands sprekende allochtone man van midden dertig. Hoe goed hij zich al de gewoontes van onze consumptie-maatschappij had eigengemaakt, _____ (blijken) toen ik hem uit waardering voor zijn trouwe krantenbezorging niet één maar twee biljetten van 5 euro _____ (overhandigen). 'Zo goed?' _____ (vragen) ik, hopend op een tevreden bedankje. De bezorger _____ (kijken) naar de eurobiljetten, _____ (denken) even na en _____ (antwoorden) toen in onberispelijk Nederlands: 'Meer is beter.'

Bron: De beste @ikjes uit NRC over Nederlanders in het buitenland en buitenlanders in Nederland

Situatie 3

Vorig jaar <u>zijn</u> we voor het eerst met het vliegtuig op vakantie <u>gegaan</u>. We **gingen** met de auto naar Schiphol. Na anderhalf uur rijden **arriveerden** we bij de luchthaven. We **parkeerden** de auto en **werden** met een bus naar de vertrekhal **gebracht**. Op de informatieborden **zagen** we dat ons vliegtuig een uur later dan gepland **vertrok**. We **besloten** om eerst een kopje koffie te gaan drinken. Op het terras van de coffee corner **zagen** we plotseling onze buren zitten. 'Ook op reis?' **vroegen** we. 'Ja,' **zeiden** ze, 'we gaan naar Antalya.' 'Wij ook!' **riepen** we. 'Dat is toevallig!' We **bleken** met hetzelfde vliegtuig te vliegen. 'Wie weet komen we elkaar nog tegen,' **zei** de buurman. 'Ja, wie weet,' **antwoordde** ik en ik **onderdrukte** een zucht.

Welke werkwoordstijd wordt er in de eerste zin gebruikt?

En in de rest van het verhaal?

Een beschrijving of verhaal kan wel starten met een of twee zinnen in het perfectum. Het is op dat moment nog niet duidelijk of er een verhaal komt. Voor het vertellen over die gebeurtenis, gebruik je dan verder het imperfectum.

OPDRACHT 15 Vertel!

Vertel over een van de volgende situaties.

- Een verblijf in het buitenland. Denk daarbij aan de volgende vragen:
  - In welk land was je?
  - Met wie was je?
  - Hoe ben je daar naartoe gegaan?
  - Wat zijn je positieve en negatieve herinneringen aan je verblijf in het buitenland?
  - Wat is je het meest bijgebleven van die keer?

- Een vervelend communicatiemisverstand.
  - Wanneer was dat?
  - Hoe gebeurde het?
  - Waardoor ontstond het misverstand?
  - Hoe is het opgelost?
  - Had het nog consequenties?

- Een speciale jeugdherinnering.
  - Hoe oud was je toen?
  - Waren er nog anderen bij betrokken?
  - Waar woonde je toen?
  - Wat was de situatie?
  - Waarom is die herinnering je bijgebleven?

Figuren beschrijven

Je ziet hier woorden die je kunt gebruiken als je een tabel of grafiek moet beschrijven.

Daaronder zie je voorbeelden van zinnen waarin die woorden gebruikt zijn.

Het diagram laat zien dat ...
Het diagram laat X zien.
De grafiek (ver)toont ...

het aantal X	+ persoonsvorm (singularis)
het percentage X	+ persoonsvorm (singularis)
...% van de X	+ persoonsvorm (singularis)

toenemen	de toename	sterk, fors, licht, geleidelijk
groeien	de groei	sterk, fors, licht, geleidelijk
stijgen	de stijging	snel, langzaam, sterk, fors, licht, geleidelijk
afnemen	de afname	snel, langzaam, sterk, fors, licht, geleidelijk
dalen	de daling	snel, langzaam, sterk, fors, licht, geleidelijk
stagneren	de stagnatie	
	de lijn	
gelijk blijven		

Levenslang leren en deeltijdstuderen (bron: *NRC Handelsblad*, 12 maart 2014)

Aantallen eerstejaars hoger
onderwijs in deeltijd, × 1.000

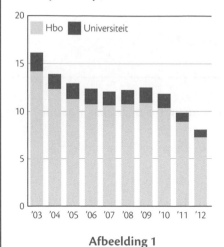

Afbeelding 1

Percentage deelnemers van 30 jaar en ouder
in het hoger onderwijs

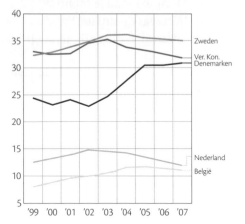

Afbeelding 2

Ontwikkeling aandeel hoger opgeleiden
in de beroepsbevolking

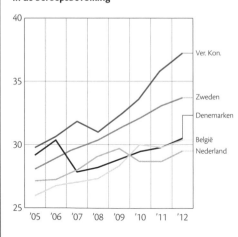

Afbeelding 3

Leeftijdscategorieën deeltijdstudenten
bekostigd hoger onderwijs in procenten

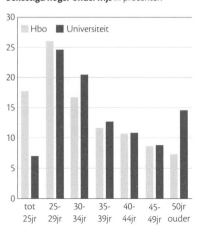

Afbeelding 4

Voorbeeldzinnen

Afbeelding 1

Het *staafdiagram laat zien* dat *het aantal* eerstejaars deeltijdstudenten in 2003 ruim 15.000 *was*. In 2012 is dat aantal *gedaald tot* ongeveer 7.500. Er is dus sprake van *een forse daling*.

Een verklaring kan zijn dat het collegegeld vanaf 2011 verhoogd is.

Afbeelding 2

In *de grafiek wordt het percentage* studenten in het hoger onderwijs van dertig jaar en ouder *getoond* in de periode van 1999 tot 2007. Er worden vijf Europese landen vergeleken.

De grafiek toont dat Zweden *het hoogste percentage* studenten van dertig jaar of ouder *heeft.* Dat *percentage is* in de periode van 1999 tot 2007 min of meer *gelijk gebleven,* namelijk zo'n 35%.

De grafiek vertoont voor het Verenigd Koninkrijk een vergelijkbare *lijn,* hoewel er vanaf 2003 *een lichte afname* te zien is.

In Nederland is het percentage studenten van dertig jaar of ouder slechts 12%. Na *een lichte toename* is er vanaf 2002 *een geleidelijke daling* te zien.

België heeft het laagste percentage studenten van dertig jaar of ouder. Vanaf 1999 is er *een lichte groei* te zien van 8% in 1999 tot 11% in 2007.

Een mogelijke verklaring is dat werkgevers in Zweden, het Verenigd Koninkrijk en Denemarken stimuleren dat hun werknemers naast hun werk studeren.

Een andere verklaring kan zijn dat er in Nederland en België minder deeltijdstudies bestaan.

OPDRACHT 16 Figuren beschrijven (1)

Bekijk in het kader afbeelding 3 *Ontwikkeling aandeel hoger opgeleiden in de beroepsbevolking.* Schrijf in tweetallen over twee dingen die je opvallen.

Bekijk in het kader afbeelding 4 *Leeftijdscategorieën deeltijdstudenten bekostigd hoger onderwijs.* Schrijf in tweetallen over twee dingen die je opvallen.

OPDRACHT 17 Figuren beschrijven (2)

Gebruik de gegeven informatie en maak de zinnen af. Beantwoord ook de vragen.

1 Aantal vvto-scholen (vroegtijdig vreemdetalenonderwijs)

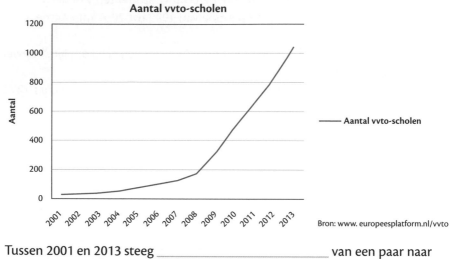

Bron: www. europeesplatform.nl/vvto

Tussen 2001 en 2013 steeg _____ van een paar naar meer dan duizend.

Kun je een verklaring geven voor de forse stijging van het aantal vvto-scholen?

2 Percentage vrouwen in hogere managementfuncties (2014)

Percentage vrouwen in hogere managementfuncties in procenten

Bron: *NRC Handelsblad*, 8 maart 2014

In Rusland werkt _____

terwijl in de VS slechts _____

In Rusland werken meer vrouwen in hogere managementfuncties dan in de VS. Kun je daar een verklaring voor geven?

3 Aantal studenten in het hoger en wetenschappelijk onderwijs

Omvang studentenpopulatie

	HBO	WO
2007	373.800	211.400
2011	423.100	243.700
	+13,2%	+15,3%

Bron: www.dub.uu.nl/plussen-en-minnen

Het aantal hbo-studenten _____

en het aantal wo-studenten _____

Kun je een verklaring geven voor de toename van het aantal studenten?

OPDRACHT 18 Figuren beschrijven (3)

Schrijf een tekst over een van de onderstaande grafieken.
Geef in je tekst antwoord op de vragen onder de grafieken.

1 Aantal allochtone studenten

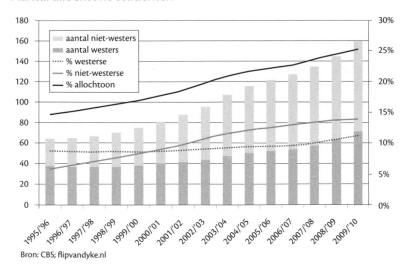

Bron: CBS; flipvandyke.nl

- Beschrijf wat de grafiek laat zien.
- Wat kun je zeggen over het percentage allochtone studenten?
- Welke maatregelen zouden genomen moeten worden om meer allochtone studenten te laten studeren?

2 Engelse taalvaardigheid van bachelorstudenten

Gevraagd aan bachelorstudenten: is jouw Engels goed genoeg om je opleiding te volgen?			
	nee	neutraal	ja
spreken	11%	21%	68%
schrijven	13%	18%	69%
luisteren	2%	6%	92%
lezen	2%	5%	93%

Bron: www.dub.uu.nl/plussen-en-minnen

- Wat laat dit schema zien?
- Wat valt op?
- Welke verklaring kun je daarvoor geven?
- Hoe zouden studenten hun spreek- en schrijfvaardigheid kunnen verbeteren?

OPDRACHT 19 Spreek Nederlands met mij

Op de website vind je de link naar een beeldfragment *Spreek Nederlands met mij*. Bekijk het fragment.

Welke typisch Nederlandse dingen heb je gezien?

OPDRACHT 20 Buitenlandse expat wil Nederlands spreken

Werk in tweetallen. Bespreek eerst de vraag vooraf. Lees dan de tekst en voorspel de rest van de zinnen. Schrijf dat op. Controleer daarna of je ongeveer hetzelfde had als in de tekst op p. 301.

Vraag vooraf: Spreken mensen je in het Nederlands of in het Engels aan? Wat doe je als ze je in het Engels aanspreken?

Buitenlandse expat wil Nederlands spreken

Ze beginnen het gesprek vaak in hun beste Nederlands. Maar zodra de Nederlandse gesprekspartner een buitenlands accent opmerkt, _____

_____

Goedbedoeld, maar zo _____

Het Haagse taalinstituut Direct Dutch is daarom deze zomer een campagne begonnen om aandacht te vragen voor _____

_____

Directeur Ruud Hisgen: Wij zeggen altijd tegen onze cursisten dat ze de opgedane taalkennis moeten oefenen op straat en in winkels. Maar daar

_____.

Dat ontmoedigt hen Nederlands te spreken.

Direct Dutch deelt buttons uit met de boodschap

'_____!',

die vooral winkel- en horecapersoneel moeten uitnodigen om Nederlands te spreken. Hisgen had aanvankelijk duizend buttons laten maken, maar wegens de grote vraag heeft hij _____.

Het is echt een *eyeopener* voor Hagenaars dat _____

_____

Volgens hem is Nederlands helemaal niet zo'n lastige taal als vaak wordt gedacht. Na twee weken _____

_____

In de 'internationale stad van vrede en recht' Den Haag wonen ruim 35.000 expats. Zij zijn onder meer werkzaam bij de vele internationale instituten en ambassades in de stad.

Veel buitenlandse werknemers blijven een jaar of vier in Nederland, zegt Hisgen. Na afloop vertellen ze vaak dat ze een leuke tijd hebben gehad, maar dat

_____.

Als je de taal leert, krijgt je verblijf een andere dimensie. Je kan _____

_____.

Zo kan je buiten de eilandjes van expats komen.

Uit: *NRC Handelsblad*, 26 juli 2013

OPDRACHT 21 Vocabulaire vooraf

Zoek de betekenis van de volgende woorden op.

versteld staan _____

wagen _____

het gezelschap _____

te pas en te onpas _____

Formuleer nu de volgende zinnen in je eigen woorden.

Tijdens de busreis door Europa vertelde een van de leden van het gezelschap te pas en te onpas wat er onderweg allemaal te zien was. Ze deed dan telkens iedereen versteld staan van haar luidruchtige enthousiasme, maar niemand waagde het te zeggen dat haar Engels totaal onbegrijpelijk was.

Tekst A: Engels spreken op school of werk, is dat de toekomst?

Wilma Kieskamp

5 Er wordt wel geklaagd dat Nederland tekortschiet als kenniseconomie, maar één prestatie van wereldformaat is toch maar mooi geleverd. Geen ander land werkt er
10 (volgens kenners) zo hard aan om Engels in te voeren als tweede taal, en is daarin al zo ver gevorderd.

Zelfs kleuters gaan vanaf volgend
15 jaar een halve dag per week in het Engels les krijgen. Basisscholen zijn dolblij dat ze van staatssecretaris Dekker de ruimte krijgen om hiermee te beginnen. 'Kleuters vinden
20 het leuk', vertelde een juf in de krant. Ze heeft een Britse vlag in de klas hangen; slaat ze die om haar schouders, dan schakelt de klas over op Engels.
25

Het bijzondere aan deze trend is dat hij zo duidelijk van onderaf komt: kinderen én ouders vragen erom. Op de basisscholen is Engels
30 vanaf groep 7 een van de populairste vakken. En al werd er deze week als vanouds geklaagd over het algemeen belabberde niveau van het Engels spreken in Nederland,
35 de gemiddelde twaalfjarige kan je versteld* doen staan hoe makkelijk jongeren de taal spreken.

Engels is vanzelfsprekend geworden op school en steeds vaker
40 op het werk. Een kwart van de vwo-scholen is al tweetalig. Op universiteiten zijn de colleges en boeken Engelstalig. Nederlandse bedrijven zijn wereldkampioen in
45 Engelstalig jaarverslagen schrijven. In Amsterdam word je in gewone winkels steeds vaker in het Engels aangesproken.

50 Die opmars van het Engels is hoe dan ook een nieuwe realiteit. Maar dan: moet Engels nog meer dan nu de 'tweede taal' van Nederland worden, of zijn we al veel te ver
55 doorgeschoten?

Wat mij hier verbaast, is dat er zo weinig trots doorklinkt in de reacties op de nieuwe tweetaligheid.
60 Wel veel gesomber. Maar met al dat Engels maakt Nederland zich wel klaar voor de toekomst. De scholieren, studenten en jonge academici zelf hoor je nooit moppe-
65 ren over 'al dat Engels'. Ze zijn niet zo snel bang dat hun Nederlands eronder zou lijden. Ze leven in een wereld waar lands- en dus taalgrenzen er veel minder toe doen,

70 omdat er allang een internet is dat mensen verbindt. Daar is Engels nu eenmaal de lingua franca. Zoals ooit de Nederlanders leerden om naast hun streekdialect ook nog
75 ABN te spreken, zo leren ze er nu het Engels naast.

Ondertussen zitten de critici ook niet stil. Onderwijssocioloog Jaap
80 Dronkers, bekend van de Schoolprestaties, kwam in *de Volkskrant* met een vlammend protest tegen de oprukkende tweetaligheid. Hij voorspelt dat Engels een elitetaal
85 wordt, voor de hogeropgeleiden. Dus eerder een geheimtaal dan een lingua franca. 'Het is vooral de hogere middenklasse die Engels steeds meer als dagelijkse taal gaat
90 gebruiken, dit wordt weer een nieuwe sociale scheidslijn erbij'.

Of de kleuterjuf met haar Britse vlag om de schouders hiervan
95 onder de indruk zal zijn, waag* ik te betwijfelen. Vandaar mijn vraag: Engels spreken op school of werk, is dat de toekomst?
Uit: *Trouw*, 5 oktober 2013

*Vocabulaire vooraf, zie opdracht 21

Tekst B: In het Engels vloeken lukt beter dan spreken

James Kennedy

5 Staatssecretaris van Onderwijs Sander Dekker kwam afgelopen week met plannen om kinderen eerder dan groep 7 met Engels of een andere tweede taal te laten be-
10 ginnen. Daar kan ik moeilijk tegen zijn. Tweetaligheid is een groot goed, maar ook heel moeilijk om onder de knie te krijgen. Toch heb ik uiterst ambivalente gevoelens
15 over de wijze waarop Nederlanders met het Engels omspringen.

Nog niet iedereen in Nederland kan vloeiend Engels spreken. Dat
20 viel me weer op toen ik de afgelopen weken met 25 Amerikanen Nederland op de fiets doorkruiste, van de Hollandse kust tot de Achterhoek. In het westen en in
25 de grote steden hebben de meeste mensen voldoende kennis van het Engels. Ook in hotels en horeca kan het personeel dat met toeristen in aanraking komt, prima in het Engels
30 communiceren. Maar in het oosten, in de dorpen, op het platteland en bij attracties en musea moest ik meestal tolken. Sommigen lokale gidsen waren trots om hun Engels
35 te gebruiken en anderen gebruikten liever hun moedertaal. Maar dat is ook begrijpelijk. Om een taal goed te kunnen spreken, moet je lange tijd en geregeld verkeren in Engels-
40 talig gezelschap*.

Voor toeristen doen mensen meestal nog wel enige moeite om in het Engels te communiceren. Bij migranten is dat soms een ander
45 verhaal. Een paar maanden geleden zochten wij goedkope huisvesting voor een academicus uit het Midden-Oosten. Het was voor ons schokkend te zien hoe slecht
50 de kwaliteit kon zijn van kamerverhuur onder de 500 euro per maand. Maar wat ook opviel, is dat de meeste kamerverhuurders geen woord Engels spraken. Daarnaast
55 had de academicus ook de grootste moeite om de documenten en instructies te ontcijferen die de IND en andere immigratiediensten haar uitsluitend in het Nederlands
60 toezonden. Immigranten behoren blijkbaar wel meteen Nederlands te leren.

Het gebrek aan kennis van de
65 Engelse taal voorkomt niet dat mensen van alle rangen en standen zich veelvuldig bedienen van Engelse schuttingtaal om hun eigen taal te verrijken of kracht bij te
70 zetten. Naast het gebruik van 'shit' (dat ik tot mijn schaamte eenmaal per ongeluk riep toen ik met de Amerikanen fietste), hoor je te pas en te onpas* 'fok' of 'fokking'
75 (ik heb de vernederlandste versie gebruikt). Woorden die in Amerika te grof zijn voor dagelijks gebruik, hoor ik elke dag in de trein tussen

Amersfoort en Amsterdam. Alsof
80 Nederlanders het Engels nodig
hebben om hun woorden kracht
bij te zetten. Het is niet eenvoudig
om mijn kinderen – die in Amerika
zijn geboren, maar hier opgroei-
85 en – fatsoenlijk Engels te leren
spreken.

Als academicus heb ik ook zorgen
over het gebruik van Engels aan de
90 universiteit. Mijn faculteit eist dat
wetenschappers die een aanstelling
krijgen in Nederland binnen twee
jaar Nederlands leren. Hoewel de
meeste mensen dat daadwerkelijk
95 proberen te doen, druist dit ook in
tegen een andere trend. Want Engels is steeds meer de lingua franca
van de universitaire wereld. Steeds
meer scripties en proefschriften
100 worden in het Engels geschreven
en een publicatie in een 'internationaal' (meestal Engelstalig)
tijdschrift levert meer punten op
dan een Nederlandstalige publica-
105 tie. Wetenschappers in sommige
disciplines zouden gek zijn om
in het Nederlands te publiceren,
omdat hun dit niets oplevert voor
hun jaarevaluatie. Het spreken
110 en schrijven in het Nederlands
lijkt achterhaald in academische
kringen. Misschien is het nog goed

voor de hbo- of bachelor-opleidin-
gen, maar echte wetenschappers
115 communiceren bij voorkeur in het
Engels.

Daar heb ik me in mijn eigen
universiteit tegen verzet. Deels
120 omdat ik vind dat de Nederlandse
belastingbetaler ook recht heeft
op onderzoeksresultaten in mooi
Nederlands proza, en deels omdat
wetenschappers niet vervreemd
125 moeten raken van de Nederlandse samenleving. Maar ook omdat
de kwaliteit van publicaties in het
Nederlands vaak beter is dan de
soms ietwat stuntelige Engelse
130 vertalingen.

Nederland zal zeker profiteren van
een schoolsysteem waarin Engels
eerder en beter wordt aangeleerd.
135 Maar een goede beheersing van
de Engelse taal brengt ook inves-
teringen met zich mee. Dat wordt
soms vergeten – dat goed Engels
leren spreken ook geld kost. En –
140 last but not least – het mag er niet
toe leiden dat de eigen taal wordt
veronachtzaamd.
Uit: *Trouw*, 13 juli 2013

*Vocabulaire vooraf, zie opdracht 21

OPDRACHT 22 Engels spreken
De helft van de groep leest tekst A, de andere helft tekst B.

OPDRACHT 23 Nederlands of Engels?

Werk in tweetallen.

Jullie hebben allebei een ander artikel gelezen over het gebruik van de Engelse taal in Nederland. Vertel aan elkaar wat er in jouw artikel staat aan de hand van de volgende vragen.

1 Wat was de aanleiding van het artikel?
2 Wie spreekt er Engels?
3 Tegen wie spreekt men Engels?
4 Wat is het niveau van het Engels?
5 Waarom spreekt men Engels?
6 Wat wordt er geschreven over Engels op school of de universiteit?
7 Wat is de positie van het Nederlands?
8 Wat is de mening van de auteur?

Vocabulaire

Tekst A

prestatie, de / presteren (r. 7)

Een jaar geleden sprak hij nog geen woord Nederlands en nu spreekt hij bijna foutloos Nederlands. Dát noem ik een prestatie! Er zijn niet veel mensen die dat presteren.

gevorderd (r. 12)

De bouw van ons nieuwe huis is al erg ver gevorderd. We kunnen er over twee weken gaan wonen.

kleuter, de (r. 14, 93)

Kleuters zijn kinderen in de leeftijdscategorie van drie tot zes jaar. Maar je ziet soms ook oudere kinderen die zich als een kleuter gedragen.

als vanouds (r. 32)

De cursisten ontmoetten elkaar na jaren pas weer, maar het contact was direct weer als vanouds. Het was net als vroeger erg gezellig.

aanspreken (sprak aan, aangesproken) (r. 48)

Ik word op mijn werk geregeld aangesproken door studenten die niet weten waar de uitgang van het gebouw is.

mopperen over iets / op iemand (r. 64/65)

Nederlanders mopperen vaak over het weer. Als de zon niet schijnt, vinden ze het te koud en schijnt hij wel dan is het al gauw te heet.

vandaar (r. 96)

Deze mensen spreken geen Nederlands, maar ze zoeken wel werk. Vandaar dat ik ze geadviseerd heb om een cursus Nederlands te gaan volgen. Dat lijkt me een goede reden.

Tekst B

omspringen met (r. 16)

Wie onverstandig met vuurwerk omspringt, loopt grote risico's. U wordt verzocht voorzichtig met vuurwerk om te gaan, want jaarlijks vallen er slachtoffers met Oud en Nieuw.

vloeiend (r. 19)

Toen ik in Frankrijk woonde, sprak ik vloeiend Frans. Nu woon ik al weer een aantal jaren in Nederland en zijn er allerlei fouten in mijn Frans geslopen. Het gaat ook minder automatisch.

in aanraking komen met / aanraken (r. 28/29)

1 In Nederland raken mensen elkaar niet zo makkelijk aan als in mediterrane landen. Er is minder lichamelijk contact.
2 Ik ben nog nooit in aanraking gekomen met de politie. Ik heb daar nog nooit mee te maken gehad.

gids, de (r. 34)

We reisden per bus door Indonesië en naast de chauffeur zat onze gids. Hij vertelde ons van alles over het landschap en de mensen daar.

uitsluitend (r. 59)

Deze bibliotheek is uitsluitend bedoeld voor studenten en docenten. Mensen van buiten de universiteit mogen er geen boeken lenen.

grof (r. 77)

1 Vloeken en schelden is grof taalgebruik. Dat is niet netjes.
2 Ik heb een grove berekening gemaakt van de kosten, maar ik heb het nog niet in detail berekend.
3 Bij de bouw van het huis hebben ze niet goed gemeten. Dat is een grove fout. Zo'n ernstige fout kan grote consequenties hebben.

fatsoenlijk (r. 85)
- Het is fatsoenlijk om 'u' te zeggen tegen oudere mensen.
- Reageer niet zo opgewonden en schreeuw niet zo. Ik vind dat onfatsoenlijk gedrag.

aanstelling, de / aanstellen (r. 91)
Hij heeft net een aanstelling gekregen als medewerker op een exportafdeling. Hij is eerst voor een jaar aangesteld. Hij heeft dus nu een baan voor een jaar.

daadwerkelijk (r. 94)
Ik heb gehoord dat er problemen zijn, maar wat is er nu daadwerkelijk aan de hand? Wat is nu echt het probleem?

kring, de (r. 112)
1 Hij bevindt zich in de hoogste kringen en kent zelfs de minister van financiën persoonlijk.
2 Dat glas heeft op die houten tafel een kring achtergelaten. Je kunt precies zien waar het heeft gestaan. Ik heb er al een middeltje opgespoten, maar dat hielp niet.

verzetten tegen, zich / het verzet (r. 118/119)
Als kinderen in de puberteit komen, gaan ze zich verzetten tegen hun ouders. Ze willen hun eigen weg kiezen. Dat duurt een paar jaar, maar het komt meestal weer goed.

OPDRACHT 24

Welk woord past het best in de zin?

1 Deze cursus is gevorderd / uitsluitend bedoeld voor mensen die het Staatsexamen hebben gedaan.
2 Het is niet fatsoenlijk / grof als je iemand in een groep belachelijk maakt.
3 Hans houdt van mooi weer. Vandaar / Als vanouds dat hij naar Spanje op vakantie gaat.
4 Hij mopperde / verzette zich over de kwaliteit van de koffie.
5 Ik vind het een grote aanstelling / prestatie dat het mijn oude klasgenoot gelukt is om directeur van onze oude school te worden.
6 De verwarde man gedroeg zich als een gids / kleuter. Hij deed heel erg uitbundig en gooide met papieren vliegtuigjes.
7 Ben jij wel eens in aanraking gekomen met / aangesproken door verkopers op straat?

OPDRACHT 25

Reageer op onderstaande zinnen met de woorden tussen haakjes.

1 Is deze film geschikt voor alle leeftijden? (uitsluitend, kleuters)
2 Wat vind je van het taalgebruik op televisie? (grof, fatsoenlijk)
3 Wat vind je van zijn opvatting over gratis heroïne voor verslaafden? (kring, zich verzetten)
4 Spreekt hij goed Nederlands? (vloeiend, mopperen)
5 Hoe kan dat nou? Mijn computer is kapot! (omspringen, vandaar)
6 Waar werkt je partner? (aanstelling, prestatie)

OPDRACHT 26 Placemat

Jullie krijgen een groot papier voor je waarop een stelling staat geschreven.
Werk in groepjes van maximaal vier personen.
Schrijf eerst individueel op het papier wat je argumenten voor en tegen de stelling zijn.
Discussieer daarna met elkaar over de stelling.

Leenwoorden gebruiken

In het Nederlands worden zeer veel woorden gebruikt die oorspronkelijk afkomstig zijn uit andere talen. Dit worden leenwoorden genoemd. Vooral Engelse woorden worden veel gebruikt. In veel gevallen is er geen 'echt' Nederlands woord voor zoals bij *computer* en *close-up*. In veel andere gevallen kun je in plaats van het leenwoord wel een oorspronkelijk Nederlands woord gebruiken. Zogenoemde taalpuristen vinden dat je zo veel mogelijk voor de oorspronkelijke Nederlandse woorden moet kiezen.

Bijvoorbeeld:

Uit het Engels:
De foto's staan op mijn harddisk / harde schijf.
Hij draagt meestal een jeans / spijkerbroek.
De beroemde Nederlandse voetballer Johan Cruijff maakte 33 goals / doelpunten in 48 interlands.

Uit het Duits:
Deze acteur stond al op heel jonge leeftijd op de bühne / het toneel.
Ik heb überhaupt / hoe dan ook geen zin om naar de bioscoop te gaan.

Uit het Frans:
De gasten hadden een cadeau / geschenk voor hun gastheer meegenomen.
Je moet kleine kinderen heel goed vertellen dat ze niet van het trottoir / de stoep afgaan.

OPDRACHT 27 Heb ik iets van je geleerd?

Werk in drietallen. Waarschijnlijk ken je wel een paar leenwoorden in het Nederlands die uit je moedertaal afkomstig zijn. Bespreek deze met je medecursisten. Hoe zijn deze woorden in de Nederlandse taal terechtgekomen, denk je?

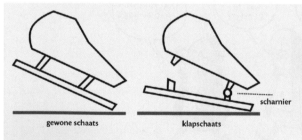

gewone schaats   klapschaats

Uitgeleend
Nederlandse woorden worden al van oudsher opgenomen in andere talen. Het woord 'bier' bijvoorbeeld is terug te vinden als *bière* in het Frans, *birra* in het Italiaans, *beer* in het Engels, *bîru* in het Japans, *bīra* in het Singalees, *bir* in het Bahasa en *piru* in het Koreaans. Een recenter voorbeeld is het woord 'klapschaats'. In 1980 werd in Nederland een nieuw soort schaats uitgevonden waarmee je veel sneller kunt schaatsen. Deze schaats werd de klapschaats genoemd. Hij veroverde de wereld en veroorzaakte nieuwe Nederlandse leenwoorden in verschillende talen zoals *klapskate* in het Engels, *klappskøyte* in het Noors, *klappschlittschuh* in het Duits en *surappusukeeto* in het Japans.

Bron: Van der Sijs, Nicoline, *Geleend en uitgeleend. Nederlandse woorden in andere talen & andersom*, Amsterdam/Antwerpen: Contact 1998

OPDRACHT 28 De avond van de korte film

Op de website vind je de link naar de film *Amstel* uit het programma *De avond van de korte film*.

Halverwege zet de docent de film stop. Jullie moeten met elkaar bespreken wat het vervolg van de film zal zijn. Daarna krijgen jullie de rest van de film te zien.

OPDRACHT 29 Amstel

Werk in tweetallen.

Jullie gaan beiden de film *Amstel* navertellen in een monoloog. Je krijgt daarvoor maximaal vijf minuten. Jullie nemen beide monologen op op een voicerecorder of smartphone.

Thuis beoordeel je je eigen verhaal en dat van je gesprekspartner. Gebruik daarvoor het beoordelingsformulier dat je van je docent krijgt.

Grammatica – werkwoordstijden (2)

Situatie 4

Vorig jaar **zijn** we met vakantie naar Sicilië **geweest**. We *hadden* van tevoren een auto *gehuurd* maar we *hadden* ons eigen navigatiesysteem *meegenomen*. Voordat we vanaf het vliegveld **vertrokken**, **toetste** ik het adres van onze eerste accommodatie in. Helaas, het systeem **herkende** het adres niet. Gelukkig *had* ik thuis ook een routebeschrijving *geprint*, maar die **was** niet nauwkeurig genoeg. Toen we in het dorp **kwamen**, **belde** ik in het Italiaans naar de eigenaar. We **kwamen** er echter niet uit: de lijn **was** slecht, ik **begreep** hem niet helemaal en hij **sprak** geen Engels. Om een lang verhaal kort te maken: hij **is** op de motor naar het dorp **gekomen** en wij **zijn** toen achter hem aan **gereden**. Dat **was** erg vriendelijk van hem.

In welke werkwoordstijd staan de blauwe, cursieve woorden?
Waarom wordt die werkwoordstijd hier gebruikt? Vanuit welke tijd wordt er op dat moment iets verteld?

Dus als je in het verhaal of je beschrijving een flashback opneemt, dus iets vertelt over iets wat nóg eerder is gebeurd, gebruik je het imperfectum / perfectum / plusquamperfectum.

OPDRACHT 30

Voeg een extra zin toe met een flashback. Je moet dan dus het plusquamperfectum gebruiken. Gebruik ook het woord tussen haakjes.

Voorbeeld:
Mijn ouderlijk huis was groot.
Extra zin (kopen): Mijn ouders hadden dat in de goede tijd gekocht.

Mijn ouderlijk huis **was** groot. Eigenlijk **bestond** het uit twee huizen.

Extra zin (samenvoegen): _____

_____ .

Daarom **had** het twee voordeuren. Opvallend **waren** de grote ramen. Die **maakten** dat het binnen altijd heel licht **was**. In mijn herinnering **waren** er op de verschillende verdiepingen oneindig veel kamers met hoge witte plafonds en glanzend parket op de vloeren. Beneden **gaven** grote openslaande deuren toegang tot de tuin. In het voorjaar **bloeiden** daar prachtige magnolia's.

Extra zin (planten): _____

_____ .

Vorig jaar **zijn** we voor het eerst met het vliegtuig op vakantie **gegaan.**

Extra zin (kiezen Turkije): _____

_____ .

We **gingen** met de auto naar Schiphol.

Extra zin (reserveren parkeerplek): _____

_____ .

Na anderhalf uur rijden, **arriveerden** we bij de luchthaven. We **parkeerden** de auto en **werden** met een bus naar de vertrekhal **gebracht**. Op de informatieborden **zagen** we dat ons vliegtuig een uur later dan gepland **vertrok**. We **besloten** om eerst een kopje koffie te gaan drinken. Op het terras van de coffee corner **zagen** we plotseling onze buren zitten. 'Ook op reis?' **vroegen** we. 'Ja,' **zeiden** ze, 'we gaan naar Antalya.' 'Wij ook!' **riepen** we. 'Dat is toevallig!' We **bleken** met hetzelfde vliegtuig te vliegen. 'Wie weet komen we elkaar nog tegen,' zei de buurman. 'Ja, wie weet,' antwoordde ik en ik onderdrukte een zucht.

Na *toen* gebruik je meestal het imperfectum of plusquamperfectum.

Hij woonde in Zuid-Amerika toen hij voor dat bedrijf **werkte**.
Hij heeft meteen Spaans geleerd toen hij die baan **gekregen had / had gekregen**.

Met *nadat* moet je de grammaticale tijd laten aansluiten op het beschreven verschil in tijd.

Ik **gooi** het vliegticket weg nadat ik de vlucht **heb gemaakt**.
Ik **gooide** het vliegticket weg nadat ik de vlucht **had gemaakt**.

OPDRACHT 31

Maak de zinnen compleet in de passende werkwoordstijd. Gebruik hierbij de woorden tussen haakjes. Soms moet je zelf nog woorden toevoegen.

1 Ik _____ (zich erg haasten), zodat ik toch nog
op tijd was.

2 Hij _____ (beweren) dat ze dat niet hadden gedaan.

3 Hij probeerde mij te overtuigen toen ik _____
(aarzelen).

4 Hoewel ze _____
(het project goed aanpakken), had het niet het gewenste effect.

5 Omdat hij _____
(het document niet bewaren), moest hij allerlei dingen opnieuw uitzoeken.

6 Door die woorden te gebruiken _____
(zij hem ontzettend beledigen).

7 Aangezien de lezing niet boeiend was, _____
_____ (ik de zaal voortijdig verlaten).

8 Nadat de docent _____
(de stof nog een keer behandelen), begrepen de studenten het.

9 Het duurde een tijdje voordat het _____
(doordringen) dat hij _____
(die baan krijgen).

10 Hij was kleurenblind. Daarom _____

_____ (niet waarnemen het

verschil rood en groen).

11 Afgelopen jaar _____

_____ (het aantal internationale vliegreizen

fors verminderen).

12 Wie had de telefoon uitgevonden voordat Bell beweerde dat _____

_____ (uitvinden)?

OPDRACHT 32 Verslag

Schrijf een verslag over een stage, excursie of zakenreis. Kies een van de drie (A, B of C).

A Je hebt voor je studie drie maanden stage gelopen. Je moet een verslag schrijven. Daarin moeten de volgende punten aan de orde komen:
- land en plaats;
- activiteiten:
  - in een bedrijf meelopen;
  - gesprekken met klanten voeren;
  - analyses uitvoeren;
  - voorstellen doen;
- een beargumenteerde mening over je stage. Dus vond je de stage leuk, nuttig, leerzaam, boeiend, inspirerend of vervelend, saai, oninteressant, nutteloos? Geef ook aan waarom je dat vindt.

B Je hebt een excursie van een week gedaan. Je moet een verslag schrijven. Daarin moeten de volgende punten aan de orde komen:
- land en plaats;
- activiteiten:
  - rondleiding door de stad doen;
  - museum bezoeken;
  - kathedraal bekijken;
  - concert bijwonen;
- een beargumenteerde mening over je excursie. Dus vond je de excursie leuk, nuttig, leerzaam, boeiend, inspirerend of vervelend, saai, oninteressant, nutteloos? Geef ook aan waarom je dat vindt.

C Je bent voor zaken drie dagen op reis geweest. Je moet een verslag schrijven.
   Daarin moeten de volgende punten aan de orde komen:
   ▪ land en plaats;
   ▪ activiteiten:
     • vergaderingen bijwonen;
     • onderhandelingen voeren;
     • nieuwe contacten leggen;
     • rondleiding door het bedrijf krijgen;
   ▪ een beargumenteerde mening over je zakenreis. Dus vond je de zakenreis
     leuk, nuttig, leerzaam, boeiend, inspirerend of vervelend, saai, oninteressant,
     nutteloos? Geef ook aan waarom je dat vindt.

OPDRACHT 33 Ik vertrek

Op de website vind je de link naar een beeldfragment uit de televisieserie Ik
vertrek.
Dit is een serie over Nederlanders die hun geluk in het buitenland gaan beproe-
ven. In deze aflevering worden Marieanne Boersma (31) en Joelle van der Heiden (28) gevolgd. Zij gaan een bed and breakfast beginnen in de Zuid-Italiaanse
stad Lecce.

1 Wat deden Joelle en Marieanne voordat ze besloten om naar Italië te vertrekken?

2 Hoeveel kamers gaan Joelle en Marieanne inrichten voor de bed and breakfast?

3 Wat vinden Joelle en Marieanne het leukste onderdeel van de voorbereiding?

4 Wat vindt Marieanne van Alkmaar, de stad waar ze altijd heeft gewoond?

5 Waar ligt Joelle 's nachts wakker van?

6 Wat krijgt Marieanne van haar vriendinnen? Wat moet ze daar volgens hen

   mee gaan doen?

7 Je hebt nu de uitzending gezien tot aan het moment van vertrek. In de uitzending wordt duidelijk of het Joelle en Marieanne lukt om zich in Italië te vestigen. Wat denk je? Wordt het een succes of niet? Waarom wel? Waarom niet?

Bespreek dit met een medecursist. Gebruik de volgende werkwoorden:

aarzelen	opvangen
benadrukken	overtuigen
beweren	suggereren
ontkomen aan	toegeven aan
opmaken uit	waarnemen

OPDRACHT 34 Een slecht hotel

Je bent op reis geweest via een reisorganisatie. Het hotel waar je logeerde was heel slecht. Op de website van het hotel had je van tevoren het volgende gelezen:

- het hotel bevindt zich in een mooie, rustige omgeving;
- de slaapkamers zijn ruim;
- de sanitaire voorzieningen zijn uitstekend;
- elke ochtend is er een uitgebreid ontbijt.

De realiteit pakte echter heel anders uit.

Kijk naar de plaatjes en schrijf een klachtenbrief waarin je beschrijft wat je aantrof. Wat wil jij dat de reisorganisatie doet? Geef dat duidelijk aan in je brief.

A	B

C	D

OPDRACHT 35 Een klacht

Je hebt een maand geleden een klachtenbrief naar de reisorganisatie geschreven, maar nog steeds geen reactie gekregen. Je bent boos en belt naar de reisorganisatie. Die heeft de brief niet ontvangen, dus je moet vertellen wat je klachten zijn.

Voer het gesprek in tweetallen. Persoon A is boos en heeft klachten over het hotel.
Persoon B is de medewerker van de reisorganisatie en reageert op de klachten. Hij/zij vindt het vervelend en reageert empathisch. Hij/zij probeert de klant tevreden te stellen.

OPDRACHT 36 Twee hotels

Het hotel waarin je tijdens je vakantie verbleef, viel tegen. Je hebt een klachtenbrief geschreven naar de reisorganisatie.
Je hebt gebeld met de reisorganisatie. Ter goedmaking biedt deze je een verblijf aan voor een week met twee personen in een ander hotel van die reisorganisatie. Je mag kiezen tussen twee hotels.
Kijk naar het overzicht.

Hotel Mara	Hotel Parkzicht
▪ driesterrenhotel ▪ gezellig familiehotel ▪ vlak bij het strand ▪ op 20 km afstand van de stad ▪ met een eigen restaurant met zelfbediening	▪ viersterrenhotel ▪ modern hotel ▪ in het centrum van de stad ▪ op loopafstand van de musea ▪ met een restaurant aan de overkant van de straat

Voer het gesprek in tweetallen. Overleg telefonisch met je reisgenoot welk hotel het wordt. Vertel hem/haar welke kenmerken de beide hotels hebben. Geef aan welk hotel jouw voorkeur heeft en waarom.

OPDRACHT 37 Hoe het verderging

In augustus 2015 verscheen in Het Parool een artikel over Marieanne Boersma en Joelle van der Heiden (zie opdracht 33). In dit artikel wordt beschreven hoe het verder ging met hun bed and breakfast in Lecce. Hierna staat een uittreksel uit dat artikel. Op de website vind je de link naar het volledige artikel.

Tien jaar Ik Vertrek: hoop ellende of happy end?

Marieanne (links) en Joelle in het Zuid-Italiaanse Lecce. Marieanne is inmiddels gestopt met de bed en breakfast

Het programma Ik Vertrek bestaat tien jaar en zendt vanaf vanavond een speciale serie uit. Meerdere Amsterdammers beproefden in die jaren hun geluk in het buitenland. Joelle van der Heiden (29) vertrok met oud-collega Marieanne Boersma naar de Zuid-Italiaanse stad Lecce. Inmiddels staat Joelle er alleen voor.

(...)

'We hebben het in het begin niet makkelijk gehad', vertelt Joelle van der Heiden vanuit een snikheet Zuid-Italië. 'Maar dat heeft welgeteld tien dagen geduurd. Toen werden we aangesloten en konden we weer onder een warme douche.' Ook sliepen ze de eerste dagen op een luchtbedje, op een vuile koude vloer.

(...)

Ruim een jaar verder draait de bed & breakfast goed. De vier kamers zijn voor dit weekend volgeboekt. Het Ik Vertrek-effect is volgens Joelle heel goed voelbaar. 'Na de eerste uitzending in november regende het boekingen en iedereen die kwam logeren was even enthousiast. Je merkt hoeveel respect mensen voor je hebben als je zo'n stap neemt.'

Dat mede-eigenares Marieanne ondanks de voorspoedige tijden heeft besloten om te stoppen, is toch geen verrassing voor Joelle. 'Twee weken terug is ze vertrokken. Ik had wel door dat ze zich niet helemaal op haar plek voelde. Ze heeft nog altijd haar vriend in Nederland en miste haar familie heel erg.'

(...)

Joelle is intussen bezig met een tweede leven in Italië. 'Ik wil hier niet meer weg. Little Dolce draait goed, mijn Italiaans is ontzettend verbeterd en ik begin de mentaliteit steeds beter aan te voelen. Hier moet je niet om elk wissewasje je huisbaas bellen. Je krijgt hier vooral zaken gedaan als je mensen kent.'

(...)

OPDRACHT 38 Ik vind het jammer

Je bent vlak na de opening te gast geweest in de bed and breakfast van Marie-anne Boersma en Joelle van der Heiden. Je hebt nu in Het Parool gelezen dat de dames uit elkaar zijn gegaan. Jij vindt dat erg jammer omdat je vond dat ze hun zaken juist zo goed voor elkaar hadden. Schrijf een e-mail aan Joelle waarin je haar uitlegt dat je het betreurt dat ze alleen verder moet. Vertel ook waarom je hun bed and breakfast zo leuk vond. Bedenk een goede tip waarmee ze haar bed and breakfast nog leuker kan maken.

OPDRACHT 39 Als ik jou was ...

Op de website vind je de link naar de uitzending van de finale van het Jonge-renlagerhuisdebat. Bekijk het fragment.

Wat zou jij doen als jij minister-president zou zijn?

Welke antwoorden heb je gehoord?

OPDRACHT 40 Hoe zou dat zijn? (zou – zouden)

Lees de voorbeelden en beantwoord de vragen.

1 Als wij op Mars zouden leven, zouden we de aarde als een verre planeet tussen de sterren zien.

Als wij op Mars zouden leven, zagen we de aarde als een verre planeet tussen de sterren.

Als wij op Mars leefden, zouden we de aarde als een verre planeet tussen de sterren zien.

Wat is juist?

☐ a Deze zinnen hebben betrekking op een irrealis in het heden.

☐ b Deze zinnen hebben betrekking op een irrealis in het verleden.

☐ c Deze zinnen hebben betrekking op een irrealis in de toekomst.

Waar droom jij wel eens van? Maak drie zinnen waarin je een droom over een andere werkelijkheid formuleert.

2 Als hij beter over de inhoud zou zijn geïnformeerd, zou hij een betere presentatie hebben gegeven.

Als hij beter over de inhoud was geïnformeerd, had hij een betere presentatie gegeven.

Wat is juist?
- ☐ a Deze zinnen hebben betrekking op een irrealis in het heden.
- ☐ b Deze zinnen hebben betrekking op een irrealis in het verleden.
- ☐ c Deze zinnen hebben betrekking op een irrealis in de toekomst.

Formuleer een zin met 'zou(den)' waarin je de volgende situaties beschrijft.

a Je had vorige week kiespijn. Daarom ben je niet naar het concert gegaan.

Als ik vorige geen kiespijn _____

_____

b Doordat je je tomtom afgelopen weekend niet bij je had, kwam je te laat op Schiphol aan en miste je het vliegtuig.

Als ik mijn tomtom wel _____

_____

c Je had vorig jaar geen hotel geboekt en daarom moest je op een bankje in het park slapen.

Als ik vorig jaar wel _____

_____

3 Als deze dokter volgende week niet zou komen, zouden we helemaal geen medische ondersteuning krijgen.
Als deze dokter volgende week niet zou komen, kregen we helemaal geen medische ondersteuning.
Als deze dokter volgende week niet kwam, kregen we helemaal geen medische ondersteuning.

Wat is juist?
- ☐ a Deze zinnen hebben betrekking op een irrealis in het heden.
- ☐ b Deze zinnen hebben betrekking op een irrealis in het verleden.
- ☐ c Deze zinnen hebben betrekking op een irrealis in de toekomst.

Formuleer een zin met 'zou(den)' waarin je de volgende situaties beschrijft.

a Je gaat op reis binnen de Europese Unie. Daarom heb je geen paspoort nodig.

Als ik buiten de Europese Unie op reis _____

_____

b Omdat je geen vrij mag nemen van je leidinggevende, ga je volgende maand niet op vakantie.

Als ik volgende maand wel _____

_____

c De auto moet aanstaande vrijdag naar de garage gebracht worden en daarom kun je niet bij je familie in Maastricht op bezoek gaan.

Als de auto aanstaande vrijdag niet _____

_____

OPDRACHT 41

Kies een van de volgende twee situaties en formuleer vijf zinnen met 'zou(den)' of een constructie met het imperfectum of plusquamperfectum.

■ Als je je leven over zou mogen doen, wat zou je dan anders en wat zou je op dezelfde manier doen?

Als ik mijn leven over zou kunnen doen,   zou ik ...
                                          had ik ...
                                          was ik ...

■ Als je niet als meisje/jongen zou zijn geboren, wat had je dan anders gedaan?

Als ik als jongen/meisje was geboren,   zou ik ...
                                          had ik ...
                                          was ik ...

> ↑ **tip**   **Als ik jou was**
>
> Op het staatsexamen kun je bij het onderdeel spreken vaak het eerste deel van deze constructie weglaten. In plaats van 'als ik jou was, zou ik in Nederland gaan wonen' kun je dan beginnen met 'ik zou in Nederland gaan wonen'.

OPDRACHT 42 Wat zou jij doen?

Wat zou jij doen of hoe zou jij reageren in de volgende situaties?

1 Je zit in een restaurant. Je hebt net lekker gegeten en vraagt om de rekening. De ober geeft je geen rekening, maar noemt een bedrag dat veel hoger is dan je had verwacht op basis van de menukaart. Wat zou je doen?

2 Je Nederlandse buurman nodigt je uit om bij hem te komen eten. Je weet dat hij in de buurt allerlei negatieve verhalen over jou vertelt. Hoe zou je reageren?

3 Je zit in een overvolle trein. Er komt een Nederlandse vrouw tegenover je zitten. Ze vraagt waar je vandaan komt. Vervolgens begint ze je uitgebreid te vertellen over wat ze weet van jouw geboorteland. Ze vertelt het ene na het andere cliché. Na een half uur heb je er genoeg van. Wat zou je doen?

4 Je bent op een feest. Er komt een aantrekkelijke Nederlandse man/vrouw naast je zitten. Hij/Zij maakt een compliment over je kleding. Daarbij aait hij/zij je zachtjes over je bovenarm. Hoe zou je reageren?

5 Je staat in de rij bij de supermarkt. Een goedgeklede, oudere heer met een overvolle boodschappenkar duwt jouw kar aan de kant en gaat zonder iets te zeggen voor je staan. Wat zou je doen?

6 Je zit op een bankje in het park. Er komen een jongen en een meisje aangewandeld. Ze lijken erg verliefd op elkaar. Als ze vlak bij je zijn, duwt de jongen het meisje weg. Daarna slaat hij haar in het gezicht. Wat zou je doen?

7 Je Nederlandse buurvrouw belt bij je aan en vraagt of je haar even kunt helpen. Haar auto start niet en ze is op zoek naar mensen die even kunnen duwen. Je ruikt aan haar adem dat ze alcohol gedronken heeft. Wat zou je zeggen?

8 De dakgoten van je huis moeten geschilderd worden. Je Nederlandse buurman is schilder. Hij zegt dat hij de klus wel wil doen. Je vermoedt dat hij jou heel leuk vindt. Je wilt hem niet beledigen. Hoe zou je reageren?

9 Je fietst door de stad. Plotseling komt er iemand op de fiets van links. Hij heeft je niet gezien en botst hard tegen je aan. Als hij sorry zegt, zie je dat het de burgemeester van de stad is. Hoe zou jij reageren?

OPDRACHT 43 Party & taal

Deze opdracht is een herhalingsopdracht met het vocabulaire van hoofdstuk 3 en 4 inclusief de werkwoorden met preposities en onregelmatige werkwoorden. De docent verdeelt jullie in twee teams en geeft jullie verdere instructies.

OPDRACHT 44 Staatsexamen deel 1 en 2

De onderstaande opdrachten in deel 1 en 2 zijn vergelijkbaar met de opdrachten uit het Staatsexamen NT2 II. Voer de gesprekken in tweetallen.

Deel 1

1 Je vertelt aan een medestudent dat je graag een half jaar in het buitenland stage wilt lopen. Hij/Zij vraagt waar je naartoe wilt gaan en waarom. Vertel hem naar welk land je wilt gaan en waarom.

2 Een buitenlandse collega wil graag Nederlands leren. Hij/Zij weet niet of hij/zij dat in zelfstudie wil gaan doen of door middel van een cursus. Hij/Zij vraagt je om advies. Wat zeg je?

3 Een buitenlandse student vraagt aan jou of de Nederlandse keuken lekker is. Vertel wat je van de Nederlandse keuken vindt. Geef ten minste één reden.

4 In de studiezaal is een laptop gestolen. Jij hebt de dader gezien. De beveiliger vraagt hoe die persoon eruitzag. Kijk naar het plaatje. Vertel hoe de dader eruitzag. Beschrijf ten minste twee kenmerken.

Deel 2

1 Op jouw opleiding willen ze al het onderwijs in het Engels gaan aanbieden. Vertel wat je daarvan vindt. Geef ten minste twee argumenten. Je krijgt eerst de tijd om je antwoord voor te bereiden. Bekijk in die tijd ook de volgende informatie.
 - internationale contacten
 - kansen baan
 - moedertaal belangrijk
 - taal is ook cultuur
 - efficiënt

2 Je moet voor een sollicitatiegesprek naar het buitenland reizen. Een vriend vraagt hoe je naar het sollicitatiegesprek reist. Kijk naar het plaatje.

Vliegtuig	Auto
Ticket € 200,- 2 uur reistijd	Benzine € 100,- 10 uur reistijd

Vertel welk vervoermiddel je kiest en waarom.

3 Je bent op vakantie in het buitenland geweest. Een vriend vraagt hoe je vakantie was. Vertel hoe je vakantie was en geef ten minste twee redenen.

4 Je hebt met een groep buitenlandse cursisten een excursie gemaakt. Een vriend vraagt wat jullie hebben gedaan. Kijk naar de plaatjes.

10.00 – 12.00 uur:	14.00 – 16.00 uur:

17.00 – 19.00 uur:

Vertel wat jullie die dag hebben gedaan. Je moet daarbij *alle* plaatjes gebruiken.

OPDRACHT 45 Preposities

In onderstaande zinnen staan werkwoorden en combinaties met een vaste prepositie. Vul de juiste prepositie in.

1 Als je omgaat _____ mensen die afkomstig zijn _____ andere culturen dan zullen beide partijen zich soms moeten aanpassen _____ elkaar.

2 Steeds meer universiteiten in Nederland kiezen _____ internationalise-

ring. Dat betekent dat ze overschakelen _____ het Engels als voertaal.

Sommige Nederlanders verzetten zich daar _____ en klagen er

_____.

3 De leden van die organisatie zetten zich in _____ internationalisering.

Ze willen inspelen _____ de behoefte van buitenlanders om in Neder-

land te gaan studeren. Ze geven hulp _____ studenten.

4 Ik wil graag doorstromen _____ een hogere functie waarin ik meer in

aanraking kom _____ internationale bedrijven en waarin ik verant-

woordelijk ben _____ de export. Daar wil ik me de komende jaren

graag _____ wijden.

5 Ik heb als buitenlandse student geen recht _____ geld van de Neder-

landse overheid, terwijl Nederlandse studenten _____ een leenstelsel

kunnen profiteren. Ik moet dus voorzichtig _____ mijn geld omsprin-

gen. Ik lijd daar echter niet _____. Ik ben trots _____ mezelf

dat me dat goed lukt.

OPDRACHT 46   Onregelmatige werkwoorden

bedragen ▪ gieten ▪ krimpen ▪ meten ▪ onderhouden ▪ opwinden ▪
sluipen ▪ spuiten ▪ verzoeken

Vul de bovenstaande werkwoorden in de juiste werkwoordsvorm in (imperfectum of participium).

1 Zijn aandeel in de totale winst is de afgelopen jaren flink _____.

2 Bij dit klusje moest er telkens een beetje water in de flesjes worden

_____.

3 Ik _____ hem om iets minder uitbundig te doen.

4 Na de verdeling _____ ons aandeel in de winst € 525,-.

5 De dief _____ het huis uit omdat hij aan de poli-

tie probeerde te ontkomen.

6 We moesten de mensen gelijkwaardig behandelen. Er mocht niet met twee ma-
ten worden _____.

7 Door haar succes bij de missverkiezing was ze helemaal

_____.

8 De dokter pakte de naald van de tafel en _____
het antigif in mijn arm.

9 De tuin was niet goed _____ en daarom groeide
er overal onkruid.

 Op de website bij dit boek staan nog meer oefeningen bij dit hoofdstuk. Je vindt ze
op **www.coutinho.nl/nederlandsopniveau**.

Vocabulairelijst hoofdstuk 4

vet = 0-2000 meest frequente woorden; *cursief = woorden met een frequentie tussen 2000 en 5000;*
normaal = woorden met een frequentie boven 5000

Receptief	*geruime tijd*
gezelschap, het	*inrichten*
te pas en te onpas	*inrichting, de*
versteld staan	*inspelen op*
wagen	*inzet, de*
	inzetten voor, zich
Integreren is een achterhaald concept	*leiding, de*
aanpak, de	*leidinggevende, de*
aanpakken	mede
achterhaald	*meerderheid, de*
afdwingen	*mislukken*
afkomst, de	*onderdrukken*
afkomstig	onderdrukking, de
behandelen	*onderhoud, het*
behandeling, de	*onderhouden*
bevorderen	*ondersteunen*
dankzij	opeisen
eis, de	*opvatten*
eisen	**opvatting, de**
gemengd	*platteland, het*

schets, de
schetsen
verhouding, de
voortijdig
werkelijkheid, de
wijden aan

Engels spreken

aanraken
aanraking, de
aanraking komen met, in
aanspreken
aanstellen
aanstelling, de
daadwerkelijk
fatsoenlijk
gids, de
grof
kleuter, de
kring, de
mopperen op/over
omspringen met
prestatie, de
uitsluitend
vandaar
als vanouds
verzet, het
verzetten tegen, zich
vloeiend

Preposities
aanpassen aan, zich

aanraking komen met, in
afkomstig zijn uit
doorstromen naar
hulp geven aan
inspelen op
inzetten voor, zich
kiezen voor
klagen over
lijden onder
mopperen op/over
omgaan met
omspringen met
overschakelen op
profiteren van
recht hebben op
trots zijn op
verantwoordelijk zijn voor
verzetten tegen, zich
wijden aan

Onregelmatige werkwoorden
bedragen
gieten
krimpen
meten
onderhouden
(op)spuiten
opwinden
sluipen
verzoeken

Reflectie

Reflecteer op elk punt. Wat kun je? Vul het overzicht in.

Dit kan ik	nog niet	bijna	voldoende
Lezen			
Ik kan teksten begrijpen over actuele onderwerpen waarin de schrijver een bepaald standpunt inneemt, zoals *Integreren is een achterhaald concept* en teksten over het gebruik van het Engels.			
Ik kan brieven of e-mails over onderwerpen in de eigen interessesfeer met gemak lezen en snel de essentie vertellen, zoals de mail van de familie Scholten.			
Luisteren			
Ik kan de essentie begrijpen van moeilijke tv-programma's als er in standaardtaal en in normaal tempo wordt gesproken, zoals *Spreek Nederlands met mij* en *Ik vertrek*.			
Ik kan de handeling en veel informatie volgen in films als er in standaardtaal en in normaal tempo gesproken wordt, zoals in de korte film *Amstel*.			
Gesprekken voeren			
Ik kan duidelijke, samenhangende verhalen vertellen, zoals in de opdracht *Vertel!*			
Ik kan complexe informatie en adviezen met betrekking tot het eigen vak- of interessegebied uitwisselen, zoals over het schoolsysteem en over integratie.			
Ik kan op betrouwbare wijze gedetailleerde informatie doorgeven, zoals het navertellen van een tekst over het gebruik van het Engels.			
Ik kan in een discussie mijn mening naar voren brengen, verantwoorden en overeind houden, zoals in de discussie met de placemat.			
Ik kan in een telefoongesprek een probleem oplossen of toelichten, zoals een klacht over een hotel.			
Ik kan een klacht op adequate wijze afhandelen, telefonisch en face-to-face, zoals die van een boze klant.			
Ik kan in telefoongesprekken meer complexe informatie uitwisselen, zoals het beschrijven van twee opties voor een hotel.			
Ik kan me (op reis) in onverwachte situaties redden, zoals bij *Wat zou jij doen?*			

Monologen			
Ik kan duidelijke, samenhangende verhalen vertellen, zoals het navertellen van de film *Amstel*.			
Schrijven			
Ik kan teksten schrijven waarin argumenten worden uitgewerkt en onderbouwd, zoals bij het beschrijven van grafieken.			
Ik kan redelijk gedetailleerde verslagen maken, zoals het verslag van een excursie, stage of zakenreis.			
Ik kan adequate zakelijke en formele brieven schrijven, zoals een klachtenbrief.			
Ik kan in correspondentie ingaan op de persoonlijke betekenis van ervaringen en gebeurtenissen, zoals het schrijven van een e-mail aan de familie Scholten.			

5 Creatief

INVESTEREN IN KUNST …

💬 **OPDRACHT 1** Creatief

Op welke gebieden kun je allemaal creatief zijn? Ben jij zelf creatief?
Kun je ook creatief met taal zijn? Moet je creatief zijn als je Nederlands leert?

OPDRACHT 2 Vocabulaire vooraf

Wat denk je dat de volgende woorden betekenen?

1	verstomd	☐ a	zeer verbaasd	☐ b	doof
2	ontrafeld	☐ a	gemaakt	☐ b	opgelost
3	bovenal	☐ a	allereerst	☐ b	ook
4	toonaangevend	☐ a	muzikaal	☐ b	leidend
5	gelikt	☐ a	glad	☐ b	schoon

6 de verloedering   ☐ a vervuiling   ☐ b achteruitgang

7 te allen tijde   ☐ a altijd   ☐ b vroeger

8 waken voor   ☐ a voorkomen   ☐ b kijken naar

9 de teneur   ☐ a tijd   ☐ b karakter

OPDRACHT 3 Vocabulaire vooraf

Combineer de uitdrukkingen uit het linkerrijtje met de betekenis uit het rechterrijtje.

1	met de deur in huis vallen	a	het niet begrijpen
2	het niet meekrijgen	b	gemakkelijk van mening veranderen
3	iets uit je hoofd laten	c	begrijpen hoe het zit
4	er dwars doorheen kijken	d	het is belachelijk
5	met alle winden meewaaien	e	direct over een onderwerp beginnen
6	het slaat nergens op	f	het absoluut niet doen

Goede reclame onderdrijft

Mieke Zijlmans

5 **'Telkens als je komt, sta je verstomd*.' 'Humo lezen kan ernstige gevolgen hebben.' 'Er is geen betere' ... Wanneer werkt de taal van de reclame wel en wanneer**
10 **niet? En kun je voorspellen welke slogan lang mee zal gaan? Het geheim van reclametaal ontrafeld*.**

Hoe komt hij toch tot stand, die
15 geweldige reclameslogan? Ontstaat hij eerder toevallig door een babbel aan de koffieautomaat of

sluit een team creatieve denkers zich urenlang op in een bureau
20 vol filmposters aan bontgekleurde muren? Wat het ook is, er wordt grondig over nagedacht. Bovenaan de pikorde in de reclamewereld staan de strategen en de creatie-
25 ven. Een strateeg – ook wel: *strategic planner* – peilt hoe de beoogde doelgroep het best kan worden toegesproken. Een creatief bedenkt vanuit die strategie toon, inhoud
30 en aanpak van een reclamecampagne. *Taalschrift* praat met beide: Henk Ghesquière van het Brusselse

Publicis is strategic planner. Hans van Dijk van reclamebureau Hans
35 van Dijk hoort in het creatieve kamp.

Om met de deur in huis te vallen*: wat is een goede reclame-
40 **slogan?**
Henk Ghesquière: 'Hij moet kort zijn. Eén boodschap brengen is helder, beter dan er drie, vier boodschappen in te willen proppen.
45 Door volledigheid mis je je doel.'

Hans van Dijk: 'Associatie! Eerste indrukken zijn heel sterk: dit is lekker, dit is vies, hier is het aan-
50 genaam, daar is het eng. Dergelijk geconditioneerd denken zit in ons allemaal. Het is een belangrijk maar onderschat aspect van reclame. Daarom moet je je als reclamema-
55 ker altijd afvragen: welke associatie wil ik oproepen? Bijvoorbeeld: koffie is niet een warm drankje, koffie symboliseert huiselijkheid. Bier is een alcoholische drank, maar
60 vooral gezelligheid, jongens onder elkaar.'

Aan welke eisen moet een goede slogan voldoen?
65 Henk Ghesquière: 'Een goede slogan combineert een juiste inhoud met de juiste vorm. Wat de slogan vertelt, stemt in alle opzichten overeen met het merk; hij
70 is relevant voor de consument en onderscheidt het merk van de concurrentie. Stop hem ook niet vol

met boodschappen. Die neiging hebben mensen wel in crisistijden
75 zoals nu. Neem bijvoorbeeld auto's: je kunt korting krijgen, je mag geld lenen, je kunt een auto kopen op afbetaling ... Ze steken al die verschillende boodschappen in die
80 ene reclametekst. Voor de potentiele klant gaat dat allemaal te snel, die krijgt dat niet meer mee*.'

Hans van Dijk: 'Reclametaal is
85 altijd positief, reclamemakers zijn beroepsopscheppers. Negatieve reclame werkt niet, ook al is die nog zo grappig. Je hebt altijd te maken met de eerste associatie. Als je jong
90 en overmoedig bent, denk je: we zetten een vlaggetje met een tekst in een hondendrol. Het publiek vindt dat in eerste instantie leuk, maar je raakt als merk die geur
95 van poep nooit meer kwijt. Het Amsterdamse hotel Hans Brinker heeft die drol-met-vlaggetje ooit écht gebruikt als reclame. Maar die willen bij jongeren bekend staan
100 als bovenal* goedkoop en schattig. Voor elk ander merk laat je zoiets wel uit je hoofd*.'
'In plaats van de overdrijving zou nu de onderdrijving de toonaan-
105 gevende* filosofie in de reclamewereld moeten zijn. Zwak dat wat je kunt een beetje af, maak er een grapje over. Op die manier werkt het product in de hoofden van de
110 mensen beter dan je hebt beloofd, anders valt de aanschaf tegen. Te veel beloven werkt niet meer.

Iedereen is overvoerd met reclame, elk kind kijkt er dwars door-
115 heen*. Albert Heijn heeft dat goed
begrepen. Die stelden zich tien jaar
geleden op als groot, succesvol,
beursgenoteerd bedrijf. Toen zei
hun reclamebureau: jullie moe-
120 ten weer een gewone supermarkt
worden, met een winkelchef. Geen
gelikte* vertegenwoordiger maar
een leuke, enthousiaste, soms zelfs
onhandige man. Het is de meest
125 succesvolle campagne van de laatste jaren geworden.'

Is qua taalgebruik alles geoor-
loofd? Nieuwe woorden? Kromme
130 **zinnen? Moet de taal van reclame**
de trends volgen, jong en hip zijn?
Hans van Dijk: 'Ik hou wel van een
vleugje taalverloedering*. Van de
creativiteit van taalgebruikers. Van
135 de nieuwe woorden die worden
bedacht. Taal is bedoeld om mee
te spelen, dus bedenk vooral allerlei nieuwe dingen in reclametaal.'

140 Henk Ghesquière: 'Van mij mag alles. Jongerentaal, sms-taal, ongram-
maticale zinnen ... Als het maar
werkt. Wat niet werkt, is jongeren
te allen tijde* willen aanspreken in
145 jongerentaal. Een bank die jonge
klanten wil aantrekken met sms-
taal, wordt door diezelfde jongeren
niet serieus genomen. Voor de Universiteit Gent zochten we destijds
150 naar de toon waarmee universiteit en hoger onderwijs jongeren
kunnen aanspreken. Juist dan moet

je waken* voor jongerentaal en
frivoliteit. Met een boodschap als
155 'Hier is het altijd gezellig, kom, dan
gaan we een pint pakken' breng je
niet je onderwijs onder de aandacht. Die studentikoze sfeer, dat
vullen jongeren zelf wel in. Dus kwa-
160 men we uit op de slogan 'Durf Denken'. Kort. Uitdagend. Je moet een
toekomstige student niet aanspreken op zijn zin in een pintje, maar
op zijn intellectuele capaciteiten.'
165

Hoe bedenk je een succesvolle
slogan? En kun je het succes er-
van voorzien?
Hans van Dijk: 'Ik weet vaak nog
170 hóé een slogan is ontstaan. Neem
de slogan voor Shell. In Amerika
was het motto 'Come to Shell for
answers'. Dienstbaar. Behulpzaam.
Shell gaf vroeger in Amerika boek-
175 jes uit met basisuitleg voor auto-
gebruikers. Ik heb die boekjes nog
vertaald. Shell had als slogan: 'Shell
helpt de autokosten drukken'. Het
enige wat ik toen heb gedaan, is de
180 laatste drie woorden eraf geknipt.
"Shell helpt'. Meteen duidelijk. We
doen niks meer dan dienstverle-
ning.'

185 Henk Ghesquière: 'Of een slogan
succes heeft, kun je helaas niet
voorspellen. De doelgroep kiezen
lukt wel, maar of je ook de goede
toon raakt, is moeilijker in te schat-
190 ten. Reclame kan boeiend zijn en
toch geen effect opleveren. Maar
daar heeft het merk niks aan.'

Hans van Dijk: 'Wat niet werkt, is je eigen product vergelijken met
195 dat van een ander merk en dan zeggen: wij zijn veel beter. Je moet een merk zien als een mens. Wat je van een mens niet accepteert, pik je van een merk ook niet. Probeer
200 je klanten te helpen. Wees aardig. Doe wat je belooft.'

Is de teneur* van reclames veranderd, door de tijden heen?
205 Hans van Dijk: 'Tuurlijk! Wij, reclamemakers, waaien met alle winden mee*. Met elke mode. We blijven constant veranderen.'

210 Henk Ghesquière: 'Wat opvalt, is het toenemend gebruik van vreemde talen. Niet alleen Engels, ook Duits of Spaans. Geen moeilijke woorden, maar makkelijk
215 Spaans, makkelijk Duits. En dan vooral teksten die in het Nederlands nergens op zouden slaan*. Coca Cola: 'Open happiness'. Schrijf daarvoor in de plaats: open
220 geluk, en de kreet is belachelijk.

Vooral in autoreclames worden veel vreemde talen gebruikt. Ford: 'Go further'. Opel: 'Wir leben Autos'. Seat: 'Auto Emocion'. En in an-
225 dere talen kun je slogans gebruiken die de consument in de eigen taal niet zou pikken. Diesel: 'Be stupid'. Vertaald in het Nederlands klinkt dat gewoon niet. Belachelijk.'

230
Freelancer Henk Ghesquière werkt vooral voor het Brusselse kantoor van het grote internationale reclamebureau Publicis. Zijn nom de
235 *plume is Sideburns, bakkebaarden.*

Copywriter Hans van Dijk schreef het boek 'Zapklare brokken' uit 2007, een soort basiscursus over
240 *reclame maken. Hij is de bedenker van slogans zoals 'De Bank' en 'Shell helpt'. Het reclamebureau van Hans van Dijk, Skip intro, zetelt in het hartje van Amsterdam, vastgekleefd*
245 *aan de Noorderkerk.*
Uit: Taalschrift, 19 maart 2013

*Vocabulaire vooraf, zie opdracht 2 en 3

OPDRACHT 4

Lees de tekst en beantwoord de volgende vragen.

1 Geïnterviewde Hans van Dijk heeft het over de 'onderdrijving'. 'Onderdrijven' komt niet in het woordenboek voor. Van Dijk heeft het zelf bedacht. Het is een afleiding van een ander woord. Welk woord is dat?
2 In regel 22 staat het woord 'pikorde'. Kijk in het vocabulaire naar de betekenissen van 'pikken'. Welke betekenis wordt hier bedoeld? Kun je het woord nu verklaren?

3 Henk Ghesquière en Hans van Dijk doen allebei uitspraken die je paradoxaal zou kunnen noemen. Wat bedoelt Henk Ghesquière met de uitspraak: 'Door volledigheid mis je je doel.' En waarom merkt Hans van Dijk op: 'Ik hou wel van een vleugje taalverloedering'? Wat is het paradoxale aan beide uitspraken?

4 Vat samen waar een reclameboodschap volgens Henk Ghesquière en Hans van Dijk aan moet voldoen.

5 Henk Ghesquière geeft aan dat er in Nederlandse reclame veel gebruik wordt gemaakt van vreemde talen. Ken je een voorbeeld van een Nederlands reclame-spotje waarin jouw moedertaal wordt gebruikt?

Vocabulaire

tot stand komen (r. 14)

Hoe is dat project tot stand gekomen? Wie kwam met het idee en hoe is dat idee verder uitgevoerd?

opsluiten (in), (zich) (sloot op, opgesloten) (r. 18/19)

1 Als ik voor een tentamen moet leren, dan sluit ik me in mijn kamer op. Niemand mag me dan storen.

2 Vroeger werden kinderen in een kamer opgesloten als ze iets verkeerds hadden gedaan. Tegenwoordig worden alleen criminelen opgesloten.

grondig (r. 22)

Ik kan mijn sleutels niet vinden. Ik heb mijn huis grondig doorzocht. Ik heb echt overal gekeken, maar ik kan ze niet vinden.

pikken (r. 23, 198)

1 (informeel) Dat gedrag pik ik niet. Ik accepteer niet dat iemand zo tegen mij doet.

2 (informeel) In de creatieve branche worden veel ideeën van anderen gepikt. Dat is eigenlijk gewoon stelen.

3 Dieren met een snavel zoals kippen en vogels krijgen hun voedsel door te pikken.

peilen/de peiling (r. 26)

Ik heb een leuk, creatief idee voor een excursie met het team. Wil jij bij een aantal collega's eens peilen of ze dat ook leuk vinden? Je hoeft niet bij iedereen te informeren, hoor.

beogen (r. 26)
- Wat beoog je met dat plan? Wat wil je ermee bereiken?
- De beoogde doelgroep van dit boek is hogeropgeleide anderstaligen. Voor hen is dit boek bedoeld.

proppen (r. 44)
- Ik moest snel vertrekken. Ik heb dus wat kleding bij elkaar gezocht en die in een tas gepropt.
- Er zaten heel veel mensen in de zaal. De zaal zat propvol.

eng (r. 50)
  Ik vind het eng om voor een grote groep mensen te staan. Dat vind ik spannend en ik word er nerveus van.

onderschatten (r. 53)
- 'Hoe was het om de presentatie te houden?'
- 'Ik had het onderschat. Het was moeilijker en het kostte meer voorbereiding dan ik had gedacht. Misschien had ik mezelf dus enigszins overschat.'

oproepen (riep op, opgeroepen) / de oproep (r. 56)
- We roepen iedereen op om suggesties te doen hoe we het tienjarig bestaan van ons bedrijf kunnen vieren.
- Als er verkiezingen zijn, krijg je een oproep om te gaan stemmen.
- Kun je nog beelden oproepen van toen je vier jaar was? Wat herinner je je?

voldoen aan (r. 63/64)
- Voldoet dit boek aan je verwachtingen? Valt het mee of valt het tegen?
- Aan welke eisen moet je voldoen om die baan te krijgen?

overeenstemmen met / de overeenstemming (r. 68/69)
  Stemt de beschrijving van dat product overeen met de werkelijkheid? Of is het heel anders?

onderscheiden (door), (zich) / het onderscheid (r. 71)
1 Is dit namaak? Het is niet van echt te onderscheiden. Ik kan tenminste het verschil niet zien. Dat onderscheid is wel heel klein.
2 Het was ontzettend mistig, we konden bijna niets zien. In de verte konden we vaag een toren onderscheiden.
3 Hij is vanwege zijn hulp aan de medemens onderscheiden met een medaille.
4 Zij onderscheidt zich door haar aparte kleding en haar bijzondere kapsel.

schattig (r. 100)

Heb je al die jonge katjes gezien? Wat lief! Ze zijn zo schattig.

aanschaf, de / aanschaffen (r. 111)

De aanschaf van een e-reader was het beste wat ik het afgelopen jaar heb gedaan. Ik had hem veel eerder moeten aanschaffen.

geoorloofd (r. 128/129)

- 'Is het geoorloofd om tijdens een examen je smartphone te gebruiken?'
- 'Nee, dat is niet toegestaan.'

destijds (r. 149)

Vijftig jaar geleden bestond er nog geen internet. Nu kun je heel veel zaken online regelen, maar destijds was dat dus niet mogelijk.

OPDRACHT 5

Welk vervolg past het beste?

1 Ben je tevreden over het resultaat?
- [ ] a Ja, maar het is niet helemaal wat ik beoogd had.
- [ ] b Ja, maar het is niet helemaal wat geoorloofd is.

2 Ken je die oude reclame van Calvé Pindakaas?
- [ ] a Die reclame was toen erg grondig.
- [ ] b Destijds was dat een erg bekende reclame.

3 Waarom is het zo'n goede reclame?
- [ ] a Hij stemt overeen met het criterium dat een reclame maar één boodschap moet bevatten.
- [ ] b Hij voldoet aan het criterium dat een reclame maar één boodschap moet bevatten.

4 Wat vind je van reclame met jonge kinderen of dieren?
- [ ] a Die vind ik meestal schattig.
- [ ] b Die vind ik meestal eng.

5 Die reclame is een voorbeeld van hoe het niet moet.
- [ ] a Er zit veel te veel informatie in gepropt.
- [ ] b Mensen pikken zo veel informatie niet.

6 Wat is volgens jou het doel van reclame?
- ☐ a Dat mensen worden opgeroepen om het product te kopen.
- ☐ b Dat mensen worden gepeild om het product te kopen.

7 Zouden mensen een product met een leuke reclame eerder kopen?
- ☐ a Ik denk dat het product wordt onderschat.
- ☐ b Ik denk dat het product dan eerder wordt aangeschaft.

8 Wat is een mogelijke manier om een goede reclameboodschap te bedenken?
- ☐ a Het team sluit zich op om zich goed te kunnen concentreren.
- ☐ b De reclame komt tot stand wanneer het team zich niet goed kan concentreren.

OPDRACHT 6

Bespreek de vragen in tweetallen.

1 Welk gedrag pik jij niet?
2 Welke dingen vind je eng om te doen?
3 Is er iets wat je ooit hebt onderschat?
4 Wanneer heb je behoefte om je op te sluiten?
5 Beschrijf een situatie waarin je zegt: 'Wat schattig!'
6 Wat is het laatste product dat je hebt aangeschaft?
7 Welke dingen kun je in een broekzak proppen?
8 Hoe kan iemand zich van een ander onderscheiden?
9 Bedenk een aantal redenen waarom een apparaat niet aan je verwachtingen voldoet.
10 Welke beelden roept 'koffie' bij jou op?

OPDRACHT 7

Maak de volgende zinnen af.

1 Aangezien ik me grondig heb voorbereid op deze taak, _____

_____

2 Doordat ik de interesse voor de samenwerking heb gepeild, _____

_____

3 De beoogde termijn is realistisch tenzij _____

_____

4 Zolang de inhoud van de cursus overeenstemt met de cursusomschrijving, ____

5 Hoewel er in reclamecampagnes veel geoorloofd is, _____

6 Naarmate meer mensen zo'n product aanschaffen, _____

7 Wanneer mensen reclame eng vinden, _____

8 _____

_____. Daarom is de samenwerking snel tot stand gekomen.

9 _____

_____. Bovendien onderscheidt die reclame zich door het gebruik van humor.

Schrijf een tussenzin. De inhoud moet aansluiten bij de eerste en laatste zin.

10 U hebt destijds aan een project bij ons bedrijf deelgenomen.

_____.

Daarom vragen we of u weer wilt meewerken aan een dergelijk project.

11 Geachte meneer/mevrouw,

Op uw website staat dat de volgende taalcursus over één maand start.

_____

_____. Ik hoor graag een reactie van u.

OPDRACHT 8 Nederlandse televisie

Welk reclamespotje op de Nederlandse televisie vind je leuk? En aan welk spotje erger je je? Beschrijf de spotjes aan een medecursist en leg uit waarom ze je al
dan niet bevallen. Is er een spotje dat je niet begrijpt? Wat maakt dat je het niet
kunt begrijpen?

OPDRACHT 9 Overtuigende communicatie

Op de website vind je de link naar een beeldfragment uit het tv-programma *De wereld leert door*. Bekijk het fragment en beantwoord de vragen.

1 Wat bespreken communicatiewetenschappers op een communicatiewetenschapscongres volgens doctor Ivar Vermeulen? Welke voorbeelden geeft hij?

2 Dolly Parton en Whitney Houston zongen beiden het nummer 'I Will Always Love You.' Wat deed de producer van Whitney Houston anders dan die van Dolly Parton?

3 Hoe kun je met muziek een product verkopen?

4 Wordt de muziek in reclamespotjes de laatste tijd beter of slechter volgens Ivar Vermeulen?

5 Waarin verschillen communicatiewetenschap en natuurkunde volgens Vermeulen? Welk voorbeeld geeft hij?

6 Waarom onderzoekt Vermeulen hoe muziek mensen beïnvloedt?

7 Waarom spreken Nederlandse politici volgens Vermeulen niet op de manier van Barack Obama?

8 Wat moet je volgens Vermeulen versturen als je een boodschap hebt waarmee je de mensen wilt raken?

OPDRACHT 10 Rozengeur en maneschijn

In het voorgaande fragment komen woorden voor die laten zien dat de spelling van Nederlandse woorden soms vragen oproept.

Kijk naar de volgende keuzemogelijkheden en kies de juiste spellingwijze:

☐ kippevel   ☐ kippenvel
☐ *moneynote*   ☐ *money note*
☐ nummer1 hit   ☐ nummer 1-hit
☐ Pavloveffect   ☐ pavloveffect

Kijk nu ook naar de volgende keuzemogelijkheden en kies de juiste spellingwijze:

☐ groentesoep   ☐ groentensoep
☐ gintonic   ☐ gin-tonic
☐ A4 formaat   ☐ A4-formaat
☐ Shakespearedrama   ☐ shakespearedrama

Zoek de juiste antwoorden op.
- Kippe(n)vel en groente(n)soep: met of zonder -n-?
- Money(-)note en gin(-)tonic: met een streepje, los of aan elkaar?
- Nummer 1-hit en A4-formaat: met een streepje, los of aan elkaar?
- Pavloveffect en Shakespearedrama: met of zonder hoofdletter?

Op de website vind je links naar de juiste spellingwijzen.

↑ **tip**   **Spelling**
Als je twijfelt over de spelling van een woord, ga dan naar
www.woordenlijst.org. Op deze website zijn alle Nederlandse basiswoorden opgenomen in een lijst. Ook is er een leidraad waarin je de officiële spellingregels kunt
vinden.

OPDRACHT 11 Reclamecampagne

Een bedrijf wil een reclamecampagne gaan voeren. De doelgroep bestaat uit jongeren tussen de 20 en 25 jaar. Er zijn verschillende manieren om dat te doen. Het bedrijf heeft jou gevraagd om dat te onderzoeken. Je gaat twee opties presenteren.

Bekijk het onderstaande overzicht.

Optie 1	Optie 2
Offline: tijdschriften, posters in bushokjes, radio, tv	Online: youtube-filmpjes, advertenties internetpagina's
Gebruikstijd: 2-3 maanden	Gebruikstijd: 1 maand
Kosten: € 10.000,-	Kosten: € 2000,- voor 1 advertentie

Welke optie is het meest geschikt voor de doelgroep?

Je gaat in je presentatie vertellen:

- wat de beide opties inhouden;
- wat de voor- en nadelen van de opties zijn;
- welke optie jouw voorkeur heeft en waarom.

Je krijgt twee minuten om je presentatie voor te bereiden. Daarna krijg je twee minuten om je presentatie te houden.

'Alles van Richard Brautigan is grappig'

Schrijfster Maartje Wortel kiest de boeken uit haar kast die haar het meest hebben geraakt.

5

Aan welk boek verloor u als kind uw hart?
'Aan *Olle* van Guus Kuijer. Ik wilde dolgraag een hondje, maar mocht er geen. Daarom las ik boeken over dieren.'

10 **Bij welk boek heeft u gehuild?**
'Het eerst om *Olle*; het laatst bij *Stoner* van John Williams. Ik hoop zelf ooit een boek te schrijven waar de lezer om moet huilen, al is het maar één iemand. Volgens mij is dat het moeilijkste, en dus ultieme, wat een schrijver kan bereiken.'

15 **Bij welk boek heeft u hardop gelachen?**
'Alles van Richard Brautigan; zijn werk is melancholiek en grappig. Ik ontmoette ooit een barmeisje op wie ik op slag verliefd werd. Ze stopte een brief-

---

je in mijn zak dat alleen de titel van een van zijn boeken bevatte. Misschien hou ik daarom nog meer van Brautigan: om dat meisje bij me te houden.

20

Zijn er boeken waarvan u hele zinnen of passages uit het hoofd kent?
'Ik denk vaak aan deze zin van William Shakespeare: "Van dezelfde stof zijn wij als dromen en ons kleine leven is door slaap omringd."'

25 **Welk boek veranderde uw kijk op het leven?**
'*Monkie*, door Dieter Schubert. Mijn vader las me eruit voor. Maar toen ik zelf kon lezen bleken er alleen maar plaatjes in te staan, geen tekst. Ik voelde me bedrogen en machtig tegelijkertijd. Ik begreep toen dat je je eigen verhaal moet maken.'

30

Maartje Wortel is door de Volkskrant uitgeroepen tot literair talent van 2014.

Uit: *Psychologie Magazine*, juni 2014

OPDRACHT 12 Mijn mooiste boek

Lees de tekst in het kader op bladzijde 203/204. Geef daarna zelf antwoord op de vragen. Werk in tweetallen.

1 Aan welk boek verloor jij als kind je hart?
2 Bij welk boek heb je gehuild?
3 Bij welk boek heb je hardop gelachen?
4 Zijn er boeken waarvan je hele zinnen of passages uit het hoofd kent?
5 Welk boek veranderde je kijk op het leven?

Grammatica – het relatief pronomen

Bekijk de blauwe zinsdelen.

Schrijfster Maartje Wortel kiest de boeken uit haar kast die haar het meest hebben geraakt.
Volgens mij is dat het moeilijkste, en dus ultieme, wat een schrijver kan bereiken.
Ik ontmoette ooit een barmeisje op wie ik op slag verliefd werd.
Ze stopte een briefje in mijn zak dat alleen de titel van een van zijn boeken bevatte.
Zijn er boeken waarvan u hele zinnen of passages uit het hoofd kent?
Zij werkte in een bar waar ik geregeld kwam.

I Wat weet je al over de onderstreepte zinnen? Wat kun je zeggen over
  ▪ *die, dat, wat, waar* + prepositie, prepositie + *wie*?
  ▪ de positie van de persoonsvorm?
  ▪ de functie van de blauwe zinsdelen?

II Kies het juiste woord. Formuleer vervolgens wanneer je *wat* gebruikt.

Dat is alles **wat** / **dat** ik erover weet.
Dat is het creatiefste **wat** / **dat** ik ooit heb gedaan.
Ze hebben een mooie reclamecampagne gemaakt, **wat** / **dat** niet altijd makkelijk was.

Je gebruikt *wat* na   1 _____

           2 _____

           3 _____

III Als je geen *wat* hoeft te gebruiken, is het belangrijk om te kijken of het werkwoord wel of niet een prepositie bij zich heeft.

Als het werkwoord geen prepositie bij zich heeft, kun je kiezen tussen

_____ en _____ .

Als het werkwoord wel een prepositie bij zich heeft, kun je kiezen tussen

_____ en _____ .

In schema ziet het er zo uit.

Zonder prepositie	Met prepositie
Het boek **dat** hij net heeft aangeschaft, heeft een goede recensie gekregen.	Het boek **waarop** hij trots is, heeft een goede recensie gekregen.
De reclamecampagne **die** twee weken geleden is begonnen, loopt niet zo goed.	Het boek **waar** hij trots **op** is, heeft een goede recensie gekregen.
Hans van Dijk, **die** de bedenker van bekende slogans is, heeft een eigen bedrijf.	De vrouw **op wie** hij trots is, is zijn dochter.
Mensen **die** in de reclame-industrie werken, hebben onregelmatige werktijden.	

OPDRACHT 13

Loop door het lokaal. Zoek een partner uit. Lees de beschrijvingen hieronder en kies er twee uit. Bedenk samen zo veel mogelijk dingen bij deze beschrijvingen. Zoek daarna een nieuwe partner en werk aan twee andere beschrijvingen.

Noem dingen:
- die klein genoeg zijn om in een luciferdoosje te doen;
- waarop je kunt zitten;
- die gemaakt zijn van glas;
- waarmee je iets kunt vervoeren;
- die de meeste mensen leuk vinden om te zien;
- waaraan je iets kunt ophangen;
- die je kunt oprollen;
- waarover je kunt vallen.

OPDRACHT 14

Vul eerst de prepositie bij de werkwoorden in.
Maak daarna bij elk substantief twee zinnen met de twee gegeven werkwoorden, waarin je extra informatie geeft over het substantief. Het ene werkwoord is zonder prepositie, het andere werkwoord is met prepositie.

Voorbeeld:

de reclameslogan   bedenken   verantwoordelijk zijn _____*voor*_____
Dit is de reclameslogan die ik heb bedacht.
Dit is de reclameslogan waarvoor ik verantwoordelijk ben.

1 de man   overdrijven   klagen _____

 _____

2 het hoofdstuk   behandelen   enthousiast zijn _____

 _____

3 de baan   eisen   doorstromen _____

 _____

4 de acties   overtuigen   zich inzetten _____

 _____

 _____

5 de vrouw   begeleiden   omgaan _____

_____

_____

6 het geld   bewaren   recht hebben _____

_____

_____

7 de leidinggevende aanstellen   te maken hebben _____

_____

_____

8 het probleem   aanpakken   nadenken _____

_____

_____

9 het kind   opvangen   verantwoordelijk zijn _____

_____

_____

10 de woorden   beledigen   een hekel hebben _____

_____

_____

 OPDRACHT 15

Geef extra informatie over de vetgedrukte woorden. Maak er een bijzin bij, die begint met *die* / *dat* / prepositie + *wie* / *waar* (+ prepositie).

Voorbeelden:
Hij schrijft een reclameslogan.
Hij schrijft een reclameslogan die aan de eisen voldoet.

Een goede slogan combineert een juiste vorm met de juiste inhoud.
Een goede slogan waarmee een boodschap duidelijk wordt overgebracht, combineert een juiste vorm met de juiste inhoud.

1 Ik houd niet van reclame.
2 Ik zoek een baantje.
3 Zijn collega is al drie maanden ziek.
4 Dat filmpje werd een groot succes.

5 De cursus start in februari.

6 Zo iemand heet een copywriter.

7 Dat succesvolle project is vorig jaar tot stand gekomen.

8 Het bedrijf werd beschuldigd van corruptie.

9 De directeur moest voor de rechter verschijnen.

10 Hoe noem je zo'n persoon?

11 Hoe noem je zo'n ding?

12 Wie is die man?

OPDRACHT 16 Uitvindingen

Op de website vind je een link naar plaatjes van Nederlandse uitvindingen. Werk in tweetallen. Beschrijf samen tien plaatjes. Gebruik daarbij relatieve bijzinnen.

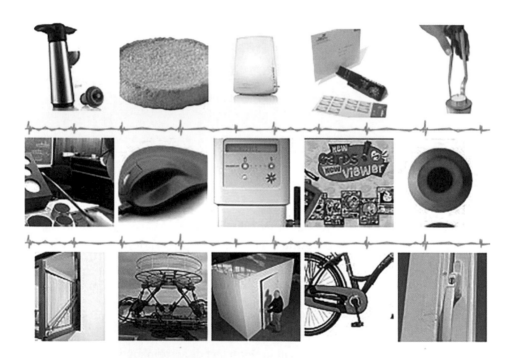

Voorbeeld bij het eerste plaatje:

Het is een apparaatje dat wijnflessen vacuüm zuigt.

Het is een apparaatje waarmee je wijnflessen vacuüm kunt zuigen.

Voorbeeld bij het tweede plaatje:

(Het is beschuit) Het is een soort koek die je kunt eten bij het ontbijt.

Het is een soort koek die heel lekker is met aardbeien.

Het is een soort koek die Nederlanders met muisjes eten als er een kind geboren is.

OPDRACHT 17 Presentatie

Ga naar de website met de uitvindingen. Kies een uitvinding uit die jij interessant vindt. Als je op het plaatje klikt, krijg je meer informatie over die uitvinding. Zoek eventueel nog extra informatie op internet op over die uitvinding. Bereid een presentatie voor van ongeveer twee minuten.

OPDRACHT 18 Een beroemd persoon

Neem een beroemd persoon in gedachten. Beschrijf die persoon met enkele zinnen terwijl je zijn naam niet noemt. De anderen moeten raden wie jij in gedachten had.

Voorbeeld:

Het is een persoon:

- die in Nederland is geboren, maar die later naar Frankrijk is verhuisd;
- die veel schilderijen heeft gemaakt;
- die zijn oorlel heeft afgesneden;
- die jong is gestorven;
- naar wie een museum in Amsterdam is genoemd waar vooral schilderijen van hem hangen.

Vincent

Vincent van Gogh (1853 – 1880) is wereldberoemd geworden met zijn schilderijen. Hij wilde aanvankelijk priester worden. Pas rond zijn vijfentwintigste begon hij serieus te tekenen. De schilderijen die hem zo bekend hebben gemaakt, heeft hij bijna allemaal in de laatste vijf jaar van zijn leven geschilderd, toen hij in België en Frankrijk woonde. Hij signeerde zijn werken met 'Vincent' omdat het voor niet-Nederlanders niet mogelijk was om zijn achternaam correct uit te spreken. Het hielp toen nog niet echt, want hij heeft tijdens zijn leven waarschijnlijk slechts één schilderij verkocht. Tegenwoordig trekt het Van Gogh-museum zo'n 1,5 miljoen bezoekers per jaar en zijn zijn schilderijen onbetaalbaar.

OPDRACHT 19 Rotterdam designprijs

Op de website vind je de link naar een beeldfragment uit het tv-programma *Kunstuur*. In dit fragment vertelt Ineke Hans welke drie inzendingen zij nomineert voor de Rotterdam designprijs. Lees eerst de vragen, bekijk daarna het fragment en beantwoord vervolgens de vragen in tweetallen.

1 Wat weet je nu over de Rotterdam designprijs?

_____

2 Wat zijn de criteria van Ineke Hans?

_____

3 Wat kun je vertellen over de eerste inzending? Wat is de toelichting van Ineke Hans op deze nominatie?

_____

4 Wat kun je vertellen over de tweede inzending? Wat is de toelichting van Ineke Hans op deze nominatie?

_____

5 Wat kun je vertellen over de derde inzending? Wat is de toelichting van Ineke Hans op deze nominatie?

_____

OPDRACHT 20 Voorwerpen beschrijven

Voorwerpen beschrijven of *Object Writing* is een manier om beeldend te leren schrijven. Deze oefening wordt vooral gedaan bij cursussen creatief schrijven. Beeldend geschreven teksten zijn meestal prettig leesbaar.

Doe je woordenboek open op een willekeurige pagina en kies het eerste concrete substantief dat je tegenkomt (bijvoorbeeld 'schoen'). Maak een omschrijving van dat woord door alleen op te schrijven wat je met je zintuigen kunt waarnemen. Je mag ook de associaties beschrijven die het woord oproept. Ook daarbij geef je alleen weer wat je met je zintuigen kunt waarnemen.

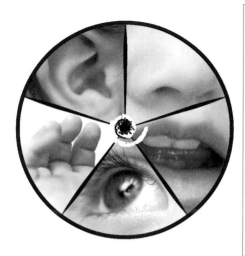

schoen (de (m.); -en; -tje) **1** van een buigzame stof (veelal leer) gemaakte voetbekleding, lager dan een laars: *een paar schoenen; zijn schoenen aantrekken, uittrekken, poetsen; lage schoenen,* die slechts tot de enkels reiken; *hoge schoenen,* die boven de enkels komen; *het gaat over (de) hoge schoenen,* dat loopt de spuigaten uit; *de schoen van een laars,* het deel onder de schacht; *men verslijt meer aan zijn schoenen, dan het rijden kost,* het rijden is betrekkelijk goedkoop; (scherts.) *die schoenen hebben honger, zij bijten,* zij zijn aan de neus kapot; *vast in zijn schoenen staan,* zie bij *staan* (20); *de moed zonk hem in de schoenen,* het hart zonk hem in de schoenen, hij verloor alle moed; *met loden schoenen,* zie bij *loden²* (2); *lood in zijn schoenen hebben; de stoute schoenen aantrekken,* iets doen waarvoor men moed heeft moeten verzamelen; *waar de schoen wringt,* (ook wel) *waar de schoen (hem) knelt,* waar de moeilijkheden liggen: *weten waar de schoen wringt,* waar het probleem ligt; *hij is op een schoen en een slof hier gekomen,* als armoedzaaier; *zijn oude schoenen weten het wel,* hij wist het al lang, hoewel hij nu voorwendt er niets van te weten; (spr.) *men moet geen oude schoenen weggooien voor men nieuwe heeft,* men moet niets zekers opofferen aan een onderneming, waarvan de uitslag onzeker is; (spr.) *wie de schoen past, trekke hem aan,* hij die zich schuldig voelt, kan de zinspeling op zijn gedrag toepassen; *ik zou niet graag in zijn schoenen willen staan,* in zijn plaats willen zijn, verkeren in de toestand

Voorbeeld:

Zwarte schoenen, bruine schoenen, witte schoenen, rode schoenen. Nieuwe schoenen ruiken lekker naar leer. Oude schoenen stinken soms naar zweetvoeten. Als je je schoenen net hebt gepoetst, verspreiden ze de geur van schoenpoets. Gepoetste schoenen glimmen in het zonlicht. Als je je schoenen een tijdje niet poetst, worden ze ruw bij de neuzen. Dat zie je en dat voel je als je er met je vingertoppen over strijkt. Als je ze heel lang niet poetst, droogt het leer uit en wordt het hard. Er komen scheurtjes in. Dan ogen je schoenen algauw zo versleten dat je ze beter kunt weggooien. Schoenen verraden vaak of er een man of een vrouw aankomt: 'klikklak' klinkt vrouwelijk en 'slofslof' klinkt mannelijk. Als kind had ik een paar schoenen die geluid maakten. Bij elke stap die je zette hoorde je kraaaak. Ik schaamde me omdat iedereen naar mijn voeten keek als ik voorbij kwam.

 Object Writing

Object Writing werkt het best als je er elke dag even tien minuten voor gaat zitten, bij voorkeur op een tijdstip waarop je normaal gesproken het liefste schrijft. Na een week oefenen zal het merkbaar beter gaan.

 OPDRACHT 21 Plastic tas

Stop allemaal een voorwerp in een plastic tas. Je gaat samen met de hele groep een verhaal maken. De eerste persoon pakt een voorwerp uit de tas en vertelt daar iets over. De tweede persoon pakt een ander voorwerp en vertelt daar ook iets over. Er moet een relatie zijn met het verhaal van de eerste persoon.

OPDRACHT 22 Vocabulaire vooraf

Bepreek met elkaar wat de volgende woorden volgens jou betekenen. Ze hebben te maken met film en eten.

film	eten
draaien	tig-gangendiner
eenheid van tijd en plaats	Michelin-ster
exposé	Hollandse pot
cameravoering	liflafjes

OPDRACHT 23 Vocabulaire vooraf

Combineer het idiomatisch taalgebruik uit het linkerrijtje met de betekenis uit het rechterrijtje.

1 iets niet onder stoelen of banken steken

2 het gaat er (op een bepaalde manier) aan toe

3 ergens om draaien

4 uit de lucht komen vallen

5 zijn doel voorbij schieten

a vanuit het niets ter sprake komen

b de essentie van iets zijn

c iets niet bereiken doordat je te hard je best doet

d je mening duidelijk laten weten

e zo gebeurt het

Het Diner is meer een hutspot van gedachtes dan een smakelijk geheel

Nico van den Berg

5

Het Diner, de bestseller van Herman Koch uit 2009, heeft de afgelopen jaren met veel succes de – literaire – wereld veroverd. 10 Inmiddels is het boek in meer dan 30 talen vertaald en in 37 landen verschenen. De blauwe omslag met de rode kreeft heeft een haast iconische status bereikt. Na de 15 toneelversie in 2012 kwam een verfilming van het boek dan ook niet helemaal onverwacht. De vooral in Hollywood werkzame scenarist/regisseur Menno Meyjes werd 20 door het boek gegrepen en kreeg vrij snel de cast en financiering rond. Vanwege de belangrijke rol van de taal wilde hij de film per se in het Nederlands draaien*. Na de 25 persoonlijke fiat van Herman Koch

---

voor Jakob Derwig als hoofdrolspe-
ler Paul Lohman kon Meyjes aan
de slag.

Flashback
30 Meteen bij het begin wordt duidelijk dat de film een eigen invalshoek kiest. Waar het boek uitgaat
van eenheid van tijd en plaats*,
35 begint de film met een flashback

van 18 maanden voor het etentje.
Paul raakt hierbij in een heftig gesprek met de rector van de school
waar zijn zoon Michel op zit. Mey-
40 jes laat hiermee meteen zien dat
Paul iemand is die zijn vaak botte
en incorrecte mening niet onder
stoelen of banken steekt*. Hij is
voor de doodstraf en schroomt
45 niet te zeggen dat hij alleen maar
aan zichzelf denkt. Tegelijk wordt
duidelijk dat hij door psychische
problemen zelf het leraarschap
heeft moeten neerleggen. Na dit
50 exposé* keren we weer terug
bij de avond waarop Paul en zijn
vrouw Claire (Thekla Reuten) zich
voorbereiden op het diner dat ze
die avond met Pauls broer Serge
55 (Daan Schuurmans) en zijn vrouw
Babette (Kim van Kooten) in een
sjiek restaurant zullen hebben.

Voice-over
60 Centraal in het verhaal staat het
geheim dat de zoons van Paul en
Serge een verschrikkelijke misdaad
hebben begaan. Maar waar in het
boek de ontrafeling hiervan even
65 langzaam wordt opgebouwd als
het tig-gangen diner*, gaat het er
in de film wat sneller aan toe*. Al
snel blijkt dat Paul niet de enige
is die het geheim weet. Gegeten
70 wordt er dan allang niet meer.
Vanaf het begin zijn de twee zoons
ook niet meer hetgeen waar het
echt om draait*. We zien vooral
volledig verstoorde familiebanden.
75 Hierbij is de sarcastische humor

van Herman Koch gelukkig volledig overeind gebleven, al gaat deze halverwege over in een grimmige sfeer. De humor wordt met name

80 duidelijk in de voice-over van Paul waardoor we zo zijn gedachtes kunnen horen. Door de literaire zinnen en de rustige vertelstem is het wel alsof je naar een luis-

85 terboek zit te luisteren. Dit leidt helaas af van de film zelf. In plaats van het als een samenbindend element te gebruiken, staat de voice-over hierdoor vooral op zichzelf.

90

Amsterdams accent
Jakob Derwig zet als de neurotische Paul een sterke en overtuigende rol neer. Hij weet diepte aan

95 zijn karakter te geven, iets wat de andere hoofdrolspelers helaas wat minder lukt, al ligt dat voor een deel ook aan het script. De agressiviteit van Claire komt wel erg uit

100 de lucht vallen★ en naar de beweegredenen van Serge en Babette moeten we grotendeels blijven gissen. Misschien schiet daardoor het dik aangezette Amsterdamse ac-

105 cent van Kim van Kooten zijn doel

ook wat voorbij★. Toch zitten er uitstekende momenten in de film waarin Meyjes een duistere sfeer weet neer te zetten, afgewisseld

110 met harde humor. De aria-muziek versterkt het tragische karakter van de personages en de cameravoering★ door Sander Snoep levert mooie beelden op.

115

Conclusie
Het Diner is een vaardig gemaakte psychologische thriller over verknipte relaties en familiebanden.

120 Het verhaal over de geheim gehouden misdaad verzwakt echter gedurende de film. Ook hebben niet alle personages genoeg diepte om met ze mee te gaan. Toch be-

125 vat *Het Diner* mooie scènes waarbij de scherpe humor goed overeind gebleven is. Geen Michelin-ster★, maar stevige Hollandse pot★ zonder liflafjes★.

Bron: www.moviescene.nl, 6 november 2013

★Vocabulaire vooraf, zie opdracht 22 en 23

OPDRACHT 24

1 Lees de tekst en vul het schema in. Wat weet je over de hoofdpersoon Paul, het boek en de film?

Paul	
boek	
film	

2 Een recensie bevat meestal objectieve en subjectieve informatie. De recensent beschrijft waar de film over gaat en hij geeft ook aan wat hij ervan vindt.
Hoe zit dat bij deze recensie? Waar staat in deze tekst de objectieve informatie? En waar geeft de recensent zijn mening?

_____

_____

3 Is de recensent positief of negatief over de film?
Wat vind jij van negatieve recensies? Heeft het invloed op je keuze om die film wel of niet te gaan zien?

_____

_____

4 Zou je deze film wel of niet willen zien? En zou je het boek willen lezen? Motiveer je antwoord.

_____

_____

Vocabulaire

veroveren / de verovering (r. 9)
Nederland heeft veel land op de zee veroverd. Zo was de provincie Flevoland vroeger de Zuiderzee.

per se (r. 23)
Waar maak je je druk over? Waarom wil je dat nu per se weten? Is het zo belangrijk?

invalshoek, de (r. 32/33)
Een journalist kan op verschillende manieren over een gebeurtenis schrijven. Dat hangt van zijn invalshoek af. Iedere journalist bekijkt het op zijn eigen manier.

begaan (r. 63)
Ik heb een vergissing begaan door naar de andere kant van het land te verhuizen. Dat had ik beter niet kunnen doen.

hetgeen (r. 72)
Er is bij deze schilder een groot verschil in zijn vroegere en latere werk. Hetgeen hij het eerst heeft gemaakt, vind ik mooier dan dat wat hij later heeft gemaakt.

verstoren (r. 74)
Vliegtuigen die overvliegen verstoren de nachtrust van veel mensen. En een verstoorde nachtrust heeft consequenties voor je concentratie de volgende dag.

overeind blijven (bleef, gebleven) (r. 77)
In de discussie bleef zijn redenering niet overeind. De ander had allerlei goede tegenargumenten, waardoor bleek dat de redenering niet klopte.

diepte, de (r. 94)
- Kun je in dit zwembad duiken of is het niet diep genoeg? De diepte moet dan minstens 3 meter zijn.
- Het gesprek bleef oppervlakkig, het ging niet de diepte in.

beweegreden, de (r. 100/101)
Waarom is hij plotseling met zijn studie gestopt? Wat zijn zijn beweegredenen?

grotendeels (r. 102)

In creatieve beroepen gaat het niet alleen om inspiratie. Het is grotendeels gewoon hard werken.

gissen (r. 103)

Bij dit abstracte schilderij blijft het gissen wat het voorstelt. Dat wordt niet duidelijk.

verzwakken (r. 121)

Hoewel ze was genezen van haar ziekte, was ze wel ernstig verzwakt. Ze had weinig kracht meer.

OPDRACHT 25

Welk synoniem is *niet* juist?

1 beweegreden
   ☐ a reden
   ☐ b motief
   ☐ c oorzaak

2 per se
   ☐ a graag
   ☐ b echt
   ☐ c beslist

3 verzwakken
   ☐ a achteruitgaan
   ☐ b opknappen
   ☐ c aantasten

4 begaan
   ☐ a verdwijnen
   ☐ b verrichten
   ☐ c doen

5 verstoren
   ☐ a onderbreken
   ☐ b belemmeren
   ☐ c vernielen

6 gissen
   ☐ a raden
   ☐ b vergeten
   ☐ c vermoeden

OPDRACHT 26

Herschrijf de blauwgekleurde woorden met behulp van woorden uit het vocabulaire.

1 Het is moeilijk in de reclamewereld om zich staande te houden.

2 Wat ik ervan heb gehoord is, is dat hun opvattingen heel verschillend zijn.

3 Wat is zo belangrijk dat je daar nu echt naartoe moet?

4 Wat er bij dat ongeluk gebeurd is, blijft onduidelijk.

5 Ik vind het artikel van die journalist heel interessant vanwege zijn manier van kijken.

OPDRACHT 27

Werk in tweetallen. Maak de opdrachten.

1 Noem drie beweegredenen om te verhuizen.
2 Noem drie dingen die je kunt veroveren.
3 Noem drie dingen die verzwakt kunnen raken.
4 Noem drie dingen die verstoord kunnen worden.
5 Noem drie dingen die diepte hebben.
6 Noem drie dingen die je kunt begaan.

OPDRACHT 28 Recensie

Schrijf een recensie over een boek, film, theatervoorstelling of tentoonstelling.

OPDRACHT 29 Apenkooien

Je werkt met de hele groep.
Je docent legt negen verschillende spreekopdrachten in het lokaal. Zoek een gesprekspartner en doe samen een van de opdrachten. Na een bepaalde tijd geeft je docent een signaal. Dan zoek je een nieuwe gesprekspartner en een nieuwe opdracht.

OPDRACHT 30 Jobstijding

Op de website staat een link naar het schilderij *Jobstijding* van Carel Willink. Bekijk het schilderij en bedenk een verhaal dat erbij past van 200 woorden. Gebruik je fantasie.

Chattaal

Met de komst van de nieuwe media ontstond er een heel nieuwe manier van spellen. Deze wordt bestempeld als creatief taalgebruik. Om de te typen boodschappen zo kort mogelijk te houden, bedenken de zenders allerlei oplossingen. Als je hardop uitspreekt wat er staat, begrijp je wat er bedoeld wordt.

Bijvoorbeeld

> ff – [effen] – even
> suc6 – [suc zes] – succes
> w8 – [w acht] – wacht
> w817 – [w acht een zeven] – wacht eens even
> xq6 – [ix ku zes] – excuses
> g1 id, [g een ie dee] – geen idee
> thx [thanks] – dank je

Soms worden er medeklinkers weggelaten, bijvoorbeeld

> ajb – alsjeblieft
> gwn – gewoon
> hgh – hoe gaat het
> hvj – hou van je
> idd – inderdaad
> imj – ik mis je
> ovj – ook van jou
> srry – sorry

OPDRACHT 31 Chattaal

Kun je de volgende tekst verkorten door chattaal te gebruiken? Wees creatief.

Hoe gaat het met jou? Sorry, ik ben te laat. Wacht. Ik kom meteen naar je toe om je verjaardag te vieren. Groetjes en ik hou van jou!

OPDRACHT 32 Echt waar? (zou – zouden)

Lees de voorbeelden en beantwoord de vragen.

1 Annie: Waarom heb je dit merk tandpasta gekocht?
Theo: Dit zou van alle tandpasta's de beste zijn.

Wat zegt Theo in de bovenstaande dialoog met andere woorden?
☐ a Dat hij ervan overtuigd is dat de tandpasta de beste is.
☐ b Dat hij heeft gehoord dat de tandpasta de beste is.
☐ c Dat hij zich herinnert dat de tandpasta altijd de beste was.

2 Margriet: Heb je het al gehoord?
Antoinette: Vertel!
Margriet: De premier zou een mooie, jonge vriendin hebben.

Wat zegt Margriet in de bovenstaande dialoog met andere woorden?
☐ a Dat officieel is meegedeeld dat de premier een mooie, jonge vriendin heeft.
☐ b Dat ze heeft gehoord dat de premier een mooie, jonge vriendin heeft.
☐ c Dat ze zich herinnert dat de premier een mooie, jonge vriendin had.

3 Thomas: Waarom was Dirk vanochtend niet op zijn werk?
Marcel: Hij zou gisteravond te veel gedronken hebben.

Wat zegt Marcel in de bovenstaande dialoog met andere woorden?
☐ a Dat hij heeft vastgesteld dat Dirk te veel heeft gedronken de avond tevoren.
☐ b Dat hij heeft gehoord dat Dirk te veel heeft gedronken de avond tevoren.
☐ c Dat hij zich herinnert dat Dirk te veel had gedronken de avond tevoren.

Zou(den) in combinatie met een infinitief en/of een participium geeft aan dat er sprake is van:
☐ a belangrijke informatie
☐ b onzekere informatie
☐ c vergeten informatie

OPDRACHT 33

Kijk naar de plaatjes. Welke antwoorden kun je bedenken bij de vragen?
Gebruik *zou(den)* om aan te geven dat je niet zeker weet wat er is gebeurd.

1 Waar is John gebleven?	2 Hoe gaat het met Siska?

3 Wat is er met Sander zijn huis ge-beurd?	4 Waarom heeft Herman een nieuwe Mercedes gekocht?

5 Waarom doet Fred niet mee aan de wedstrijd?	6 Waarom hebben we al zolang niets van Daniel gehoord?
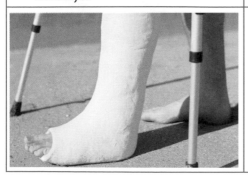	

OPDRACHT 34 Staatsexamen deel 1 en 2

De onderstaande opdrachten in deel 1 en 2 zijn vergelijkbaar met de opdrachten uit het Staatsexamen NT2 II.

Deel 1

1 Een vriend wil een boek kopen. Hij weet niet welk boek hij zal gaan kopen. Hij vraagt of je een suggestie hebt.
Vertel hem welk boek je adviseert en waarom.

2 Je buurvrouw woont sinds kort in jouw woonplaats. Ze vertelt dat ze een nieuwe bril nodig heeft. Ze vraagt waar ze die het best kan kopen. Je hebt net een folder van een brillenzaak gekregen. Kijk naar het plaatje.

> Brillenoptiek – Hofstraat
>
> Nu: Complete bril + 2^e bril gratis.
>
> Normaal vanaf € 79,-. Nu vanaf € 59,-
>
> Alleen deze maand.

Vertel de buurvrouw *waar* ze het best een bril kan kopen en *waarom*.

3 Je werkt bij een reclamebureau. Er komt een vacature vrij voor een reclamemaker. Je vindt dat een vriend van je moet solliciteren.
Vertel je vriend waarom hij moet solliciteren.

4 Een collega zegt dat internetreclame het grootste effect heeft op de bekendheid van een merk. Kijk naar het plaatje.
Reageer op wat hij heeft gezegd.

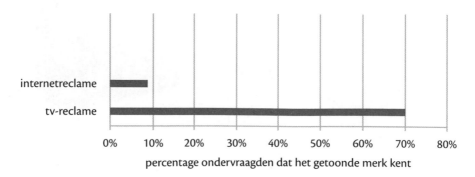

percentage ondervraagden dat het getoonde merk kent

Deel 2

1 Veel tv-programma's worden onderbroken door reclames. Wat vind jij van reclame tijdens een tv-programma? Vertel ook waarom je dat vindt.

2 Een vriend van je werkt veel achter de computer. Hij heeft daardoor vaak last van zijn nek en schouders. Hij klaagt daar vaak over.
Geef hem tips zodat hij minder vaak last heeft van zijn nek en schouders. Geef ten minste twee tips. Je krijgt eerst de tijd om je antwoord voor te bereiden. Bekijk in die tijd ook de volgende informatie.
- werkzaamheden afwisselen
- oefeningen doen
- houding achter computer
- pauze

3 Je werkt bij een reclamebureau. Je moet een nieuwe, jonge collega instrueren wat er niet in een reclame mag voorkomen. Kijk naar de plaatjes.

Vertel de collega welke afbeeldingen *niet* gebruikt mogen worden. Gebruik daarbij *alle* plaatjes.

4 Je hebt in de bioscoop een film gezien. Een vriend vraagt waar die film over ging. Kijk naar de plaatjes.

Beschrijf wat er allemaal in de film gebeurde. Je moet daarbij *alle* plaatjes gebruiken.

OPDRACHT 35 Preposities

Vul de juiste prepositie in.

1 Mijn buurman is beschuldigd _____ diefstal.

2 Ik heb geen idee waar hij werkt. Daar kan ik alleen _____ gissen.

3 Hij moet nu wel _____ Amsterdam verhuizen.

4 Je moet je niet zo druk maken _____ die beschuldiging.

5 Deze kachel voldoet niet meer _____ de veiligheidseisen.

6 De leidinggevende onderscheidt zich _____ altijd correct gekleed te verschijnen.

7 Ik sluit me komende week _____ mijn huis op om te kunnen studeren.

8 Hij laat zich dan door niets of niemand _____ zijn taak afleiden.

9 De organisatie riep de aanwezigen op _____ actie.

10 Dit commentaar stemt niet overeen _____ het hoge cijfer dat hij heeft gehaald.

11 We moeten er _____ waken dat er nog meer klachten komen.

12 Ik denk dat we hier te maken hebben _____ een moeilijke oefening.

 OPDRACHT 36 Onregelmatige werkwoorden

Vul de bovenstaande werkwoorden in de juiste werkwoordsvorm in (imperfectum of participium).

bedriegen ▪ duiken ▪ genezen ▪ glimmen ▪ ontwerpen ▪ prijzen ▪ raden ▪ verraden ▪ verslijten ▪ zuigen

1 De jas was helemaal _____. Hij kon er niet meer mee over straat.

2 De kleuter _____ onder de tafel toen zijn vader plotseling binnenkwam.

3 Nadat hij de injectie had gekregen, _____ hij snel.

4 Hij poetste de kandelaar geruime tijd, waardoor deze _____ als nooit tevoren.

5 De burgemeester _____ zijn vrouw regelmatig en hij werd er door de wethouder op aangesproken dat dat toch niet fatsoenlijk was.

6 Het nieuwe museum is door een Italiaanse architect _____.

7 De vraag was hoeveel paperclips er in de vissenkom zaten en dat is door niemand _____.

8 De leidinggevende werd _____ voor zijn aanpak die ervoor gezorgd had dat de rust was weergekeerd.

9 De verzetsstrijders werden _____ door een jongeman in geldnood.

10 Direct nadat ik gestoken was door de wesp, _____ ik het gif uit het wondje.

Taalbiografie

Het einde van het boek is in zicht. Hoe is het met je taalvaardigheid in het Nederlands?
Vul de Checklist B2 in (bijlage 1b).

Schrijf nu een tekst. Ga in die tekst in op de volgende vragen:

- Wat wilde je leren in deze cursus? (zie de taalbiografie in hoofdstuk 1, pagina 22)? Heb je die leerdoelen bereikt? Zo ja, wat heb je gedaan om dat te bereiken? Zo nee, wat is daarvan de oorzaak?
- Over welke dingen ben je tevreden? Over welke dingen ben je minder tevreden?
- Heb je de checklist B2 ingevuld? Beheers je de vaardigheden: luisteren, lezen, spreken en schrijven? Zo nee, aan welke dingen moet je nog meer aandacht besteden? Hoe ga je dat doen?
- Wat zijn je verdere plannen met het Nederlands?

 Op de website bij dit boek staan nog meer oefeningen bij dit hoofdstuk. Je vindt ze op **www.coutinho.nl/nederlandsopniveau**.

Vocabulairelijst hoofdstuk 5

vet = 0-2000 meest frequente woorden; *cursief = woorden met een frequentie tussen 2000 en 5000;* normaal = woorden met een frequentie boven 5000

Receptief
allen tijde, te
bovenal
cameravoering, de
eenheid van tijd en plaats
exposé, het
gelikt
Hollandse pot, de
liflafjes
Michelin-ster, de
ontrafeld
teneur, de
tig-gangen diner, het
toonaangevend
verloedering, de
verstomd
waken voor

Idiomatisch taalgebruik
met de deur in huis vallen
zijn doel voorbij schieten
ergens om draaien
er dwars doorheen kijken
iets uit je hoofd laten
uit de lucht komen vallen
het niet meekrijgen
het slaat nergens op
iets niet onder stoelen of banken steken
het gaat er (op een bepaalde manier) aan
    toe
met alle winden meewaaien

Goede reclame onderdrijft
aanschaf, de
aanschaffen
beogen

destijds
eng
geoorloofd
grondig
onderschatten
onderschatting, de
onderscheiden (door), (zich)
onderscheid, het
oproep, de
oproepen tot
opsluiten (in), (zich)
overeenstemmen met
overeenstemming, de
peilen
peiling, de
pikken
proppen
schattig
tot stand komen
voldoen aan

Het diner
begaan
beweegreden, de
diepte, de
gissen
grotendeels
hetgeen
invalshoek, de
overeind blijven
per se
veroveren
verovering, de
verstoren
verzwakken

Preposities	Onregelmatige werkwoorden
afleiden van	*bedriegen*
beschuldigen van	duiken
druk maken over, zich	genezen
gissen naar	*glimmen*
maken hebben met, te	*ontwerpen*
onderscheiden door, zich	*prijzen*
oproepen tot	*raden*
opsluiten (in), (zich)	*verraden*
overeenstemmen met	(ver)slijten
verhuizen naar	zuigen
voldoen aan	
waken voor	

Reflectie

Reflecteer op elk punt. Wat kun je? Vul het overzicht in.

Dit kan ik	nog niet	bijna	voldoende
Lezen			
Ik kan teksten begrijpen over actuele onderwerpen waarin de schrijver een bepaald standpunt inneemt, zoals *Goede reclame onderdrijft* en *Het diner is meer een hutspot van gedachtes dan een smakelijk geheel.*			
Luisteren			
Ik kan complexe informatie begrijpen over onderwerpen uit het dagelijks leven of het eigen beroep of vakgebied, zoals *Overtuigende communicatie.*			
Ik kan de essentie begrijpen van moeilijke tv-programma's als er in standaardtaal en in normaal tempo wordt gesproken, zoals *Rotterdam designprijs.*			
Gesprekken voeren			
Ik kan op betrouwbare wijze gedetailleerde informatie doorgeven, zoals bij het beschrijven van reclamespotjes, het spreken over mijn ervaringen met boeken en bij *Apenkooien.*			
Monologen			
Ik kan veel zaken binnen het eigen vakterrein of interessegebied duidelijk uiteenzetten, en daarbij belangrijke punten en relevante details goed naar voren brengen, zoals bij de presentatie over de reclamecampagne.			
Ik kan een duidelijk en gedetailleerd betoog houden over onderwerpen uit eigen interessesfeer of werkgebied, zoals het presenteren van een uitvinding.			
Ik kan in de meeste situaties spontaan iets in een groep aankondigen of meedelen, zoals het vertellen over een voorwerp in een tas.			
Schrijven			
Ik kan een duidelijke, gedetailleerde tekst schrijven over thema's gerelateerd aan het eigen interessegebied, zoals het schrijven van een recensie.			
Ik kan een samenhangend verhaal schrijven zoals het verhaal achter een schilderij en 'object writing'.			

6

Duurzaam

 OPDRACHT 1 Energie besparen

Het lijkt tegenstrijdig: elektriciteit gebruiken om uit te vinden hoe je energie kunt besparen. Sommige mensen besparen energie, anderen niet. Je wordt ingedeeld in een groep voorstanders van energiebesparing of in een groep die niet geïnteresseerd is in energiebesparing. Bedenk argumenten waarmee je het gedrag van je eigen groep kunt verdedigen. Beide groepen gaan met elkaar in discussie.

 OPDRACHT 2 Boerderijen met zeewier

Beantwoord eerst de volgende vragen.

- Waar denk je aan bij duurzame energie en duurzaam voedsel?
- Wat vind je hiervan?

Op de website vind je de link naar een beeldfragment over boerderijen met zeewier. Bekijk het fragment en bespreek in tweetallen de volgende vraag.

Waarom zou zeewier wel eens heel belangrijk kunnen worden in de nabije toekomst?

OPDRACHT 3 Vocabulaire vooraf
Wat betekenen onderstaande woorden?

- infrastructuur
- nieuwbouwwijk, jarenzeventigwijk, Vinexwijk (woonwijken)
- ruimtelijke ordening

OPDRACHT 4 Vocabulaire vooraf
Wat denk je dat de volgende woorden betekenen?

1	bulderen	☐ a lawaai maken	☐ b bouwen
2	kiekje	☐ a biscuit	☐ b foto
3	uitgebannen	☐ a verboden	☐ b verdreven
4	lichtvaardig	☐ a donker	☐ b gemakkelijk

OPDRACHT 5 Vocabulaire vooraf
Combineer het idiomatisch taalgebruik uit het linkerrijtje met de betekenis uit het rechterrijtje.

1	naar hartenlust	a	duidelijk maken
2	je de ogen doen openen	b	erover praten
3	het kwartje valt	c	vertrekken
4	op pad gaan	d	zo veel je wilt
5	het erover hebben	e	ineens wordt het duidelijk

Britse fietsimmigrant over Nederland

Michiel Slütter

5 **Overal in de wereld zijn steden op zoek naar manieren om mensen aan het fietsen te krijgen. Nederland heeft het antwoord, zegt de Brit David Hembrow die naar**
10 **Nederland emigreerde om hier te kunnen fietsen. 'Je moet perfecte fietsinfrastructuur bouwen.'**

Buitenlanders vragen zich altijd
15 af waarom Nederlanders toch zo graag fietsen. Er komen altijd verklaringen als: Nederland is vlak, het klimaat is gunstig, de steden zijn er geschikt voor en het sobere
20 vervoermiddel zou goed bij de calvinistische volksaard passen. Volgens de Brit David Hembrow, die naar Nederland is verhuisd omwille van het fietsen, zijn dat allemaal
25 maar bijzaken. Culturele factoren zullen zeker een rol spelen, zegt Hembrow. 'Maar de lessen die je van Nederland zou kunnen leren, is dat mensen gaan fietsen als je een
30 perfecte infrastructuur* bouwt. Kijk naar de migranten in Nederland. Het fietsgebruik onder Turken is negen procent. In Turkije is dat vrijwel nul procent. Maar door ze
35 bloot te stellen aan een goede fietsinfrastructuur gaat negen procent van alle ritjes per fiets. Vergelijk dat met België waar het fietsgebruik op acht procent blijft steken.'

40 **Geschiedenis**
Hembrow praat in zijn jarenzeventighuis in Assen vol vuur over de Nederlandse fietsverworvenheden. Hij weet alles over de inrichting
45 van kruispunten, richtlijnen voor fietspaden, 30-kilometergebieden, Vinexwijken en de Nederlandse fietsgeschiedenis. Onze fietsgeschiedenis is belangrijk voor Hem-
50 brow. Want daaruit kun je leren dat het hoge Nederlandse fietsgebruik niet toevallig is. Hembrow laat mij een boekje zien dat hij heeft gemaakt voor de fietsstudie-
55 tours die hij aanbiedt aan buitenlandse geïnteresseerden.
In het boekje staan foto's van Assense straten uit de jaren zeventig die uitpuilen van auto's en vracht-
60 wagens. Toen vond iedereen het heel gewoon dat je met de auto overal mocht rijden en dat je naar hartenlust* kon parkeren in winkelstraten. En vrachtwagens
65 bulderden* dwars door het oude centrum. Naast de oude kiekjes* plaatst Hembrow foto's van hoe het nu is. Doorgaand autoverkeer is uitgebannen* en je kunt aange-
70 naam fietsen. 'Overal in Nederland is dit gebeurd en je zou het ook in andere landen kunnen doen. De Nederlanders weten eigenlijk niet dat ze iets heel bijzonders hebben.'

75 **Cult following**

Hembrow blogt over het Nederlandse fietsbeleid. En daarmee heeft hij, zoals een Britse journalist opmerkte, een *cult following*
80 gekregen onder fietsactivisten. 'Sommige mensen in de VS denken dat Assen de fietshoofdstad van Nederland is. Dat is omdat ik hier toevallig woon en erover schrijf.
85 Maar zoals ik al zei: Assen is niets bijzonders, er zijn veel steden in Nederland zoals Assen. Wat mij zorgen baart, is dat sommigen naar aanleiding van mijn blog overwe-
90 gen naar Assen te emigreren. Zo'n emigratie is niet iets wat je lichtvaardig★ moet opvatten. De eerste jaren zijn zwaar geweest voor ons, de taal is echt moeilijk te leren.'

95

Fietsvluchteling

Hembrow besloot naar Nederland te emigreren toen een Britse vriend in Eindhoven hem vertelde over
100 de geweldige fietsvoorzieningen. Hembrow die al jarenlang naast zijn werk fietsactivist was, wist eigenlijk weinig over Nederland. Een bezoek opende zijn ogen★. 'Ik zag een brug
105 waarvan twee derde deel van de ruimte bestemd was voor de fiets en het resterende derde deel voor auto's. Dat vond ik geweldig.'

110 **Strijd tegen fietspaden**

Gaandeweg raakte Hembrow zelfs enthousiast over fietspaden, een omstreden onderwerp onder Britse fietsactivisten. 'In het verleden
115 waren fietsers in Groot-Brittannië altijd tegen fietspaden omdat ze bang waren daarmee hun recht op fietsen op de weg kwijt te raken. Maar nu hebben ze alles verlo-
120 ren. Op veel wegen is het veel te gevaarlijk om te fietsen vanwege al het verkeer en er zijn bijna geen fietspaden. Dus de meeste mensen gaan niet fietsen. Het is gewoon
125 te gevaarlijk. Ik was verbaasd toen ik op een Nederlands meldpunt een klacht las van een fietser die na een storm vroeg wanneer de omgewaaide bomen die langs het
130 fietspad stonden vervangen zouden worden. Hij vond het vervelend dat er een paar ontbraken. Ik woonde toen nog in Engeland en dacht *'these are first world pro-*
135 *blems'*. Hij klaagt over ontbrekende bomen, terwijl ik elke dag bijna word doodgereden.'

Gelukkigste kinderen

140 Zes jaar geleden besloot hij met zijn gezin naar Nederland te emigreren. 'We hadden eigenlijk veel eerder moeten gaan. UNICEF stelt dat Nederlandse kinderen de gelukkig-
145 ste ter wereld zijn. De vrijheid en de veiligheid is enorm in Nederland en dat maakt kinderen gelukkig.' 'Nederlanders zijn goed in ruimtelijke ordening★. Ik heb de beleids-
150 documenten van een Vinexwijk★ in Assen doorgenomen. Daarin staat dat twee derde van de kinderen veilig zelfstandig naar school moeten kunnen fietsen. Ook is er veel water

155 omdat mensen dat prettig vinden, en daar zijn dan weer fietsbrug- getjes voor nodig. Ik denk dat je nergens in Europa zulke goede en aantrekkelijke nieuwbouwwijken

160 kunt vinden. En het vreemde is, de Nederlanders zijn totaal onwetend over wat er is bereikt.'

Veilig

165 'Mijn buurvrouw is in de tachtig en gaat zelf op de fiets boodschap- pen doen. Dat toont aan hoe veilig het is. Het is overal in Nederland zo. Maar Nederlanders nemen het

170 niet meer waar. En daarin schuilt een gevaar. Vanaf de jaren zeven- tig hebben ambtenaren en plan- ners geweldig werk verricht. Die mensen zijn met pensioen of al

175 overleden. Ik ben bang dat wat nog steeds goed werkt – fietspaden en veilige woonwijken* aanleggen – wordt vergeten. Het is niet sexy. Een wethouder vindt een mooie

180 fietsbrug veel interessanter dan fietspaden asfalteren.' En juist die jarenlange investerin- gen in goede fietsvoorzieningen hebben Nederland op het huidige

185 hoge fietsniveau gebracht. Dat is precies wat Hembrow tijdens de studietours wil laten zien. De deel- nemers zijn cityplanners, studen- ten, wetenschappers en fietsacti-

190 visten en komen onder andere uit Noorwegen, Litouwen, Groot-Brit- tannië en Australië.

*Vocabulaire vooraf, zie opdracht 3, 4 en 5

Study Tours

195 'Wanneer buitenlanders worden rondgeleid gaan ze per busje langs prachtige bouwwerken, zoals de Nesciobrug in Amsterdam. Die brug is *flashy* en *lovely*, maar niet

200 echt belangrijk. Opmerkelijk is dat ik op 200 meter van mijn huis twee hoofdfietsroutes heb. Ik doe geen ritten met een busje en ook geen PowerPointpresentatie. Ik laat tij-

205 dens een driedaagse studietour op de fiets zien dat je gewoon overal heen kunt fietsen. Van het oude centrum, tot een jarenvijftig-, een jarenzeventigwijk* en een nieuw-

210 bouwwijk*. Pas na een paar dagen valt het kwartje* bij de deelne- mers en dringt het tot ze door dat het niet om een paar stukjes gaat, maar dat je overal goed kunt

215 fietsen en dat ouderen en kinderen daarom veilig op pad* kunnen. Ik deed die tours al toen we nog niet in Assen woonden. Op de ferry terug naar Engeland hadden

220 cityplanners het er al over* om het idee van Nederland over te nemen, maar om het dan simpeler en goedkoper te maken. Dan mis je de essentie. Je moet het goed doen,

225 anders werkt het niet. Een verschil is ook dat de Nederlandse ambte- naren zelf ook fietsen. Zij weten uit eigen ervaring hoe het moet. Als ze het niet goed doen, worden ze

230 er door hun familie of vrienden op aangesproken.'

Bron: www.vogelvrijefietser.nl, 2 januari 2014

OPDRACHT 6

Lees de tekst en beantwoord de volgende vragen.

1 Wat is volgens David Hembrow de belangrijkste reden dat Nederlanders zo graag fietsen?

☐ a   Nederland heeft geen bergen en het is er niet te warm.

☐ b   Nederland heeft een geschikte infrastructuur voor fietsers.

☐ c   Een fiets past goed bij de calvinistische Nederlanders.

2 Uit de Nederlandse fietsgeschiedenis kun je volgens David Hembrow leren dat ...

☐ a   ... het autoverkeer in Assen enorm is toegenomen.

☐ b   ... Nederlanders goed beseffen dat ze iets bijzonders hebben.

☐ c   ... het fietsgebruik toeneemt als je het autoverkeer inperkt.

3 Omdat David Hembrow over het fietsbeleid in Nederland schrijft, ...

☐ a   ... denken sommige mensen in de VS dat Assen de hoofdstad van Nederland is.

☐ b   ... zijn veel fietsliefhebbers in het buitenland geïnteresseerd geraakt in Nederland.

☐ c   ... emigreren mensen naar Assen.

4 Omdat ze bang waren hun recht op fietsen op de weg kwijt te raken, wilden de fietsers in Groot-Brittannië ...

☐ a   ... meer fietspaden.

☐ b   ... geen speciale rijwielpaden.

☐ c   ... minder verkeer op de weg.

5 Hembrow wil tijdens de Study Tours laten zien ...

☐ a   ... hoe belangrijk het is om goede faciliteiten voor fietsers te creëren.

☐ b   ... dat Nederlanders niet waarnemen hoe veilig het in Nederlands is.

☐ c   ... dat de mooie fietsbruggen Nederland op het huidige hoge fietsniveau hebben gebracht.

Vocabulaire

omwille van (r. 23/24)

Hij is verhuisd omwille van het werk van zijn vrouw. Zij heeft een baan in het ziekenhuis en moet binnen een halfuur in het ziekenhuis kunnen zijn. Dat is de enige reden, want ze woonden op een prachtige plek.

blootstellen aan (r. 35)

Het wordt aanbevolen om in de zomer tussen 12 en 15 uur je huid niet bloot te stellen aan zonlicht. Het is belangrijk om je huid dan te bedekken.

uitpuilen (r. 59)

Ze had zo veel spullen gekocht dat haar tassen uitpuilden. De spullen pasten er niet in.

zorgen baren / de zorg (r. 88)

Het baart ons zorgen dat kinderen te weinig fietsen, waardoor ze te weinig beweging krijgen. Ook leren ze niet om zelfstandig aan het verkeer deel te nemen.

overwegen (overwoog, overwogen) / de overweging (r. 89/90)

Ik heb overwogen om te emigreren naar Nieuw-Zeeland, maar ik heb het uiteindelijk toch niet gedaan.

bestemd zijn voor (r. 106)

Dit pakketje is niet voor mij bestemd. Het is voor mijn collega bedoeld.

gaandeweg (r. 111)

In het begin vond hij het leren van een vreemde taal niet leuk, maar gaandeweg kreeg hij er meer plezier in.

omstreden (r. 113)

Deze beslissing is omstreden. Er is veel discussie over of het wel de juiste beslissing is.

aantonen (r. 167)

Door dit onderzoek is aangetoond dat het dragen van een fietshelm het aantal doden door ongelukken vermindert.

schuilen (r. 170)

1 Ik ben kletsnat door de regen. Je kunt me wel uitwringen. Ik had beter kunnen schuilen onder een afdakje. Dan was ik niet zo nat geworden.

2 Te veel fietsers hebben geen licht op hun fiets. Daarin schuilt een gevaar: automobilisten zien hen slecht in het donker, wat gevaarlijk is.

verrichten / de verrichting (r. 173)

Voordat je iets kunt bestellen op die website, moet je eerst een aantal handelingen verrichten: je gegevens invoeren, een wachtwoord instellen en dat vervolgens bevestigen.

huidig (r. 184)

De huidige generatie ouders neemt de kinderen op allerlei manieren mee op hun fiets: fietsstoeltjes voorop, fietsstoeltjes achterop, bakfietsen, fietsen met aanhangers. Het is aan hen te wijten dat kinderen tegenwoordig te weinig bewegen. Vroeger liepen de ouders vooral met hun kinderen.

overnemen (nam over, overgenomen) (r. 221)

1 Als je in een ander land woont, neem je meestal wel bepaalde gewoontes van dat land over. Veel buitenlanders fietsen in Nederland, terwijl ze dat in hun eigen land niet doen.

2 Ik heb de fiets van mijn buurvrouw overgenomen. Hij was nog zo goed als nieuw, hij blonk nog helemaal. Toch kon ik hem voor niet veel geld van haar kopen.

3 Als ik met vakantie ben, dan neemt mijn collega bepaalde taken van mij over. Hij voert die taken voor mij uit.

 OPDRACHT 7

Welk woord past het best in de zin?

1 De voedselpakketten zijn blootgesteld aan / bestemd voor mensen die te weinig inkomen hebben. Het is niet geoorloofd ze uit te delen aan iedereen.

2 Destijds hebben we al overwogen / overgenomen om zonnepanelen aan te schaffen.

3 Ik heb al een paar weken niets van hem gehoord. Dat baart me zorgen / Dat is aangetoond.

4 De omstreden / huidige leidinggevende is een paar jaar geleden overleden. Hij werd opgevolgd door een zeer capabele vrouw.

5 Het onderzoek naar de gevolgen voor het milieu werd aangetoond / verricht door wetenschappers van de Rijksuniversiteit Groningen.

6 De tent puilde uit / schuilde, nadat het plotseling was gaan te regenen en iedereen naar binnen wilde.

OPDRACHT 8

Bespreek de vragen in tweetallen.

1 Wat baart je zorgen?
2 Welke dingen kun je doen omwille van je ouders?
3 Zijn dieren bestemd voor consumptie?
4 Is het volgens jou voldoende aangetoond dat we afstammen van de apen?
5 Welke gevaren schuilen er in de huidige manier van leven?
6 Aan welke gevaren worden fietsers blootgesteld?
7 Wat zie je als voordeel van de huidige tijd? En wat als nadeel?
8 Welke daden moeten we verrichten om de toekomst beter te maken?
9 Welke dingen kunnen uitpuilen?
10 Wat is je in deze cursus gaandeweg duidelijk geworden?
11 Welke Nederlandse gewoontes heb je overgenomen?

OPDRACHT 9

Maak de volgende zinnen af.

1 Aangezien zijn afwezigheid me zorgen baarde,

2 Ik ergerde me eerst aan zijn uitspraken over onze directeur, maar gaandeweg

3 De stijging van de zeespiegel toont aan dat

4 Omwille van de toekomst van onze kinderen

5 Het plan om een kolencentrale te bouwen was omstreden, want

6 Hij was in de jaren tachtig blootgesteld aan radioactieve straling. Daarom

Schrijf een tussenzin. De inhoud moet aansluiten bij de eerste en laatste zin.

7 Ik heb overwogen om zonnepanelen te nemen. _____

_____. Daarom heb ik het

uiteindelijk toch niet gedaan.

8 Hij vroeg of ik zijn computer wilde overnemen. Ik wil dat misschien wel, maar

het is afhankelijk _____

_____. Ik wacht nog op een reactie van hem.

9 Geachte heer,

Ik heb vorige maand mijn iPad ter reparatie aangeboden.

_____

Kunt u mij vertellen hoe de verdere procedure is?

Met vriendelijke groeten,
Hülya Türköz

OPDRACHT 10

Werk in tweetallen. Vertel de tekst over fietsen in Nederland samen na. Vul
elkaar aan. Gebruik elk vijf woorden uit het vocabulaire.

OPDRACHT 11

In de tekst staan de volgende zinnen.

1 Onze fietsgeschiedenis is belangrijk voor Hembrow. Want daaruit kun je leren
dat het hoge Nederlandse fietsgebruik niet toevallig is.

Waaruit kun je leren dat het hoge Nederlandse fietsgebruik niet toevallig is?

_____

2 Sommige mensen in de VS denken dat Assen de fietshoofdstad van Nederland
is. Dat is omdat ik hier toevallig woon en erover schrijf.

Waarover schrijft hij?

_____

3 Ik heb de beleidsdocumenten van een Vinexwijk in Assen doorgenomen. Daarin staat dat twee derde van de kinderen veilig zelfstandig naar school moeten kunnen fietsen.

Waarin staat dat twee derde van de kinderen veilig zelfstandig naar school moeten kunnen fietsen?

_____

Grammatica – het voornaamwoordelijk bijwoord
Bekijk onderstaande voorbeeldzinnen.
Wanneer gebruik je *er, daar* en *hier*? Wat kun je zeggen over hun positie?

Ik ben verantwoordelijk voor het beleid.   Ik ben **er** verantwoordelijk **voor**.
Ik ben verantwoordelijk voor dat beleid.   Ik ben **daar** verantwoordelijk **voor**.
                                                Daar ben ik verantwoordelijk **voor**.
                                                Daarvoor ben ik verantwoordelijk.
Ik ben verantwoordelijk voor dit beleid.   Ik ben **hier** verantwoordelijk **voor**.
                                                Hier ben ik verantwoordelijk **voor**.
                                                Hiervoor ben ik verantwoordelijk.

OPDRACHT 12
Vervang elke keer een gedeelte van de eerste zin. Vul *er/daar/hier* en de prepositie in.

1 Mensen profiteren van een goede infrastructuur.

Mensen profiteren _____.

2 Van die goede bedoelingen ben ik wel overtuigd.

_____ ben ik wel overtuigd.

3 Voldoet het aan deze eisen?

Voldoet het _____?

4 David Hembrow is enthousiast over al die fietspaden.

David Hembrow is _____ enthousiast _____.

5 We moeten voorzichtig zijn met energie.

We moeten _____ voorzichtig _____ zijn.

6 Uit deze tekst kun je opmaken dat het veilig is.

_____ kun je opmaken dat het veilig is.

7 Ik voeg nog graag iets aan die woorden toe.

Ik voeg _____ nog graag iets _____ toe.

8 Onze stad doet ook aan dat plan mee.

Onze stad doet _____ ook _____ mee.

9 De gemeente speelt goed op deze behoefte in.

De gemeente speelt _____ goed _____ in.

10 De Britten kijken op van de goede fietsvoorzieningen.

De Britten kijken _____ op.

Wat zijn de werkwoorden in de zinnen 6 tot en met 10? En wat is de prepositie die bij het werkwoord hoort? Wat kun je zeggen over de positie van de prepositie?

OPDRACHT 13

Welke prepositie hoort bij de volgende werkwoorden?

zoeken	_____	hopen	_____
beginnen	_____	herinneren	_____
blijken	_____	genieten	_____
ingaan	_____	gaan	_____
stemmen	_____	beslissen	_____
lijken	_____	zeggen	_____
stoppen	_____	zwijgen	_____
doorgaan	_____	toekomen	_____
voldoen	_____	wachten	_____

OPDRACHT 14

Vul in de eerste zin of vraag een prepositie in.
Vul in antwoord a en b *er/daar/hier* in en een prepositie.

Voorbeeld:

Heb je gelachen ___om___ dat filmpje?

a Ja, ik heb er/daar erg van genoten.

b Ja, daar heb ik erg van genoten.

1 Heb je al gezocht _____ een onderwerp voor je presentatie?

   a Nee, ik ga _____ morgen _____ beginnen.

   b Nee, _____ moet ik nog _____ beginnen.

2 Wat blijkt _____ dat onderzoek?

   a _____ wil ik nu niet ingaan.

   b _____ wil ik nu niet _____ ingaan.

3 Hebben veel mensen _____ hem gestemd?

   a Het lijkt _____ wel _____.

   b _____ lijkt het wel _____.

4 Voldoet de nieuwe directeur _____ jullie verwachtingen?

   a Dat weten we nog niet, maar we hopen _____ natuurlijk wel

      _____.

   b Dat weten we nog niet, maar _____ hopen we natuurlijk wel

      _____.

5 Stoppen jullie _____ dit project?

   a Nee, we willen _____ nog een paar jaar _____ doorgaan.

   b Nee, _____ gaan we komend jaar nog _____ door.

6 Wat een prachtig uitzicht! Het herinnert me _____ het uitzicht dat ik
vroeger vanuit het huis van mijn ouders had.

   a _____ genoot ik ook altijd zo _____.

   b _____ genoot ik ook altijd zo.

7 Weet je al of je wel of niet _____ dat congres gaat?

    a Nog niet, _____ beslissen we deze week _____ .

    b Nog niet, _____ beslissen we deze week.

8 Heb je iets over dat plan _____ haar gezegd?

    a Nee echt niet, ik heb _____ absoluut _____ gezwegen.

    b Nee echt niet, _____ heb ik absoluut _____ gezwegen.

9 Zijn jullie al toegekomen _____ het schrijven van dat verslag?

    a Wij wachten _____ namelijk _____ .

    b _____ wachten we namelijk _____ .

OPDRACHT 15 Greenwheels

Op de website vind je een link naar de website www.greenwheels.com.
Lees de site en beantwoord de vragen.

1 Hoeveel bedraagt de borgsom die je bij ieder abonnement moet betalen?

    _____

2 Je hebt het abonnement Soms. Wat kost dan de goedkoopste auto overdag voor een uur?

    _____

3 Kun je je eigen risico afkopen?

    _____

4 Wat gebeurt er als je een auto te laat terugbrengt?

    _____

5 Je zoekt voor een verhuizing een bestelbus voor twee personen. Heeft Greenwheels zo'n auto? Zo ja, welk type?

    _____

OPDRACHT 16 Toogethr

Op de website vind je de link naar een beeldfragment uit het tv-programma *Tegenlicht*. Bekijk het fragment. Zijn de volgende beweringen 'waar' of 'niet waar'?

1 Martin Voorzanger verkocht zijn auto, omdat hij hem bijna niet gebruikte.
☐ a waar
☐ b niet waar

2 Martin kon de website van Greenwheels niet vinden.
☐ a waar
☐ b niet waar

3 Martin besloot naar Rotterdam te gaan.
☐ a waar
☐ b niet waar

4 Als je meerijdt met iemand via Toogethr, hoef je degene die de rit heeft aangeboden niet persoonlijk te betalen.
☐ a waar
☐ b niet waar

5 Een rit die je regelt via Toogethr kost altijd € 18,82.
☐ a waar
☐ b niet waar

6 Er is een grote behoefte aan flexibiliteit, omdat collega's niet altijd dezelfde werktijden hebben.
☐ a waar
☐ b niet waar

7 Voordat je via Toogethr een rijafspraak maakt, kun je zien wie de aanbieder is.
☐ a waar
☐ b niet waar

8 Er wordt feedback gegeven op de bestuurder en ook op de passagier.
☐ a waar
☐ b niet waar

9 Voor een positieve recensie op Toogethr moet een klein bedrag betaald worden.
☐ a waar
☐ b niet waar

10 Volgens Martin hebben het kapitalisme en het consumentisme ervoor gezorgd dat we altijd dingen kochten van bedrijven.
    ☐ a waar
    ☐ b niet waar

OPDRACHT 17 Heb jij genoeg aan de aardbol?

Op de website staat een link naar een voetafdruktest. Hij brengt in kaart welke impact jouw levensstijl heeft op onze aarde. Aan het eind van de test krijg je tips om je voetafdruk te verkleinen. Ook kun je jouw resultaten vergelijken met anderen.
Doe de test. Als je de test gedaan hebt, krijg je vijf tips. Noteer welke tips je gekregen hebt en bespreek ze met een medecursist.

OPDRACHT 18 Goed idee! Dank je. (zou – zouden)

Beantwoord de volgende vragen.

1 Bert: Ik heb elk jaar een steeds hogere energierekening.
  Frits: Je zou zonnepanelen moeten nemen.

  Wat zegt Frits in bovenstaande dialoog met andere woorden?
    ☐ a Je moet zonnepanelen nemen.
    ☐ b Je had zonnepanelen moeten nemen.
    ☐ c Je doet er goed aan om zonnepanelen te nemen.

2 Anton: Margriet is snel buiten adem, vind je niet?
  Leontien: Ja. Ze zou wat vaker op de fiets naar haar werk moeten gaan.

  Wat zegt Leontien in bovenstaande dialoog met andere woorden?
    ☐ a Margriet moet vaker op de fiets naar haar werk gaan.
    ☐ b Margriet had wat vaker op de fiets naar haar werk moeten gaan.
    ☐ c Margriet doet er goed aan om wat vaker op de fiets naar haar werk te gaan.

3 Leontien: Wat ben jij snel buiten adem zeg! Krijg je wel genoeg beweging?
  Margriet: Ik zou eigenlijk wat vaker op de fiets naar m'n werk moeten gaan, maar dan ben ik zo lang onderweg.

Wat zegt Margriet in bovenstaande dialoog met andere woorden?

- [ ] a Ik dwing mezelf om op de fiets naar m'n werk gaan, maar dan ben ik zo lang onderweg.
- [ ] b Ik moest vaak op de fiets naar mijn werk gaan, maar dan was ik zo lang onderweg.
- [ ] c Ik weet best dat het beter is om op de fiets naar m'n werk te gaan, maar dan ben ik zo lang onderweg.

Zou(den) in combinatie met *moeten* en een infinitief geeft aan dat er sprake is van

- [ ] a een opdracht.
- [ ] b een verwijt.
- [ ] c een advies.

OPDRACHT 19

Welke adviezen kun je de mensen op onderstaande foto's geven?

E	F

OPDRACHT 20 Duurzaam trouwen

Op de website staat een link naar duurzamebruiloft.nl. Bekijk de site en maak notities van wat je tegenkomt. Bekijk op de website ook de introductiefilm onder de knop 'over ons'.

Een goede vriend van je gaat trouwen. Hij heeft je gevraagd of je hem wilt helpen met de voorbereidingen. Het moet een groot feest worden en hij heeft je verteld wat hij allemaal van plan is. In zijn enthousiasme heeft hij niet gedacht aan de duurzaamheid van zijn plannen. Omdat hij normaal gesproken best milieubewust is, schrijf je hem een brief waarin je hem uitlegt hoe hij op een mooie manier duurzaam zou kunnen trouwen. Wat zou hij volgens jou moeten doen? Gebruik de website en de film van Susan Gerritsen-Overakker, alias Sustainable Susan. Formuleer je adviezen met behulp van *zou(den)*.

OPDRACHT 21 Wubbo Ockels: Ruimteschip Aarde

Op de website vind je de link naar een beeldfragment over Ruimteschip Aarde. Bekijk het fragment en beantwoord de meerkeuzevragen.

1 Wat is waar?
- ☐ a Wubbo Ockels mocht in 1985 mee met een Amerikaanse spaceshuttle.
- ☐ b Wubbo Ockels is de eerste Nederlander die wereldberoemd werd.
- ☐ c Wubbo Ockels studeerde natuur- en wiskunde in Amsterdam.

2 Van welk ruimteschip zijn wij allemaal astronaut?
- ☐ a Van de Challenger.
- ☐ b Van de Apollo.
- ☐ c Van Ruimteschip Aarde.

3 Hoe snel steeg de spaceshuttle Challenger op?
- ☐ a Met een snelheid van 100 kilometer per seconde.
- ☐ b Met een snelheid van 28000 kilometer per uur.
- ☐ c Met een versnelling van 100 kilometer per seconde.

4 Na een week in de ruimte te zijn geweest, kwam Wubbo Ockels tot de conclusie ...
- ☐ a ... dat de ruimte uniek is.
- ☐ b ... dat de aarde uniek is.
- ☐ c ... dat de aarde en de ruimte beide uniek zijn.

5 Wat zullen de gevolgen zijn van de sterke toename van broeikasgassen in de atmosfeer?
- ☐ a We weten het niet.
- ☐ b Het zal vier graden warmer worden.
- ☐ c Het weer wordt veel extremer dan het nu is.

6 Kun je volgens Wubbo Ockels te veel energie gebruiken?
- ☐ a Ja, want er is een tekort aan energie.
- ☐ b Ja, want een normaal huishouden gebruikt gemiddeld bijna 1 kilowatt.
- ☐ c Nee, want er is een overvloed aan energie.

OPDRACHT 22 Diagnose Homo sapiens

Bekijk eerst de volgende woorden. Lees daarna het gedicht of luister naar de voordracht van de dichter op de website. Beantwoord tot slot de vragen.

weleer	=	vroeger
wenken	=	gebaren
te keer gaan	=	razen, aan de gang zijn
plunderen	=	roven
te weer stellen	=	verdedigen
krenken	=	pijn doen
tering	=	naam van een ziekte

DIAGNOSE HOMO SAPIENS

Ons moedertje ziet bleek. Zij is niet meer
de oude. Ach, wat moet je ervan denken?
En wee, waar is die glimlach van weleer?
Is dit de dood die naar haar staat te wenken?

Er gaat iets vreselijks in haar te keer.
Het plundert wat ze ons had willen schenken.
Ze stelt zich er niet meer tegen te weer.
Het lijkt vooral nog ons, niet haar te krenken.

Geleerden spreken van eutrofiëring
en draadvormige micro-organismen.
Er groeit in haar een kunststofarchipel.

Anders gezegd: ze gaat dus naar de tering.
En wij bedenken duizend eufemismen
en nog eens duizend telkens voor onszelf.

Ronald Ohlsen

1 Welke metafoor wordt er in dit gedicht gebruikt?
2 Het gedicht heeft een boodschap. Welke?
3 Wat voor soort gedicht is dit? Wat kun je zeggen over de vorm?
4 Vind je eutrofiëring een poëtisch woord? Waarom heeft de dichter het volgens
  jou gebruikt?

OPDRACHT 23 Duurzame woning

Er zijn allerlei manieren om een huis duurzaam te maken, bijvoorbeeld door
middel van isolatie, dubbele beglazing, de installatie van een klokthermostaat,
thermostatische radiatorkranen, een hoogrendementsketel, zonneboilers en
zonnepanelen en het gebruik van energiezuinige apparatuur met een A-label.

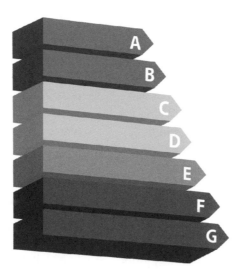

Bespreek met een medecursist op welke manier het huis waarin je momenteel woont duurzaam is gemaakt.

Duurzame huid voor rijtjeshuis
Studenten TU Delft ontwerpen groene doorzonwoning

Robert Visscher

5

Nederland staat vol met energieverslindende rijtjeshuizen uit de jaren zestig en zeventig. Studenten van de TU Delft ronden mo-
10 **menteel het ontwerp af van een doorzonwoning met een duurzame huid, waardoor ze energieneutraal worden. Dankzij speciale zonnepanelen, faseveranderend**
15 **materiaal en een groen dak.**

Ze behoren tot de typisch Nederlandse bouwtraditie: rijtjeshuizen. Kriskras door Nederland staan
20 maar liefst 1,4 miljoen woningen die zo'n veertig tot vijftig jaar geleden werden gebouwd. Ze werden destijds amper geïsoleerd en de woningen zijn daardoor ware ener-
25 gieverslinders. Ze allemaal afbreken en vervangen door nieuwe, duurzame huizen kan natuurlijk niet en is zonde van het geld en materiaal. 'Met groene rijtjeswoningen kun-
30 nen we echt een verschil maken', zegt designmanager Josien Kruizinga van het studententeam van de TU Delft. 'Nieuwbouw moet al energieneutraal zijn. Bij renovatie
35 valt juist nog veel te winnen.'

De huizen energieneutraal maken is wel een goede optie volgens studenten van de TU Delft. Zij ronden
40 momenteel hun ontwerp af voor een duurzame doorzonwoning,

waarmee ze in juni meedoen aan de Solar Decathlon in Versailles. Dat is een internationale wedstrijd
45 tussen universiteiten om zo groen mogelijk woningen te bouwen. Als *case study* kijken de studenten naar een doorzonwoning in Honselersdijk, waar de ouders van
50 een van de teamleden hebben gewoond. Ook anderen werken aan een duurzame renovatie van woningen. Zoals Passiefhuis, dat huizen energieneutraal maakt door
55 ze onder meer goed te isoleren. Of KasCo, waarbij panden een buitenschil van glas krijgen.

De Delftse studenten ontwer-
60 pen een tweede huid, die om de buitenmuur en het dak wordt geplaatst. 'Aan de zuidkant bestaat deze uit glas en isolatie. De onderkant van de huid is een vouw-
65 pui. In de winter zit de pui dicht en beslaat deze een deel van de achtertuin. Daardoor ontstaat een wintertuin. In de zomer gaan de deuren open en is het een gewone
70 tuin', aldus Kruizinga.

In het glas zitten speciale zonnepanelen verwerkt, waardoor de pui doorzichtig is. Naast de panelen zit
75 aan de onderzijde van het glas een systeem geïntegreerd dat warmte onttrekt. 'Vervolgens voorziet dit de woning van warm tapwater. Dit is een vrij nieuw systeem. Het
80 is handig omdat we zo warmte winnen en de zonnepanelen tege-

lijkertijd efficiënter worden. Boven de dertig graden bijvoorbeeld gaat de efficiëntie van panelen met een
85 paar procenten omlaag. Door ze te koelen hebben we dat probleem niet.'

Energiesprong
90 Aan de noordkant komt extra isolatie. De buitenste bakstenen worden verwijderd en daarvoor in de plaats komt een isolatiepakket. Er is ook nog een optie voor een
95 groen dak aan de noordkant. In de kruipruimte komt zogenaamd faseveranderend materiaal (*phase changing material*), dat afhankelijk van de temperatuur warmte
100 en kou vasthoudt of loslaat. Het materiaal verspreidt vervolgens de koele of warme lucht via de schoorsteen die door het huis loopt. Kruizinga: 'We willen dat be-
105 woners uiteindelijk zelf kiezen wat ze graag aan hun huis toevoegen. We ontwikkelen daarvoor een *toolbox*.' Met deze maatregelen lukt het om de huizen energieneutraal
110 te maken en verschijnt er 0 op de meter. Op dit moment ronden de studenten de laatste tekeningen af. Daarna maken ze een prototype.

115 Maar de studenten kijken al veel verder dan alleen naar de wedstrijd. Ze werken namelijk nauw samen met De Energiesprong, een initiatief van het ministerie van
120 Binnenlandse Zaken om energieneutrale woningen te realiseren.

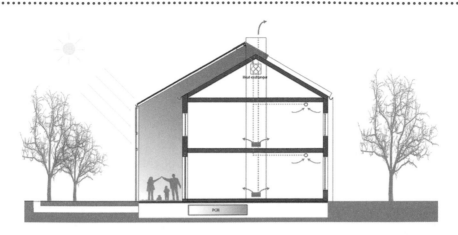

In de winter houdt de tweede huid warmte vast en ontstaat een wintertuin.

'De competitie bij de Solar Deca-thlon is ons hoofddoel, maar we willen heel graag dat onze ideeën 125 daadwerkelijk worden toegepast na de wedstrijd. Via De Ener-giesprong kan dat. We zitten al met veel partijen om de tafel die actief meedenken. Die samenwer-130 king willen we voortzetten na dit project, zodat mensen in rijtjeshui-zen daadwerkelijk in een duurza-mer huis leven.'

Bron: Kennislink.nl, 20 februari 2014

OPDRACHT 24

Lees de tekst en beantwoord de vragen.

1 Welke stelling is juist?
- ☐ a Er zijn in totaal 1,4 miljoen huizen in Nederland die niet energiezuinig zijn.
- ☐ b Oude huizen afbreken en opnieuw bouwen is een goede optie.
- ☐ c Huizen die nu gebouwd worden, moeten energieneutraal zijn.

2 Kies het beste antwoord.
De Delftse studenten hebben een tweede huid ontworpen ...
- ☐ a ... die over het hele huis zit.
- ☐ b ... die uit verschillende materialen bestaat.
- ☐ c ... waardoor extra tuin wordt gecreëerd.

3 Mensen kunnen verschillende opties kiezen om hun huis energieneutraal te
   maken. Welke optie hoort daar niet bij?

☐ a Een groen dak.

☐ b Een extra meter.

☐ c Zonnepanelen.

☐ d Faseveranderend materiaal.

4 Kies het beste antwoord.
   De TU-studenten hebben een duurzame huid voor een huis ontwikkeld …

☐ a … op initiatief van het Ministerie van Buitenlandse Zaken.

☐ b … omdat veel mensen duurzamer willen wonen.

☐ c … als bijdrage aan een wedstrijd.

Vocabulaire

verslinden (verslond, verslonden) (r. 7)

■ De leeuwen verslonden de gazelle met huid en haar. Ze vraten hem helemaal op.
■ Als kind las ik heel veel boeken, ik verslond ze gewoon.

afronden (r. 9/10)

Nadat de beoogde resultaten waren behaald, was er niets meer te doen en
werd het project afgerond.

kriskras (r. 19)

De kinderen op het schoolplein renden kriskras door elkaar en ze krijsten. Je
kon wel merken dat het de laatste dag voor de vakantie was.

amper (r. 23)

Ze had een cursus Nederlands gedaan, maar haar spreekvaardigheid voldeed
niet aan de eisen. Ze kon amper Nederlands spreken.

zonde, (de) (r. 28)

1 Het is zonde om deze kleren weg te gooien. Ze zien er nog goed uit. Daar kun
   je andere mensen blij mee maken.
2 Overspel is een zonde volgens de Bijbel. Vroeger zei de dominee dat wie overspel pleegde niet in de hemel kwam.

pand, het (r. 56)

De oude kantoorpanden werden afgebroken en er kwamen doorzonwoningen voor in de plaats. Momenteel zijn ze ernaast aan het graven voor een parkeergarage.

beslaan (besloeg, beslaan) (r. 66)

1 Deze tekst beslaat de hele pagina. Er is geen witruimte over.
2 Als je doucht, beslaat de badkamerspiegel. Soms druipt het vocht er zelfs af.

doorzichtig (r. 74)

De zwemster had een doorzichtige jurk aan, zodat je het badpak dat ze eronder droeg goed kon zien.

onttrekken aan (onttrok, onttrokken) (r. 77)

1 Er wordt vaak gezegd dat koffie dehydreert, maar dat is niet waar. Koffie onttrekt geen vocht aan het lichaam.
2 Hij onttrok zich aan zijn verplichtingen en schoot daardoor vreselijk tekort.

verwijderen / de verwijdering (r. 92)

Voordat je de pizza in de oven doet, moet je eerst het plastic verwijderen.

zogenaamd (r. 96)

1 Witte sneeuw is een zogenaamd pleonasme. Sneeuw is immers altijd wit.
2 Zijn zogenaamde vrienden lieten hem helemaal alleen achter in het bos. Een echte vriend zou dat nooit doen.

nauw (r. 117)

1 Broeken met nauwe pijpen zitten vaak nogal strak.
2 Een tandarts moet nauw samenwerken met zijn assistent.
3 Hij neemt het niet zo nauw met afspraken. Hij doet niet altijd wat er is afgesproken.

voortzetten / de voortzetting (r. 130)

We moesten nog 15 kilometer lopen. De moed zonk me in de schoenen. Na een lange pauze zetten we de wandeling voort.

OPDRACHT 25

Welk vervolg past het best?

1 Hebben jullie subsidie gekregen voor jullie project?
- a Nee, jammer genoeg niet. Nu kunnen we het voortzetten zoals we be-
    oogd hadden.
- b Nee, jammer genoeg niet. We moeten het dus eerder afronden dan
    gepland.

2 Weet jij hoe zuurstof ontstaat?
- a Door middel van fotosynthese. Planten onttrekken CO_2 aan de lucht en
    zetten het om in zuurstof.
- b Door middel van fotosynthese. Planten verwijderen CO_2 uit de lucht en
    zetten het om in zuurstof.

3 Waarom adviseerde je hem destijds om zijn huis aan te passen?
- a Zijn huis was amper geïsoleerd en voldeed daarom niet aan de eisen.
- b Zijn huis was kriskras geïsoleerd en voldeed daarom niet aan de eisen.

4 Het was winter. De verwarming stond hoog en de ramen stonden open.
- a Wat zonde van al die verspilde energie.
- b Dan is er zogenaamd energie verspild.

5 Vonden Harry en Henk de hamburgers lekker?
- a Ja, ze besloegen de hele tafel.
- b Ja, ze hebben ze verslonden.

6 Hoe vind je mijn nieuwe jas?
- a Mooi, maar is hij niet een beetje te doorzichtig?
- b Mooi, maar is hij niet een beetje te nauw?

OPDRACHT 26

Bespreek de vragen in tweetallen.

1 Wat kun je allemaal verslinden?
2 Wat kun je afronden?
3 Wat kun je voortzetten?
4 Geef een voorbeeld van wat je zonde vindt.
5 Waaraan kun je je onttrekken?

OPDRACHT 27 Onderhandelen

Jullie gaan in tweetallen onderhandelen over de prijs van de aankoop en de installatie van zonnepanelen. De rollen zijn als volgt verdeeld.

Rol A

Je woont in een rijtjeshuis en je wilt zonnepanelen kopen bij het bedrijf Zonnewinst. Het bedrijf levert en installeert de panelen voor een vaste prijs. Je bent bij je buurman langsgegaan om te vragen of hij ook zonnepanelen wil aanschaffen. Jullie besluiten samen de panelen te bestellen. Jullie hopen dat Zonnewinst iets van de prijs af wil doen, omdat:

- jullie samen goed zijn voor maar liefst achttien panelen;
- jullie huizen erg op elkaar lijken;
- er minder reistijd zal zijn voor de installateurs;
- dezelfde steigers gebruikt kunnen worden.

Jullie hebben je voorgenomen om de panelen niet bij Zonnewinst te kopen, als dit bedrijf niet een klein beetje van de prijs af wil doen. In dat geval gaan jullie naar een concurrent.

Rol B

Je werkt als verkoper voor het bedrijf Zonnewinst dat zonnepanelen levert aan particulieren. Jullie bieden de beste panelen voor de laagste prijs en jullie installeren ze ook. Veel klanten proberen op de prijs af te dingen. Het is jouw taak om de toekomstige klanten uit te leggen dat jullie de beste kwaliteit voor de laagste prijs leveren. Alleen bij uitzondering doen jullie wel eens iets van de prijs af. De zonnepanelen en de installatie kosten in totaal € 4500. Het einde van de maand nadert en je hebt minder zonnepanelen verkocht dan gemiddeld.

Onderhandel tot je het eens bent over de prijs.
Wissel daarna van rol.

OPDRACHT 28 Zonnepanelen monteren

Op de website vind je de link naar een instructiefilm over het monteren van zonnepanelen. In dit filmpje wordt nauwelijks gesproken. Gebruik het filmpje om een instructie te schrijven over hoe zonnepanelen moeten worden gemonteerd. Maak daarbij gebruik van onderstaande woorden.

- dakpannen wegschuiven
- planken zagen en vastschroeven

- beugels bevestigen
- rails vastmaken
- elektriciteitskabels aanleggen
- zonnepanelen vastzetten

OPDRACHT 29

Reageer op de vragen. Maak gebruik van de woorden tussen haakjes.
Denk om het gebruik van *er, hier, daar*.

Voorbeeld:

Ben je van plan om meer te gaan fietsen? (nadenken over)

Ik zal er eens over nadenken.

Daar denk ik wel over na.

Ik zal erover nadenken of ik de fiets vaker ga gebruiken.

1   Hebben jullie thuis groene stroom? (overschakelen op)

2   Heb je de informatie over zonnepanelen al gelezen? (toekomen aan)

3   Wat staat hier volgens jou? Is de uitslag negatief? (opmaken uit)

4   Is het de bedoeling dat iedereen zijn handtekening op deze actielijst zet? (oproepen tot)

5   Staat mijn naam op de lijst? (toevoegen aan)

6   Kan ik erop rekenen dat je bij die vergadering aanwezig bent? (uitgaan van)

7   Kun je iets meer vertellen over dat conflict? (ingaan op)

8   Kun je me helpen met het installeren van dit apparaat? (omgaan met)

9   Kun je aan de tellerstand zien hoeveel energie je zonnepanelen hebben opgeleverd? (afleiden uit)

10   Wat doe je als je 's avonds na het eten heel moe bent? Ga je dan even slapen? (toegeven aan)

Grammatica – reflexieve (scheidbare) werkwoorden met prepositie

Kijk naar onderstaande zinnen met reflexieve werkwoorden met prepositie.
Wat kun je zeggen over de positie van *er*, de prepositie en het eerste deel van het scheidbare werkwoord?

zich interesseren voor

Ik interesseer me voor zonne-energie.   Ik interesseer me **ervoor**.

Ik interesseer me **er** absoluut niet **voor**.

zich voorbereiden op

Ik bereid me op het examen voor.	Ik bereid me **erop voor**. Ik bereid me **er** grondig **op voor**.
Ik bereid me voor op het examen.	Ik bereid me **erop voor**. Ik bereid me **er** grondig op **voor**.

OPDRACHT 30

Reageer op de vragen of opmerkingen en maak daarbij gebruik van de werkwoorden tussen haakjes.

Voorbeeld:

Vind je duurzame energie belangrijk? (zich interesseren voor)

Ja, ik interesseer me ervoor. / Nee, ik interesseer me er niet voor.

Ja, daar interesseer ik me voor. / Nee, daar interesseer ik me niet voor.

1 Wat vind je van automobilisten die op het fietspad parkeren? (zich ergeren aan)

2 Vind jij het milieu belangrijk? (zich verantwoordelijk voelen voor)

3 Ik ben niet altijd energiezuinig. Soms laat ik lampen onnodig branden. (zich schuldig maken aan)

4 Ik kan in m'n eentje toch niet zo veel doen om de wereld schoner te maken. (zich verzetten tegen)

5 Ik weet niet of ik het allemaal wel goed doe. Ik probeer het wel. (zich druk maken over)

6 Is het installeren van zonnepanelen de specialiteit van dat bedrijf? (zich richten op)

7 Wat moeten we doen als we straks onvoldoende energie hebben? (zich aanpassen aan)

8 Maak jij gebruik van Greenwheels? (zich aanmelden voor)

9 Doe jij actief mee aan die promotiecampagne? (zich inzetten voor)

10 Ik ben wel geïnteresseerd in zo'n duurzame woning. Hoe kom ik daarvoor in aanmerking? (zich inschrijven voor)

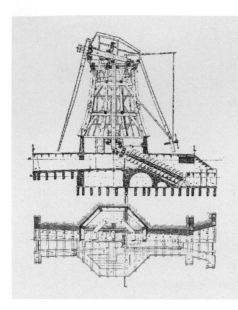

Molens

Van het totale oppervlak van Nederland is 20% veroverd op het water. Nederland is grotendeels 'gemaakt' met behulp van duurzame energie. Vanaf de zestiende tot in de negentiende eeuw werden er honderden windmolens gebouwd waarmee het water uit de polders kon worden gepompt. Een beroemde ingenieur in die dagen was (let op zijn achternaam) Jan Adriaenszoon Leeghwater (1575-1650). In de negentiende eeuw kwam de stoommachine op en raakten de poldermolens buiten gebruik. Naast poldermolens werden er ook veel korenmolens gebouwd voor de productie van meel.

OPDRACHT 31 Tegen windmolens vechten

Duurzame energie is de oplossing voor de toekomst, want de olie- en gasvoorraden beginnen langzaam op te raken. Niet iedereen is blij met alle oplossingen die worden geïntroduceerd. Vooral de komst van steeds meer windmolens wordt niet door iedereen toegejuicht.

Je gaat spreken in groepjes van drie. Iedereen krijgt een andere rol. Verdeel de volgende rollen:

Persoon A   Je bent een politicus van Groen Links en vóór de plaatsing van windmolens bij het dorp Jorwerd.

Persoon B   Je bent een inwoner van het dorp Jorwerd en een tegenstander van windmolens in jouw achtertuin.

Persoon C   Je neemt geen deel aan de discussie maar je luistert naar de manier waarop je medecursisten spreken. Let op de woordvolgorde en het correct gebruik van de werkwoorden. Maak aantekeningen. Na de discussie geef je feedback aan persoon A én B.

Persoon A en B spreken drie minuten over het onderwerp en maken gebruik van de argumenten uit de tabel op bladzijde 257.
Persoon C luistert goed naar persoon A en B, maakt aantekeningen en geeft ten slotte feedback aan persoon A en B.

A	B
▪ De CO_2-uitstoot moet verminderd worden. ▪ De gas- en olievoorraden raken op. De wind is oneindig. ▪ Molens kunnen overal geplaatst worden. Er is geen distributienetwerk voor nodig. ▪ Een windmolenpark is snel en eenvoudig te bouwen.	▪ Windmolens leveren landschapsvervuiling op. ▪ Windmolens veroorzaken geluidsoverlast. ▪ Windmolens kosten veel vogels het leven. ▪ Windenergie is relatief duur.

Wissel nog tweemaal van rol en herhaal de opdracht.

OPDRACHT 32 Staatsexamen deel 1 en 2

De onderstaande opdrachten in deel 1 en 2 zijn vergelijkbaar met de opdrachten uit het Staatsexamen NT2 II.

Deel 1

1 Je partner stelt voor om een auto te kopen. Jij vindt dat niet nodig; er zijn andere mogelijkheden om te reizen. Overtuig hem om geen auto te kopen.

2 Je fiets is gestolen. Je doet aangifte bij de politie. Kijk naar het plaatje.

Vertel hoe je fiets eruitzag. Beschrijf ten minste twee kenmerken.

3 Een van de dingen die mensen kunnen doen om de aarde duurzaam te houden, is vegetarisch eten. Vertel wat je vindt van vegetarisch eten en waarom.

4 Je vriendin heeft een galafeest. Ze wil graag een mooie galajurk dragen op dat feest, maar ze heeft niet zo veel geld en zo'n jurk draag je maar een paar keer. Er is net een winkel geopend met mooie tweedehandskleding. Ze vraagt je wat ze moet doen. Geef haar de suggestie om een tweedehands galajurk te kopen. Geef ook een reden.

Deel 2

1   Een vriend heeft een lekke band. Hij wil zelf zijn band plakken, maar hij heeft dat nog nooit eerder gedaan. Hij vraagt aan jou hoe hij dat moet doen. Jij geeft hem instructies bij de eerste handelingen. Kijk naar de plaatjes.

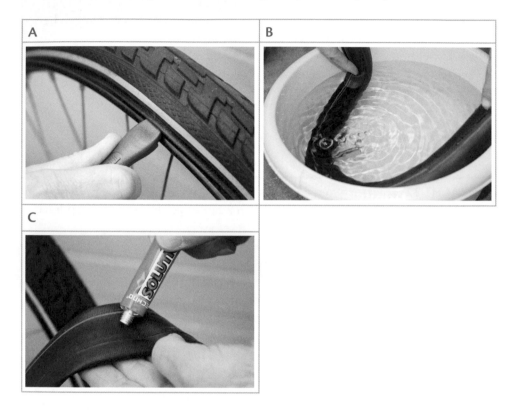

Vertel wat hij moet doen. Gebruik daarbij alle plaatjes.

2   Over een aantal jaren is er een tekort aan gas en olie. Daarom worden er steeds meer windmolens gebouwd. Deze leveren zogenoemde 'groene' energie. Vertel wat je ervan vindt dat er steeds meer windmolens verschijnen. Vertel ook waarom je dat vindt.

3   De kosten voor energie blijven stijgen. Een kennis van je klaagt over de hoge prijzen. Hij vraagt zich af hoe hij op zijn energierekening kan besparen. Hij vraagt jou om suggesties.
Vertel hem wat hij kan doen om energie te besparen. Geef hem ten minste twee tips. Bekijk daarbij ook de volgende informatie.

Je kunt bij je antwoord bijvoorbeeld denken aan:

- andere energieleverancier;
- verwarming lager;
- isoleren;

- gebruik lampen;
- gebruik douche;
- ...

4 Een vriendin wil een tweedehands fiets kopen. Er worden twee fietsen aangeboden. Ze weet niet welke ze moet kiezen. Ze vraagt jou om advies. Kijk naar
de informatie.

Stadsfiets	Elektrische fiets
1 jaar oud geschikt voor korte afstanden en boodschappen prijs: € 300,-	3 jaar oud geschikt voor langere afstanden prijs: € 600,-

Vertel welke fiets jij adviseert en waarom.

OPDRACHT 33 Preposities

Vul de juiste prepositie in.

1 Bent u geïnteresseerd _____ alternatieve energie?

2 Hij probeert zich te onttrekken _____ zijn verplichtingen.

3 Het is niet verstandig om je huid te lang _____ felle zon bloot te stellen.

4 _____ wie heb je in deze cursus veel samengewerkt?

5 Is dit pakketje _____ mij bestemd?

6 Hoe komt het dat het project niet succesvol was? Is dat ergens _____

te wijten?

OPDRACHT 34 Onregelmatige werkwoorden

aanbevelen ▪ blinken ▪ druipen ▪ graven ▪ overwegen ▪ uitwringen ▪ vreten ▪
wijten ▪ zinken

Vul de bovenstaande werkwoorden in de juiste werkwoordsvorm in (imperfectum of participium).

1 Ongelooflijk. Die beesten _____ echt alles.

2 Het bloed _____ van hun tanden terwijl ze aan het eten waren.

3 De archeoloog _____ gaten voor het oude kasteel en vond helmen van Spaanse soldaten.

4 De verandering van het klimaat moet niet per se aan menselijke activiteiten _____ worden.

5 De Titanic _____ bijna onmiddellijk nadat het schip doormidden was gebroken.

6 De medailles die de Nederlandse schaatsers hadden veroverd _____ voor de televisiecamera's.

7 Nadat hij de handdoek had _____ was deze grotendeels droog.

8 Ik heb je dat boek _____ niet omdat ik het goed vond maar vanwege de interessante invalshoek die de schrijver gekozen heeft.

9 Heb jij wel eens _____ om gebruik te maken van Green-wheels?

// Op de website bij dit boek staan nog meer oefeningen bij dit hoofdstuk. Je vindt ze op **www.coutinho.nl/nederlandsopniveau**.

Vocabulairelijst hoofdstuk 6

vet = 0-2000 meest frequente woorden; *cursief = woorden met een frequentie tussen 2000 en 5000;* normaal = woorden met een frequentie boven 5000

Receptief
kiekje
bulderen
lichtvaardig
uitgebannen

Idiomatisch taalgebruik
naar hartenlust
het erover hebben

het kwartje valt
je de ogen doen openen
op pad gaan

Britse fietsimmigrant over Nederland
aantonen
bestemd zijn voor
blootstellen aan
gaandeweg

huidig

omstreden

omwille van

overnemen

overwegen

overweging, de

schuilen

uitpuilen

verrichten

verrichting, de

zorg, de

zorgen baren

Duurzame huid voor rijtjeshuis

afronden

amper

beslaan

doorzichtig

kriskras

nauw

onttrekken aan

pand, het

verslinden

verwijderen

verwijdering, de

voortzetten

voortzetting, de

zogenaamd

zonde, (de)

Preposities

bestemd zijn voor

blootstellen aan

geïnteresseerd zijn in

onttrekken aan

samenwerken met

wijten aan

Onregelmatige werkwoorden

aanbevelen

blinken

druipen

graven

overwegen

(uit)wringen

vreten

wijten

zinken

Reflectie

Reflecteer op elk punt. Wat kun je? Vul het overzicht in.

Dit kan ik	nog niet	bijna	voldoende
Lezen			
Ik kan snel belangrijke detailinformatie vinden in lange en complexe teksten, zoals op de website van *Greenwheels* en *Duurzame bruiloft*.			
Ik kan teksten begrijpen over actuele onderwerpen waarin de schrijver een bepaald standpunt inneemt, zoals *Britse fietsimmigrant over Nederland* en *Duurzame huid voor rijtjeshuis*.			
Ik kan literaire en non-fictie teksten lezen met een redelijke mate van begrip voor het geheel en voor details, zoals in het gedicht *Diagnose Homo sapiens*.			

Luisteren			
Ik kan de essentie begrijpen van moeilijke tv-programma's als er in standaardtaal en in normaal tempo wordt gesproken, zoals in *Boerderijen met zeewier.*			
Ik kan met enige moeite veel begrijpen van gesprekken over een voor mij interessant thema, zoals in *Toogethr.*			
Ik kan complexe informatie begrijpen over onderwerpen uit het dagelijks leven of het eigen beroep of vakgebied, zoals *Ruimteschip Aarde.*			
Gesprekken voeren			
Ik kan actief meedoen aan routinematige en niet-routinematige discussies, zoals de discussie over energiebesparing.			
Ik kan initiatief nemen in een vraaggesprek, kan ideeën ontwikkelen en ze uitbreiden met een beetje hulp of stimulans van de gesprekspartner, zoals in de bespreking van de aardboltest.			
Ik kan onderhandelen, zoals het onderhandelen over zonnepanelen.			
Ik kan in een discussie mijn mening naar voren brengen, verantwoorden en overeind houden, zoals in de discussie over windmolens.			
Schrijven			
Ik kan in persoonlijke brieven, e-mails en in internetgroepen nieuws en standpunten van een ander becommentariëren, zoals het schrijven van een advies over een duurzame bruiloft.			
Ik kan een redelijk gedetailleerd verslag maken, zoals het schrijven van een instructie bij het plaatsen van zonnepanelen.			

Bijlage 1a
Checklist B1

A1 tot en met C2 zijn taalniveaus zoals het Europees Referentiekader ze heeft beschreven. Veel instituten in de Europese Gemeenschap gebruiken deze beschrijvingen. Hier volgen de beschrijvingen van de niveaus B1 (bijlage 1a) en B2 (bijlage 1b).

B1 Luisteren

- ☐ 1 Ik kan de hoofdzaak van een kort verhaal begrijpen dat iemand vertelt, wanneer hij daarbij duidelijk spreekt.
- ☐ 2 Ik kan feitelijke informatie over alledaagse zaken begrijpen, zoals school, werk en vrije tijd als de spreker de standaardtaal gebruikt (geen accent).
- ☐ 3 Ik kan als toehoorder een verhaal over mij bekende onderwerpen begrijpen, als er duidelijk wordt gesproken en het verhaal goed is opgebouwd.
- ☐ 4 Ik kan gedetailleerde aanwijzingen begrijpen.
- ☐ 5 Ik kan iemand begrijpen, die eenvoudige technische informatie geeft over het gebruik van alledaagse apparaten.
- ☐ 6 Ik kan de hoofdzaken van nieuwsuitzendingen op de radio begrijpen, als het over bekende onderwerpen gaat en er tamelijk langzaam en duidelijk gesproken wordt.
- ☐ 7 Ik kan begrijpen waarover het gaat, als ik naar radio-uitzendingen of opgenomen materiaal in het algemeen luister, over onderwerpen die mij interesseren en die zonder een sterk accent worden gesproken.
- ☐ 8 Ik kan films volgen als het verhaal door beeld en actie duidelijk wordt en de taal niet te moeilijk is.
- ☐ 9 Ik kan een groot deel van veel tv-programma's waaronder interviews en actualiteitenrubrieken begrijpen, over onderwerpen die mij interesseren, als die duidelijk en helder gepresenteerd worden.
- ☐ 10 Ik kan de betekenis van onbekende woorden raden, als het onderwerp van de tekst mij interesseert.

B1 Lezen

- ☐ 1 Ik kan feitelijke teksten over onderwerpen op mijn vakgebied of interessegebied in voldoende mate begrijpen.
- ☐ 2 Ik kan de beschrijving van gebeurtenissen, gevoelens en wensen in persoonlijke brieven begrijpen.

☐ 3   Ik kan de belangrijkste informatie halen uit brieven, brochures en korte offi-
        ciële documenten.

☐ 4   Ik kan specifieke informatie opzoeken in langere teksten en informatie
        verzamelen uit verschillende teksten, bijvoorbeeld ten behoeve van een
        project.

☐ 5   Ik kan hoofdpunten herkennen in krantenartikelen over bekende onderwer-
        pen.

☐ 6   Ik kan de belangrijkste argumenten en hoofdconclusies herkennen in duide-
        lijk opgebouwde teksten.

☐ 7   Ik kan duidelijk geschreven gebruiksaanwijzingen en handleidingen begrij-
        pen.

☐ 8   Ik kan de betekenis van onbekende woorden raden, als het onderwerp van
        de tekst mij interesseert.

B1 Spreken

☐ 1   Ik kan mijn gesprekspartner in gesprekken over alledaagse onderwerpen
        begrijpen als hij duidelijk spreekt, maar ik moet soms wel om herhaling van
        bepaalde woorden of uitdrukkingen vragen.

☐ 2   Ik kan onvoorbereid aan een gesprek over bekende onderwerpen deelne-
        men.

☐ 3   Ik kan zeggen dat ik verrast, blij, bedroefd of onverschillig ben en daarop
        reageren als anderen dat zijn.

☐ 4   Ik kan aan een gesprek of discussie deelnemen, maar heb soms moeite om
        precies te zeggen wat ik bedoel.

☐ 5   Ik kan over boeken, films, muziek en dergelijke met anderen van gedachten
        wisselen.

☐ 6   Ik kan iets op een andere manier uitdrukken als mijn gesprekspartner mij
        niet begrijpt.

☐ 7   Ik kan iemand vragen om te verduidelijken wat er net gezegd is.

☐ 8   Ik kan op een beleefde wijze mijn mening, overtuiging, instemming en af-
        keur uitdrukken.

☐ 9   Ik kan mij in minder voorspelbare situaties in winkels, banken en dergelijke
        redden en iets waarover ik ontevreden ben ruilen of mijn beklag doen.

☐ 10 Ik kan een kort verhaal, artikel, gesprek of discussie samenvatten en op de-
        tailvragen van anderen reageren.

B1 Schrijven

☐ 1 Ik kan persoonlijke briefjes schrijven waarin ik iets nieuws meedeel en mijn mening over onderwerpen als muziek en films geef.

☐ 2 Ik kan redelijk gedetailleerde persoonlijke brieven schrijven over ervaringen, gevoelens en gebeurtenissen.

☐ 3 Ik kan (bijv. telefonische) mededelingen van iemand anders opschrijven, waarin om inlichtingen wordt gevraagd of waarin problemen worden uitgelegd.

☐ 4 Ik kan memo's schrijven over zaken die belangrijk zijn voor vrienden, dienstverleners, docenten en anderen, waarin ik de belangrijkste punten op een begrijpelijke manier kan duidelijk maken.

☐ 5 Ik kan een verslag maken van ervaringen en gevoelens in een eenvoudige, maar samenhangende tekst.

☐ 6 Ik kan eenvoudige gedetailleerde beschrijvingen maken over een groot aantal bekende onderwerpen, die mijn belangstelling hebben.

☐ 7 Ik kan een verslag schrijven, bijvoorbeeld van een echte of denkbeeldige reis.

☐ 8 Ik kan korte rapporten schrijven in een standaardformaat waarin feitelijke informatie en actiepunten worden aangegeven.

☐ 9 Ik kan eenvoudige opstellen schrijven over onderwerpen die mij interesseren.

☐ 10 Ik kan met enig zelfvertrouwen verzamelde feitelijke informatie over bekende en minder bekende zaken samenvatten, erover rapporteren en er een mening over geven.

Bron: Taalprofielen, NaB-MVT 2004

Bijlage 1b
Checklist B2

B2 Luisteren

☐ 1 Ik kan live-gesproken of opgenomen teksten in de standaardtaal (geen dialect) over minder bekende onderwerpen en over specifieke onderwerpen in het eigen vakgebied begrijpen.

☐ 2 Ik kan een ingewikkeld betoog volgen als ik met het onderwerp vertrouwd ben en het goed is opgebouwd.

☐ 3 Ik kan de hoofdzaken van lezingen, voordrachten en verslagen over vakspecifieke onderwerpen volgen, ook als de argumentatie en het taalgebruik ingewikkeld zijn.

☐ 4 Ik kan aankondigingen en mededelingen begrijpen over concrete en abstracte onderwerpen die in standaardtaal en in normaal tempo gesproken worden.

☐ 5 Ik kan de meeste radio- en tv-programma's waaronder documentaires, actualiteitenrubrieken, talkshows en films volgen als de standaardtaal wordt gesproken.

☐ 6 Ik kan met behulp van strategieën (zoals het herkennen van hoofd- en bijzaken en het gebruik van aanwijzingen in de context) allerlei teksten beter begrijpen.

B2 Lezen

☐ 1 Ik kan zelfstandig een tekst lezen waarbij ik mijn manier van lezen en de leessnelheid aanpas aan het soort tekst en het leesdoel.

☐ 2 Ik kan selectief gebruikmaken van woordenboeken om niet vaak voorkomende woorden op te zoeken.

☐ 3 Ik kan brieven over onderwerpen die mij interesseren lezen en er snel de belangrijkste informatie uit halen.

☐ 4 Ik kan snel relevante details in lange en ingewikkelde teksten opzoeken.

☐ 5 Ik kan bij allerlei soorten nieuwsberichten, artikelen of verslagen snel bepalen of het de moeite waard is deze nader te bestuderen.

☐ 6 Ik kan artikelen en verslagen begrijpen over hedendaagse problemen waarin de schrijvers bepaalde standpunten innemen.

☐ 7 Ik kan artikelen over heel specifieke onderwerpen begrijpen als ik een woordenboek mag gebruiken.

☐ 8 Ik kan met behulp van strategieën (zoals het herkennen van hoofd- en bijzaken en het gebruik van aanwijzingen in de context) allerlei teksten beter
begrijpen.

B2 Spreken

☐ 1 Ik kan aan gesprekken deelnemen over algemene onderwerpen en mijn
gesprekspartners goed begrijpen als zij de standaardtaal spreken, zelfs als er
veel achtergrondlawaai is.

☐ 2 Ik kan aan een gesprek met meer sprekers van de taal deelnemen als zij in
hun taalgebruik rekening met mij houden.

☐ 3 Ik kan contacten met sprekers van de taal onderhouden, waarbij ik mij niet
belachelijk maak of irritaties oproep.

☐ 4 Ik kan afhankelijk van de situatie mijn gevoelens over gebeurtenissen die mij
raken onder woorden brengen.

☐ 5 Ik kan in discussie gaan met gesprekspartners en daarbij mijn meningen en
ideeën duidelijk naar voren brengen en argumenten invoeren.

☐ 6 Ik kan een probleem helder uiteenzetten en daarbij oorzaken en gevolgen,
voor- en nadelen of verschillende oplossingen ter overweging bieden.

☐ 7 Ik kan in discussie gaan over zaken als een onterechte bekeuring of beschuldiging.

☐ 8 Ik kan een probleem uitleggen of duidelijk maken dat ik recht heb op ge-
noegdoening of compensatie.

☐ 9 Ik kan informatie en argumenten uit verschillende bronnen samenvatten en
erover rapporteren.

☐ 10 Ik kan complexe informatie en adviezen uitwisselen over alles wat mijn werk
betreft.

☐ 11 Ik kan vaste uitdrukkingen gebruiken om tijd te winnen en aan het woord
te blijven.

☐ 12 Ik kan een discussie over een vertrouwd onderwerp in goede banen leiden
door te laten merken dat ik het begrepen heb en anderen uit te nodigen
deel te nemen.

B2 Schrijven

☐ 1 Ik kan informatie en meningen duidelijk onder woorden brengen en ingaan op de meningen van anderen.

☐ 2 Ik kan mijn gevoelens over gebeurtenissen die mij raken onder woorden brengen en commentaar geven op hetgeen de schrijver van een tekst mij meedeelt.

☐ 3 Ik kan heldere en gedetailleerde teksten schrijven over verschillende onderwerpen waarvoor ik mij interesseer en daarbij informatie en argumenten uit verschillende bronnen samenvatten en op hun waarde schatten.

☐ 4 Ik kan een recensie schrijven over een boek, film of toneelstuk.

☐ 5 Ik kan heldere gedetailleerde beschrijvingen geven van echte of verzonnen gebeurtenissen en ervaringen waarbij ik een samenhangende tekst schrijf en waarbij ik rekening houd met het soort tekst (essay, brief, verslag et cetera).

☐ 6 Ik kan een essay of verslag schrijven waarbij ik een redenering opbouw en argumenten vóór en tegen een specifiek standpunt geef en voor- en nadelen van verschillende mogelijkheden uiteenzet.

☐ 7 Ik kan informatie en argumenten uit verschillende bronnen samenvatten.

Bijlage 2a
Onregelmatige werkwoorden – bekend en nieuw

vet   = 0-2000 meest frequente woorden
cursief   = *woorden met een frequentie tussen 2000 en 5000*
normaal = woorden met een frequentie boven 5000

Bekend verondersteld

infinitief	imperfectum		perfectum
aanbieden	**bood aan, boden aan**		**aangeboden**
bakken	*bakte, bakten*		*gebakken*
bederven	*bedierf, bedierven*		*bedorven*
beginnen	**begon, begonnen**	is	**begonnen**
begrijpen	**begreep, begrepen**		**begrepen**
bestrijden	*bestreed, bestreden*		*bestreden*
betreffen	**betrof, betroffen**		**betroffen**
bevelen	**beval, bevalen**		**bevolen**
bidden	**bad, baden**		**gebeden**
bieden	**bood, boden**		**geboden**
bijten	**beet, beten**		**gebeten**
binden	**bond, bonden**		**gebonden**
blijken	**bleek, bleken**	is	**gebleken**
blijven	**bleef, bleven**	is	**gebleven**
breken	**brak, braken**		**gebroken**
brengen	**bracht, brachten**		**gebracht**
buigen	**boog, bogen**		**gebogen**
denken	**dacht, dachten**		**gedacht**
doen	**deed, deden**		**gedaan**
dragen	**droeg, droegen**		**gedragen**
drijven	**dreef, dreven**	(is)	**gedreven**
dringen	**drong, drongen**		**gedrongen**

drinken	dronk, dronken		gedronken
dwingen	dwong, dwongen		gedwongen
ervaren	ervoer, ervoeren		ervaren
eten	at, aten		gegeten
fluiten	*floot, floten*		*gefloten*
gaan	ging, gingen	is	gegaan
gelden	gold, golden		gegolden
genieten	genoot, genoten		genoten
geven	gaf, gaven		gegeven
glijden	gleed, gleden	(is)	gegleden
grijpen	greep, grepen		gegrepen
hangen	hing, hingen		gehangen
hebben	had, hadden		gehad
helpen	hielp, hielpen		geholpen
houden	hield, hielden		gehouden
kiezen	koos, kozen		gekozen
kijken	keek, keken		gekeken
klimmen	klom, klommen	(is)	geklommen
klinken	klonk, klonken		geklonken
komen	kwam, kwamen	is	gekomen
kopen	kocht, kochten		gekocht
krijgen	kreeg, kregen		gekregen
kruipen	kroop, kropen		gekropen
kunnen	kon, konden		gekund
lachen	lachte, lachten		gelachen
laten	liet, lieten		gelaten
lezen	las, lazen		gelezen
liegen	loog, logen		gelogen
liggen	lag, lagen		gelegen
lijden	leed, leden		geleden
lijken	leek, leken		geleken
lopen	liep, liepen	(is)	gelopen
moeten	moest, moesten		gemoeten

mogen	mocht, mochten		gemogen
nemen	nam, namen		genomen
ontvangen	ontving, ontvingen		ontvangen
ophangen	hing op, hingen op		opgehangen
opsteken	stak op, staken op		opgestoken
optreden	trad op, traden op		opgetreden
rijden	reed, reden	(is)	gereden
roepen	riep, riepen		geroepen
ruiken	rook, roken		geroken
scheiden	scheidde, scheidden	is	gescheiden
schelden	*schold, scholden*		*gescholden*
schenken	schonk, schonken		geschonken
scheren	*schoor, schoren*		*geschoren*
schieten	schoot, schoten		geschoten
schijnen	scheen, schenen		geschenen
schrijven	schreef, schreven		geschreven
schrikken	schrok, schrokken	is	geschrokken
schuiven	schoof, schoven		geschoven
slaan	sloeg, sloegen		geslagen
slapen	sliep, sliepen		geslapen
sluiten	sloot, sloten		gesloten
smelten	*smolt, smolten*		*gesmolten*
snijden	sneed, sneden		gesneden
spreken	sprak, spraken		gesproken
springen	sprong, sprongen		gesprongen
staan	stond, stonden		gestaan
steken	stak, staken		gestoken
stelen	*stal, stalen*		*gestolen*
sterven	stierf, stierven	is	gestorven
stijgen	steeg, stegen	is	gestegen
stinken	*stonk, stonken*		*gestonken*
strijden	*streed, streden*		*gestreden*
treden	trad, traden		getreden

treffen	trof, troffen		getroffen
trekken	trok, trokken		getrokken
uitzenden	*zond uit, zonden uit*		*uitgezonden*
vallen	viel, vielen	is	gevallen
vangen	ving, vingen		gevangen
varen	voer, voeren		gevaren
vechten	vocht, vochten		gevochten
verbergen	verborg, verborgen		verborgen
verbieden	verbood, verboden		verboden
verdwijnen	verdween, verdwenen	is	verdwenen
vergelijken	vergeleek, vergeleken		vergeleken
vergeten	vergat, vergaten	(is)	vergeten
verliezen	verloor, verloren		verloren
verschijnen	verscheen, verschenen	is	verschenen
verzinnen	*verzon, verzonnen*		*verzonnen*
vinden	vond, vonden		gevonden
vliegen	vloog, vlogen	(is)	gevlogen
vragen	vroeg, vroegen		gevraagd
vriezen	*vroor (het), –*		*gevroren*
waaien	*waaide, waaiden* *woei (het), –*		*gewaaid*
wassen	waste, wasten		gewassen
werpen	wierp, wierpen		geworpen
weten	wist, wisten		geweten
wijzen	*wees, wezen*		*gewezen*
willen	wilde, wilden wou, -		gewild
winnen	won, wonnen		gewonnen
worden	werd, werden	is	geworden
zeggen	zei, zeiden		gezegd
zenden	zond, zonden		gezonden
zien	zag, zagen		gezien
zijn	was, waren	is	geweest

zingen	zong, zongen		gezongen
zitten	zat, zaten		gezeten
zoeken	zocht, zochten		gezocht
zullen	zou, zouden		–
zwemmen	zwom, zwommen		gezwommen
zwijgen	zweeg, zwegen		gezwegen

Nieuw in dit boek

(af)wijken	week af, weken af	is	afgeweken
(ont)bijten	(ont)beet, (ont)beten		ontbeten / gebeten
(op)bergen	(op)borg, (op)borgen		(op)geborgen
(op)winden	(op)wond, (op)wonden		(op)gewonden
(uit)wringen	(uit)wrong, (uit)wrongen		(uit)gewrongen
(ver)heffen	(ver)hief, (ver)hieven		(ver)heven / geheven
(ver)slijten	(ver)sleet, (ver)sleten		(ver)sleten / gesleten
(ver)werpen	(ver)wierp, (ver)wierpen		(ver)worpen / geworpen
(ver)werven	(ver)wierf, (ver)wierven		(ver)worven / geworven
aanbevelen	beval aan, bevalen aan		aanbevolen
bedragen	bedroeg, bedroegen		bedragen
bedriegen	bedroog, bedrogen		bedrogen
bewegen	bewoog, bewogen		bewogen
bewijzen	bewees, bewezen		bewezen
bijten	beet, beten		gebeten
blazen	blies, bliezen		geblazen
blinken	blonk, blonken		geblonken
druipen	droop, dropen	(is)	gedropen
duiken	dook, doken	(is)	gedoken
gedragen	gedroeg, gedroegen		gedragen
genezen	genas, genazen		genezen
gieten	goot, goten		gegoten
glimmen	glom, glommen		geglommen
graven	groef, groeven		gegraven
knijpen	kneep, knepen		geknepen

krimpen	*kromp, krompen*	*gekrompen*
meten	*mat, maten*	*gemeten*
onderhouden	*onderhield, onderhielden*	*onderhouden*
ondernemen	*ondernam, ondernamen*	*ondernomen*
ontbreken	**ontbrak, ontbraken**	**ontbroken**
onthouden	*onthield, onthielden*	*onthouden*
ontslaan	*ontsloeg, ontsloegen*	*ontslagen*
ontwerpen	**ontwierp, ontwierpen**	**ontwierpen**
overwegen	**overwoog, overwogen**	**overwogen**
prijzen	*prees, prezen*	*geprezen*
raden	*raadde, raadden*	*geraden*
schuilen	*school, scholen*	*gescholen*
sluipen	*sloop, slopen*	*geslopen*
spijten	speet (het), –	gespeten
spuiten	*spoot, spoten*	*gespoten*
strijken	streek, streken	gestreken
toestaan	*stond toe, stonden toe*	*toegestaan*
verkopen	**verkocht, verkochten**	**verkocht**
vermijden	vermeed, vermeden	vermeden
verraden	*verraadde, verraadden*	*verraden*
verstaan	**verstond, verstonden**	**verstaan**
vervangen	**verving, vervingen**	**vervingen**
verzoeken	*verzocht, verzochten*	*verzocht*
vreten	*vrat, vraten*	*gevreten*
waarnemen	**nam waar, namen waar**	**waargenomen**
wegen	*woog, wogen*	*gewogen*
wijten	*weet, weten*	*geweten*
wrijven	wreef, wreven	gewreven
zinken	zonk, zonken	gezonken
zuigen	*zoog, zogen*	*gezogen*
zwerven	*zwierf, zwierven*	*gezworven*

Bijlage 2b
Onregelmatige werkwoorden – alfabetisch

vet   = 0-2000 meest frequente woorden
cursief   = *woorden met een frequentie tussen 2000 en 5000*
normaal = woorden met een frequentie boven 5000

(af)wijken	*week af, weken af*	is	*afgeweken / geweken*
(ont)bijten	*(ont)beet, (ont)beten*		ontbeten / gebeten
(op)bergen	*(op)borg, (op)borgen*		*(op)geborgen*
(op)winden	*(op)wond, (op)wonden*		*(op)gewonden*
(uit)wringen	(uit)wrong, (uit)wrongen		(uit)gewrongen
(ver)heffen	*(ver)hief, (ver)hieven*		*verheven / geheven*
(ver)slijten	(ver)sleet, (ver)sleten		versleten / gesleten
(ver)werpen	(ver)wierp, (ver)wierpen		verworpen / geworpen
(ver)werven	(ver)wierf, (ver)wierven		verworven / geworven
aanbevelen	*beval aan, bevalen aan*		*aanbevolen*
aanbieden	bood aan, boden aan		aangeboden
bakken	*bakte, bakten*		*gebakken*
bederven	*bedierf, bedierven*		*bedorven*
bedragen	*bedroeg, bedroegen*		*bedragen*
bedriegen	*bedroog, bedrogen*		*bedrogen*
beginnen	**begon, begonnen**	is	**begonnen**
begrijpen	**begreep, begrepen**		**begrepen**
bestrijden	*bestreed, bestreden*		*bestreden*
betreffen	**betrof, betroffen**		**betroffen**
bevelen	beval, bevalen		bevolen
bewegen	**bewoog, bewogen**		**bewogen**
bewijzen	**bewees, bewezen**		**bewezen**
bidden	**bad, baden**		**gebeden**
bieden	**bood, boden**		**geboden**
binden	**bond, bonden**		**gebonden**
blazen	**blies, bliezen**		**geblazen**
blijken	**bleek, bleken**	is	**gebleken**

blijven	bleef, bleven	is	gebleven
blinken	*blonk, blonken*		*geblonken*
braden	braadde, braadden		gebraden
breken	brak, braken		gebroken
brengen	bracht, brachten		gebracht
buigen	boog, bogen		gebogen
denken	dacht, dachten		gedacht
doen	deed, deden		gedaan
dragen	droeg, droegen		gedragen
drijven	dreef, dreven	(is)	gedreven
dringen	drong, drongen		gedrongen
drinken	dronk, dronken		gedronken
druipen	*droop, dropen*	(is)	*gedropen*
duiken	dook, doken	(is)	gedoken
dwingen	dwong, dwongen		gedwongen
ervaren	ervoer, ervoeren		ervaren
eten	at, aten		gegeten
fluiten	*floot, floten*		*gefloten*
gaan	ging, gingen	is	gegaan
gedragen	gedroeg, gedroegen		gedragen
gelden	gold, golden		gegolden
genezen	genas, genazen		genezen
genieten	genoot, genoten		genoten
geven	gaf, gaven		gegeven
gieten	*goot, goten*		*gegoten*
glijden	gleed, gleden	(is)	gegleden
glimmen	*glom, glommen*		*geglommen*
graven	*groef, groeven*		*gegraven*
grijpen	greep, grepen		gegrepen
hangen	hing, hingen		gehangen
hebben	had, hadden		gehad
helpen	hielp, hielpen		geholpen
heten	heette, heetten		geheten
houden	hield, hielden		gehouden

jagen	jaagde, jaagden joeg, joegen		gejaagd
kiezen	koos, kozen		gekozen
kijken	keek, keken		gekeken
klimmen	klom, klommen	(is)	geklommen
klinken	klonk, klonken		geklonken
knijpen	kneep, knepen		geknepen
komen	kwam, kwamen	is	gekomen
kopen	kocht, kochten		gekocht
krijgen	kreeg, kregen		gekregen
krimpen	kromp, krompen		gekrompen
kruipen	kroop, kropen		gekropen
kunnen	kon, konden		gekund
lachen	lachte, lachten		gelachen
laten	liet, lieten		gelaten
lezen	las, lazen		gelezen
liegen	loog, logen		gelogen
liggen	lag, lagen		gelegen
lijden	leed, leden		geleden
lijken	leek, leken		geleken
lopen	liep, liepen	(is)	gelopen
meten	mat, maten		gemeten
moeten	moest, moesten		gemoeten
mogen	mocht, mochten		gemogen
nemen	nam, namen		genomen
onderhouden	onderhield, onderhielden		onderhouden
ondernemen	ondernam, ondernamen		ondernomen
ontbijten	ontbeet, ontbeten		ontbeten
ontbreken	ontbrak, ontbraken		ontbroken
onthouden	onthield, onthielden		onthouden
ontslaan	ontsloeg, ontsloegen		ontslagen
ontvangen	ontving, ontvingen		ontvangen
ontwerpen	ontwierp, ontwierpen		ontworpen
opbergen	borg op, borgen op		opgeborgen

ophangen	hing op, hingen op		opgehangen
opsteken	stak op, staken op	(is)	opgestoken
optreden	trad op, traden op		opgetreden
overwegen	overwoog, overwogen		overwogen
opwinden	*wond op, wonden op*		*opgewonden*
prijzen	*prees, prezen*		*geprezen*
raden	*raadde, raadden*		*geraden*
rijden	reed, reden	(is)	gereden
roepen	riep, riepen		geroepen
ruiken	rook, roken		geroken
scheiden	scheidde, scheidden	(is)	gescheiden
schelden	*schold, scholden*		*gescholden*
schenken	schonk, schonken		geschonken
scheppen	schiep, schiepen		geschapen
scheren	*schoor, schoren*		*geschoren*
schieten	schoot, schoten		geschoten
schijnen	scheen, schenen		geschenen
schrijven	schreef, schreven		geschreven
schrikken	schrok, schrokken	is	geschrokken
schuilen	*school, scholen*		*gescholen*
schuiven	schoof, schoven		geschoven
slaan	sloeg, sloegen		geslagen
slapen	sliep, sliepen		geslapen
sluipen	*sloop, slopen*		*geslopen*
sluiten	sloot, sloten		gesloten
smelten	*smolt, smolten*		*gesmolten*
smijten	*smeet, smeten*		*gesmeten*
snijden	sneed, sneden		gesneden
spijten	*speet (het), –*		*gespeten*
spreken	sprak, spraken		gesproken
springen	sprong, sprongen		gesprongen
spuiten	*spoot, spoten*		*gespoten*
staan	stond, stonden		gestaan
steken	stak, staken		gestoken

stelen	stal, stalen		gestolen
sterven	stierf, stierven	is	gestorven
stijgen	steeg, stegen	is	gestegen
stinken	stonk, stonken		gestonken
strijden	streed, streden		gestreden
strijken	streek, streken		gestreken
toestaan	stond toe, stonden toe		toegestaan
treden	trad, traden		getreden
treffen	trof, troffen		getroffen
trekken	trok, trokken		getrokken
uitzenden	zond uit, zonden uit		uitgezonden
vallen	viel, vielen	is	gevallen
vangen	ving, vingen		gevangen
varen	voer, voeren		gevaren
vechten	vocht, vochten		gevochten
verbergen	verborg, verborgen		verborgen
verbieden	verbood, verboden		verboden
verdwijnen	verdween, verdwenen	is	verdwenen
vergelijken	vergeleek, vergeleken		vergeleken
vergeten	vergat, vergaten	(is)	vergeten
verheffen	verhief, verhieven		verheven
verkopen	verkocht, verkochten		verkocht
verlaten	verliet, verlieten		verlaten
verliezen	verloor, verloren		verloren
vermijden	vermeed, vermeden		vermeden
verraden	verraadde, verraadden		verraden
verschijnen	verscheen, verschenen	is	verschenen
verstaan	verstond, verstonden		verstaan
vervangen	verving, vervingen		vervangen
verwerpen	verwierp, verwierpen		verworpen
verwerven	verwierf, verwierven		verworven
verzinnen	verzon, verzonnen		verzonnen
verzoeken	verzocht, verzochten		verzocht
vinden	vond, vonden		gevonden

vliegen	vloog, vlogen	(is)	gevlogen
vouwen	vouwde, vouwden		gevouwen
vragen	vroeg, vroegen		gevraagd
vreten	vrat, vraten		gevreten
vriezen	vroor (het), –		gevroren
waaien	waaide, waaiden		gewaaid
	woei (het), –		
waarnemen	nam waar, namen waar		waargenomen
wassen	waste, wasten		gewassen
wegen	woog, wogen		gewogen
werpen	wierp, wierpen		geworpen
weten	wist, wisten		geweten
wijten	weet, weten		geweten
wijzen	wees, wezen		gewezen
willen	wilde, wilden		gewild
	wou, wouden		
winnen	won, wonnen		gewonnen
worden	werd, werden	is	geworden
wrijven	wreef, wreven		gewreven
zeggen	zei, zeiden		gezegd
zenden	zond, zonden		gezonden
zien	zag, zagen		gezien
zijn	was, waren	is	geweest
zingen	zong, zongen		gezongen
zinken	zonk, zonken	is	gezonken
zitten	zat, zaten		gezeten
zoeken	zocht, zochten		gezocht
zuigen	zoog, zogen		gezogen
zullen	zou, zouden		–
zwemmen	zwom, zwommen	is	gezwommen
zweren	zwoor, zworen		gezworen
zwerven	zwierf, zwierven		gezworven
zwijgen	zweeg, zwegen		gezwegen

Bijlage 3
Correctiemodel voor schrijfopdrachten

Schrijfopdrachten worden door de docent voorzien van bepaalde codes. Deze codes geven aan wat voor fout je hebt gemaakt. Je kunt daarna zelf je tekst corrigeren en opnieuw inleveren bij je docent. Als er dan nog fouten in staan, verbetert de docent ze.

WVO Kijk naar de woordvolgorde. Let vooral op de werkwoorden.

WW De vorm van dit werkwoord is niet juist. Kijk naar het subject of de andere werkwoorden.

T De tijd van het werkwoord is niet goed. Tijd: presens, imperfectum, perfectum of plusquamperfectum.

? Dit woord / deze zin is niet duidelijk.

V Hier is een woord vergeten.

VOC Dit vocabulaire past niet in de situatie. Gebruik een ander woord.

SP De spelling is niet juist.

PL De pluralis van het substantief is niet goed.

L Gebruik een (ander) lidwoord, of gebruik hier juist geen lidwoord.

ADJ De vorm van dit adjectief is niet goed. Voeg een -e toe of haal een -e weg.

PR Dit pronomen is niet juist.

PREP Gebruik hier een (andere) prepositie.

INT De interpunctie is niet goed: kijk naar de punten en de komma's. Hier komt wel of geen hoofdletter.

| Hier begint een nieuwe zin of hier eindigt de zin.

Bijlage 4
Grammaticaregels

Hoofdstuk 1

Conjuncties

Met de conjuncties **dus, en, maar, of** en **want** combineer je twee hoofdzinnen, dus in beide zinnen is de volgorde: subject – persoonsvorm – andere elementen:

Ik spreek natuurlijk Engels, want dat is mijn moedertaal.

of met inversie: ander element – persoonsvorm – subject:

In september ben ik met een cursus Nederlands begonnen, dus nu spreek ik al een beetje Nederlands.

Met de andere conjuncties zoals **alsof, dat, doordat, hoewel, indien, mits, naarmate, nadat, nu, ofschoon, omdat, opdat, sinds, tenzij, terwijl, toen, totdat, voordat, wanneer, zodat, zodra, zolang** combineer je een hoofdzin en een bijzin. In een bijzin staan de werkwoorden aan het eind.

Ik kan een beetje Spaans begrijpen, als de mensen rustig spreken.

Als een zin met een bijzin begint, gebruik je inversie in de hoofdzin. De persoonsvorm komt dus direct na de bijzin:

Omdat ik een jaar in Nederland blijf, wil ik de taal leren.

Verwante adverbia

De volgende conjuncties en adverbia hebben ongeveer dezelfde betekenis:

omdat	en	daarom
doordat	en	daardoor
voordat	en	daarvoor
nadat	en	daarna

Op deze adverbia volgt geen bijzin zoals bij de conjuncties, maar een hoofdzin met inversie.

Ik blijf een jaar in Nederland.   Ik wil daarom de taal leren spreken.

Daarom wil ik de taal leren spreken. (inversie)

Het gebruik van zou(den): een wens

Een wens kan worden geformuleerd met een combinatie van:
zou(den) – 'graag' of 'weleens' – willen – werkwoord(en).

Ik zou graag snel Nederlands willen leren.
Ik zou weleens een cursus Spaans willen gaan doen.

Hoofdstuk 2

Passieve zinnen

De vormen van actieve en passieve zinnen zijn:

	Actieve vorm	Passieve vorm
Presens	Een ervaren docent **geeft** de intensieve cursus Nederlands.	De intensieve cursus Nederlands **wordt** door een ervaren docent **gegeven**.
Imperfectum	Een ervaren docent **gaf** de intensieve cursus Nederlands.	De intensieve cursus Nederlands **werd** door een ervaren docent **gegeven**.
Perfectum	Een ervaren docent **heeft** de intensieve cursus Nederlands **gegeven**.	De intensieve cursus Nederlands is door een ervaren docent **gegeven**.
Plusquam-perfectum	Een ervaren docent **had** de intensieve cursus Nederlands **gegeven**.	De intensieve cursus Nederlands **was** door een ervaren docent **gegeven**.

In de actieve vorm ligt de nadruk op het subject, degene die de handeling doet. In de passieve vorm ligt de nadruk op de handeling. Door wie de handeling wordt verricht, is vaak niet bekend of het is niet belangrijk.

Passieve zinnen zonder subject krijgen **er**:

> Er is veel geleerd.
> Er wordt elke dag in de kantine geluncht.

1   Modale werkwoorden
Een passieve zin kan ook modale werkwoorden (**zullen, kunnen, moeten, mogen, willen**) bevatten. Dan wordt **worden** of **zijn** toegevoegd.

> De uitslag van het examen zal via internet bekendgemaakt worden / worden bekend-gemaakt.
> Op 20 maart kan er weer examen gedaan worden / worden gedaan.
> Alle vragen moeten beantwoord zijn / zijn beantwoord.

2   Bepaling met **door**
Soms is het belangrijk om te vertellen wie de handeling uitvoert. Deze persoon kun je in de zin brengen met **door** ...

> Deze verklaring moest door alle deelnemers ondertekend worden / worden ondertekend.

Het gebruik van zou(den): een mogelijkheid

Een mogelijkheid kan worden geformuleerd met een combinatie van:
zou(den) – **kunnen** – werkwoord(en).

> Je zou nog een cursus Nederlands kunnen gaan doen. Of je zou een vrijwilligersbaantje kunnen nemen.

Hoofdstuk 3

Er

Het is belangrijk om te kijken of het hoofdwerkwoord in de zin wel of geen prepositie bij zich heeft.

Heeft het hoofdwerkwoord geen prepositie bij zich en ontbreekt er een object, dan gebruik je **het**.

> Ik probeer het.
> Ik doe het.
> Ik onderzoek het.

Heeft het hoofdwerkwoord wel een prepositie bij zich, dan gebruik je **er** als er een object wordt weggelaten.

> Ik wacht op het nieuwe boek van mijn favoriete schrijver. Ik wacht erop.

In vragen waar het hoofdwerkwoord een prepositie bij zich heeft, wordt **waar** gebruikt.

> Waar wacht je op?

Is het weggelaten object een persoon, dan wordt **hem, haar, hen** of **ze** gebruikt.

> Ik kijk naar de schrijver van mijn favoriete boek. Ik kijk naar hem.

Betreft het antwoord op de vraag een persoon, dan wordt het vraagwoord **wie** gebruikt.

> Op wie wacht je?

Er staat zo ver mogelijk naar het begin van de zin, direct na de persoonsvorm, maar na persoonlijke voornaamwoorden.

> Ik heb er niet over gepraat.
> Ik heb hem er niet over gesproken.

Er kan ook vooruitwijzen.

> Ik erger me eraan dat er zo veel boeken gestolen worden.

Naast deze functies zijn er ook zinnen waar **er** idiomatisch wordt gebruikt, zoals:

> Ik ga ervandoor. / Je ziet er mooi uit.

Als je meer nadruk wilt leggen op **er**, kun je **daar** of **hier** gebruiken. **Daar/hier** komt op de positie van **er**, maar kan ook (als extra versterking) op de eerste plaats in de zin gezet worden.

> Ik heb hier/daar niets over gelezen.
> Hier/Daar heb ik niets over gelezen.

Er heeft ook nog andere functies. Deze kunnen in twee soorten verdeeld worden:

1   Er vervangt een (deel) van een zinsdeel, namelijk de aanduiding van een plaats of iets wat geteld wordt.

> Ik ken die bibliotheek goed. Ik ben er vaak geweest.
> Ik heb een roman van Tolstoi gekocht. Ik heb er nu vijf.

Als er de aanduiding van een plaats vervangt, kun je eveneens **daar** of **hier** gebruiken. **Daar/hier** komt op de positie van er, maar kan ook (als extra versterking) op de eerste plaats in de zin gezet worden.

> Daar wordt minder geld uitgegeven aan bibliotheken.

2   De grammaticale structuur eist dat er wordt gebruikt, namelijk als de zin een onbepaald subject heeft of als het een passiefconstructie is zonder handelend subject.

> Er staan veel Nederlandse boeken in de kast.
> Er mag in deze bibliotheek niet gerookt worden.

De plaats van er:
- Als er een plaats of iets wat geteld wordt vervangt, dan staat het zo ver mogelijk naar het begin van de zin, direct na de persoonsvorm, maar na persoonlijke voornaamwoorden.

> Ik heb hem er vijf gegeven.

- In geval van een onbepaald subject of een passieve zin zonder handelend subject begint de zin met er. Bij inversie komt er direct na de persoonsvorm.

> Op dat moment was er nog niets gebeurd.

Het gebruik van zou(den): een herinnering aan een belofte

Een herinnering aan een belofte wordt geformuleerd met een combinatie van: **zou(den)** – **(toch)** – **werkwoord(en)**.

> Jij zou dat boek (toch) van de bibliotheek halen.

Nota bene: of de inhoud van een zin met deze opbouw moet worden geïnterpreteerd als herinnering aan een belofte valt ook af te leiden uit de context.

Hoofdstuk 4

Gebruik werkwoordstijden

Er zijn drie werkwoordstijden om over het verleden te vertellen: imperfectum, perfectum en plusquamperfectum.

Het imperfectum gebruik je als er een sequentie van opeenvolgende zinnen ontstaat. Dat gebeurt als je aan het vertellen bent.

> Toen hij op vakantie was in Australië en daar ergens een markt bezocht, sprak iemand hem aan.

Het gebeurt ook bij een beschrijving.

> Hij droeg oude kleren en had een baard van drie weken. Zijn haar was veel te lang.

Je gebruikt het imperfectum ook voor een beschrijving van een niet-realiteit.

> Als ik dat kon, deed ik het ook.

Het perfectum wordt gebruikt in zinnen die informatie geven en die een relatie aangeven met het heden.

> Hij kent het land goed, want hij is er op vakantie geweest en hij heeft er met veel mensen gesproken.

Het plusquamperfectum gebruik je als je een verhaal aan het vertellen bent en informatie wilt geven over iets wat nog eerder gebeurde.

> En hij won een hoofdprijs in een loterij met een lot dat hij op straat had gevonden.

Na **toen** gebruik je meestal imperfectum of plusquamperfectum:

> Hij woonde in Almere, toen hij voor dat bedrijf werkte.
> Hij is meteen verhuisd, toen hij de loterij gewonnen had.

Bij **nadat** is de werkwoordstijd van de hoofdzin anders dan die van de bijzin. Je moet de grammaticale tijd laten aansluiten op het beschreven verschil in tijd.

> Hij ging naar binnen, nadat hij de auto in de garage gezet had.

Het gebruik van zou(den): de irrealis / voorwaardelijke wijs

De irrealis wordt geformuleerd met een combinatie van:
Als – **zou(den)** – werkwoord(en) – [,] – **zou(den)** – werkwoord(en).
In plaats van **zou(den)** kan ook het imperfectum van de infinitief gebruikt worden.

> Als ik de loterij zou winnen, zou ik naar Frankrijk verhuizen.
> Als ik de loterij won, zou ik naar Frankrijk verhuizen.
> Als ik de loterij zou winnen, verhuisde ik naar Frankrijk.
> Als ik de loterij won, verhuisde ik naar Frankrijk.

Hoofdstuk 5

Relatief pronomen

Een relatief pronomen verwijst naar een substantief of een zin en geeft daar extra informatie over.

> De nieuwe baan die hij krijgt, bepaalt waar hij gaat wonen.

Het relatief pronomen is een deel van een bijzin, dus de werkwoorden staan aan het eind.

Het is belangrijk om te weten of het werkwoord wel of niet een prepositie bij zich heeft.
Die en **dat** gebruik je als het werkwoord in de bijzin geen prepositie bij zich heeft.
Die verwijst naar een de-woord, meervoud en namen van personen en **dat** verwijst naar een het-woord:

> Voor de partner die niet werkt, is het moeilijker in het buitenland.
> Mijn vrienden die in het buitenland wonen, zie ik niet vaak.
> Johan, die vroeger in verschillende landen heeft gewoond, werkt nu zelf bij een buitenlands bedrijf.
> Het werk dat ik doe, is heel uitdagend.

Als het werkwoord in de bijzin wel een prepositie bij zich heeft, gebruik je **waar** + prepositie voor zaken.

> Het bedrijf waarvoor ik werk, is een internationaal bedrijf.

Het relatief pronomen kan ook worden gesplitst.

> Het bedrijf waar ik voor werk, is een internationaal bedrijf.

Sommige preposities veranderen: **met** wordt **mee** en **tot** wordt **toe**.

> Het apparaat waarmee ik een kurk uit een fles haal, heet een kurkentrekker.
> De groep waartoe zij behoort, is een internationale jongerenbeweging.

Waar zonder prepositie gebruik je voor plaats.

> Het land waar ze nu wonen, is Rusland.

Voor personen gebruik je een prepositie + **wie**.

> De vijf kinderen, van wie de jongste twee in het buitenland zijn geboren, studeren nu allemaal in Nederland.

Wat gebruik je:

- bij verwijzing naar een hele zin:

  > Hij heeft de verhuizing zelf geregeld, wat veel werk was.

- na een superlatief:

  > Dat is het moeilijkste wat bij wonen in het buitenland hoort.

- na een onbepaald voornaamwoord:

  > Ik geniet van alles wat we met elkaar meemaken.

- wanneer er niet expliciet wordt gezegd over welke zaak het gaat:

  > Wat je daardoor leert, is ongelooflijk!

Het gebruik van zou(den): onzekere informatie

Onzekere informatie wordt geformuleerd met een combinatie van:
zou(den) – werkwoord(en).

> Zijn kinderen zouden allemaal in Amerika studeren.

Nota bene: of de inhoud van een zin met deze opbouw moet worden geïnterpreteerd als herinnering aan een belofte of als onzekere informatie valt af te leiden uit de context.

> Heb je het ook gehoord? Hij zou zijn kinderen in Amerika laten studeren.
> Hij zou zijn kinderen in Amerika laten studeren. Maar hij heeft geen geld om zijn belofte waar te maken.

Hoofdstuk 6

Scheidbare werkwoorden en reflexieve werkwoorden in combinatie met een prepositie

In een zin met een scheidbaar werkwoord met prepositie komt er na de persoonsvorm of het personaal pronomen.

> Ik ben verantwoordelijk voor de tekst.   Ik ben er verantwoordelijk voor.
> Ik ben verantwoordelijk voor die tekst.   Ik ben daar verantwoordelijk voor.
> Ik ben verantwoordelijk voor deze tekst.   Ik ben hier verantwoordelijk voor.

Als daar of hier in plaats van er wordt gebruikt, is ook een zin met inversie mogelijk.

> Daarvoor ben ik verantwoordelijk.
> Hiervoor ben ik verantwoordelijk.

Als het scheidbare werkwoord een prepositie bij zich heeft, komt deze in het presens en het imperfectum vóór het prefix van het werkwoord.

> Ik ga daar tijdens deze les niet op in. (ingaan op)
> Ik ging daar voor het gemak niet van uit. (uitgaan van)

In een zin met een reflexief werkwoord met prepositie komt na de persoonsvorm eerst het reflexieve voornaamwoord en daarna er.

zich schamen voor:
Ik schaam me ontzettend voor die fout.
Ik schaam me er ontzettend voor.
Ik heb me er ontzettend voor geschaamd.
Ik weet wel dat ik me er ontzettend voor schaam.

In een zin met een scheidbaar reflexief werkwoord met prepositie komt na de persoonsvorm eerst het reflexieve voornaamwoord en daarna er. De prepositie komt in het presens voor het prefix van het werkwoord.

zich neerleggen bij:
Hij legt zich gemakkelijk bij de beslissing neer.
Hij legt zich er niet gemakkelijk bij neer.
Hij heeft zich er niet gemakkelijk bij neergelegd.
Hij zegt dat hij zich er niet gemakkelijk bij neerlegt.

Het gebruik van zou(den): een advies

Een advies kan worden geformuleerd met een combinatie van:
zou(den) – moeten – werkwoord(en).

Je zou een vrijwilligersbaantje moeten nemen.

Bijlage 5
Antwoorden

Hoofdstuk 1

Opdracht 3
1a omdat, b Daarom – 2a Daardoor, b doordat – 3a Daarvoor, b voordat – 4a nadat,
b Daarna

Opdracht 6
1c – 2a – 3b

Opdracht 8
1 beledigd – 2 toegeven – 3 keurig – 4 van
nature – 5 suggereerde

Opdracht 9
1 De professor was beledigd toen de student
hem tijdens het college onderbrak met de mededeling dat hij een vergissing maakte. –
2 Voor de vakantie beweerde hij dat hij precies
wist hoeveel geld we nog hadden. – 3 Het is
gaaf dat je gewonnen hebt, maar wat heb je
eigenlijk gewonnen? – 4 Op zondag moesten
we altijd met keurig gekamde haren in het
park wandelen. – 5 Ik ben van nature niet zo'n
angstig iemand, maar als het onweert, word
ik altijd vreselijk bang. – 6 Het belang van de
provincie is ondergeschikt aan het belang van
het Rijk. – 7 De directeur van de speelgoedfabriek had een redelijk dure auto. – 8 De politicus suggereerde dat zijn partij oplossingen had
voor alle problemen. – 9 Geef maar toe dat jij
die reep chocola helemaal alleen hebt opgegeten. – 10 Hij heeft de neiging zich overal mee
te bemoeien.

Opdracht 11
1 negatief, positief – 2 negatief, positief –
3 positief, negatief – 4 negatief, positief –
5 positief, negatief – 6 positief, negatief

Opdracht 13
O, wat gaat alles toch geweldig.
O, wat gaat alles altijd goed.
Een geldig plaatsbewijs is vaak een heel uur
geldig.
En wat prettig dat de deurknop van de deur
het zo goed doet.
Daarom zeg ik wat gaat alles toch geweldig.
Wat gaat alles altijd overal met alles even goed.

Het ene gaat nog beter dan het ander,
terwijl dat ander vaak ook al geweldig gaat.
Goh, die verbrandt goed na, die naverbrander.
Dat geeft goed antwoord zeg, dat antwoord-
apparaat.
En wat een gele geelkopsalamander.
Vind jij dat ook zo leuk, dat lopen door zo'n
straat.
Alles op de aarde gaat fantastisch.
Alles in het leven loopt perfect.
Elastiek is helemaal elastisch.
Het geeft een heel stuk mee wanneer je d'r aan
trekt.

Nee, ik vind het allemaal reusachtig.
Soms wordt bijvoorbeeld ergens iets gebouwd.
In de bergen is het dikwijls bergachtig.
En zeven jaar is voor een hond toch niet echt
oud.
Eet je minder, ga je minder wegen.

Of iemand is bijvoorbeeld dol op jam.

Of je komt bijvoorbeeld ergens iemand tegen.

Of iemand heeft een leuke sympathieke stem.

Nee, dat zijn allemaal toch leuke dingen.

Soms ben je in het buitenland geweest.

Kijk, daar heet plotseling weer zomaar iemand

Inge.

Of iemand heeft weer ergens een of ander

beest.

Als ik dat hoor en zie kan ik wel zingen.

Dan denk ik: ja het leven is, dan denk ik: ja het

leven is,

dan denk ik: ja het leven is een feest.

1 ▪ een plaatsbewijs: is vaak een heel uur
      geldig
   ▪ de deurknop: prettig dat die het altijd
      doet
   ▪ dat antwoordapparaat: dat geeft goed
      antwoord
   ▪ elastiek: is elastisch, geeft mee als je
      eraan trekt
2 Positieve woorden: geweldig, alles altijd
  goed, prettig, beter, fantastisch, perfect,
  reusachtig, dol zijn op, sympathiek, leuk,
  (het leven is een feest)

Opdracht 16

2 Je moet langer uitademen dan inademen.
Op deze manier komt je lichaam tot rust. –
4 Dat geeft energie. – 5 Dan is er iets aan de
hand. – Dat je psychisch overbelast of depressief bent. – 6 Je kunt jezelf verrassen met kleine vernieuwingen. – 10 Dat helpt om prettige
situaties bewuster te beleven en er meer fijne
herinneringen aan te bewaren.

Opdracht 17

1 gespannen – 2 uitvinding – 3 geest –
4 verrassen – 5 aandachtspunt – 6 trouwe –
7 bewaren – 8 verminderd

Opdracht 18

1 ondertussen – 2 waarnemen – 3 uitvinden,
uitvinding – 4 inademen, uitademen –
5 aarzelen, aarzeling – 6 toegang – 7 begeleiden, begeleiding – 8 geloofwaardig

Opdracht 21

1a/e – 2c – 3b – 4e/a – 5d

Opdracht 22

Conjunctie met hoofdzin	Conjunctie met bijzijn	Adverbium
maar	omdat	daarom
en	aangezien	daardoor
dus	als	daarna
of	dat	daarvoor
want	hoewel	
	nadat	
	of	
	sinds	
	tenzij	
	terwijl	
	totdat	
	voordat	
	wanneer	
	zodra	
	zolang	
	Formeel	
	mits	
	indien	
	naarmate	
	ofschoon	
	opdat	

Opdracht 28

1c –2c – b

Opdracht 31

1 naar, naar – 2 tegen / (aan) – 3 aan – 4 aan –
5 naar – 6 van – 7 met / aan – 8 aan – 9 met,
over – 10 op – 11 Aan – 12 op – 13 in –
14 om – 15 met – 16 naar, aan

Opdracht 32

1 naar, naar – 2 aan – 3 op – 4 op – 5 op –
6 aan – 7 met – 8 op – 9 van – 10 over –
11 op – 12 Uit, met – 13 naar – 14 uit –
15 aan – 16 naar

Opdracht 33

1 van – 2 met – 3 met – 4 over – 5 met –
6 met – 7 aan – 8 tot – 9 Tot – 10 aan–
11 met – 12 op – 13 tot – 14 op – 15 op –
16 aan

Opdracht 34

1 streek, ontbraken – 2 verworven – 3 gewo-
gen – 4 waargenomen – 5 ondernomen, ver-
meed – 6 gefloten – 7 ontbeten – 8 verhief

Hoofdstuk 2

Opdracht 5

1b – 2a – 3b – 4c – 5a – 6c

Opdracht 6

1 waar – 2 niet waar – 3 niet waar – 4 niet
waar – 5 waar – 6 niet waar – 7 waar – 8 niet
waar – 9 waar – 10 waar

Opdracht 7

1 gevaarlijk – 2 een ergernis – 3 uiting –
4 onvoorstelbaar – 5 voorrang – 6 verstand –
7 troep, gooien

Opdracht 8

1 Ik erger me enorm aan zijn gedrag. – 2 Ik
heb geen verstand van scheikunde. – 3 Die
molen staat aan de overkant. – 4 Ik heb haast.
Ik moet op tijd zijn voor het examen. – 5 De
kinderen gedragen zich schandelijk. Ze schelden en ze vloeken. – 6 Ze spreken soms drie
talen door elkaar. Dat is dan heel verwarrend
voor mij. – 7 Het is gevaarlijk om 50 kilometer
per uur op de snelweg te rijden. – 8 Sherlock
Holmes weet altijd uit de details af te leiden
wie de misdaad gepleegd heeft.

Opdracht 9

1 toeteren – 2 zich ergeren – 3 gooien –
4 schandelijk – 5 afwijking – 6 gevaarlijk –
7 overkant – 8 troep – 9 zich uiten – 10 haast
hebben, zich haasten – 11 afleiden – 12 voorrang – 13 verwarrend – 14 onvoorstelbaar –
15 verstand, verstandig

Grammatica

1 R. van Ditzhuysen heeft De Dikke Ditz geschreven. – 2 Men moet meer regels opstellen. – 3 Men kan de fietsen bij het station snel
ergens neerzetten. – 4 In de winkelstraten
heeft men fietsen niet toegestaan. – 5 Men
legt steeds meer vrijliggende fietspaden aan. –
6 Automobilisten toeteren te veel. – 7 Fietsers
negeren sommige borden, bijvoorbeeld als ze
moeten afstappen. – 8 Men duwt regelmatig
iemand van de brug. – 9 Men mag op de stoep
in principe niet fietsen. – 10 Soms parkeert
men auto's op het fietspad om te laden of te
lossen.

Opdracht 11

1 De fiets wordt door veel senioren gebruikt.
   / De fiets wordt gebruikt door veel senioren.
2 De kaas is door de kaasboer in de fietstas
   gegooid. / De kaas is in de fietstas gegooid
   door de kaasboer.
3 Hoe hoort het eigenlijk – De Dikke Ditz
   werd door Reinildis van Ditzhuyzen geschreven. / Hoe hoort het eigenlijk – De
   Dikke Ditz werd geschreven door Reinildis
   van Ditzhuyzen.

4 Is de klap op de achterkant door de automobilist gehoord? / Is de klap gehoord
   door de automobilist?

5 De stoep wordt door de winkeliers gebruikt om te lossen en te laden. / De stoep
   wordt gebruikt om te lossen en te laden
   door de winkeliers.

6 Ik vond het ergerlijk dat er altijd troep in
   mijn fietsmand werd gegooid / gegooid
   werd.

7 Er wordt door automobilisten ongeduldig
   getoeterd. / Er wordt ongeduldig getoeterd door automobilisten.

8 Er is een grote fietsenstalling bij het winkelcentrum gemaakt.

9 Wordt er vaak over de stoep gefietst?

10 Het is een ergernis dat de fietsen door veel
   klanten voor de etalage neergezet worden
   / worden neergezet. / Het is een ergernis
   dat de fietsen voor de etalage
   neergezet worden / worden neergezet door veel klanten.

Opdracht 12
1a – 2a – 3b – 4a – 5b – 6a – 7a – 8b

Opdracht 14
1 shit, gvd, kut of klote – 2 Hij wil graag dat er
alternatieven worden gebruikt. – 3 Top 5, van
nummer 5 naar nummer 1: hela, tjongejonge,
au of een andere oerkreet, kokosnoot, men-
senkindertjes – 4 Een papegaai praat mensen
na. De Bond tegen het Vloeken wil niet dat
mensen napraters worden.

Opdracht 17
1 fluisteren – 2 motivatie – 3 voorzichtig – 4
bijzonder – 5 plukken

Opdracht 18
1b – 2c

Opdracht 19
1c – 2c – 3a – 4c

Opdracht 20
1 overdreven – 2 verslaafd – 3 kom tekort –
4 Beheers – 5 aangemaakt – 6 stapel – 7 doorgedrongen – 8 knikte – 9 ter sprake gekomen
– 10 staarde

Opdracht 21
1g – 2a – 3d – 4e – 5b – 6c – 7f

Opdracht 23
1 heel gevaarlijk – 2 heel hard
kerngezond – apetrots – dolblij – goudeerlijk
– bloedhekel – strontvervelend – broodnodig
– knettergek – klaarwakker

Opdracht 24

		Kolom 1	Kolom 2	3 Parti-cipium
Onvoltooid	presens	moet	worden	uitgezet
	imperfectum	moest	worden	uitgezet
Voltooid	perfectum	moet	zijn	uitgezet
	plusquam-perfectum	moest	zijn	uitgezet

Opdracht 25
1 Het boek mag ook in de bibliotheek geleend
worden / worden geleend. – 2 Het essay moet
/ moest voor 21 april ingeleverd worden /
worden ingeleverd. / Het essay moet op 21
april ingeleverd zijn / zijn ingeleverd. – 3 Dat
kon uit de opdracht afgeleid worden / worden
afgeleid. – 4 We zullen opgehaald worden
/ worden opgehaald van het vliegveld./ We
zullen van het vliegveld opgehaald worden /
worden opgehaald. – 5 Ik wil geknipt worden /
worden geknipt. – 6 De troep moet opgeruimd worden / worden opgeruimd. – 7 Er
mag in het café niet gerookt worden / worden

gerookt. – 8 Hij wil niet gestoord worden / worden gestoord. – 9 Er zal straks een prijs uitgereikt worden / worden uitgereikt. – 10 Het pakket kan bij een PostNL-locatie afgegeven worden / worden afgegeven.

Opdracht 28
1b – 2e – 3a – 4c – 5d

Opdracht 36
1b – 2b – c

Opdracht 40
1 aan – 2 om – 3 bij – 4 van – 5 op – 6 naar – 7 aan – 8 van – 9 van – 10 aan – 11 op – 12 over – 13 op – 14 op – 15 naar – 16 met – 17 met – 18 aan – 19 in – 20 op – 21 uit – 22 aan – 23 over – 24 van – 25 aan

Opdracht 41
1 weken af – 2 ontslagen – 3 gedroegen – 4 stonden toe – 5 opgeborgen – 6 onthouden – 7 verkocht – 8 vervangen

Hoofdstuk 3

Opdracht 2
1e – 2d – 3a – 4b – 5c

Opdracht 3
1 Vaders zorgden niet voor de kinderen, ze kookten niet, ze wandelden niet met hun kinderen (in de wandelwagen) – 2 De zorgtaken als aankleden, eten geven en naar bed, school of opvang brengen – 3c – 4 Papa doet iets leuks met de kinderen of werkt nog voor een deel. Mama brengt de kinderen naar bed, kookt eten, ruimt het huis op, vouwt de was op en maakt de bedden op. – 5 Hij verbaast zich erover dat vrouwen niet in het geweer, in opstand komen. – 6 Vrouwen voelen zich

schuldig dat ze hen achterlaten bij de opvang. Ze compenseren dat schuldgevoel door extra veel zorg te geven. De moeders van vroeger waren de hele dag al bezig geweest met de kinderen. Ze hadden ook nog meer kinderen dan nu. – 7 Als de partner meer uren gaat werken, dan gaat de vader meer zorgtaken uitvoeren. Hij voelt zich dan verantwoordelijker voor de zorgtaken.

Opdracht 4
1 pittige – 2 met name – 3 aandeel – 4 klusje – 5 zielig – 6 ervan uitgaan – 7 opgevangen – 8 opgemaakt – 9 moeizaam

Opdracht 10
Zonder prepositie: zien, proberen, doen, kunnen, horen, durven, gebruiken, onderzoeken, nodig hebben, toegeven, loslaten
Met prepositie: kijken naar, wachten op, houden van, reageren op, schrikken van / door, zoeken naar, spreken over / met, beginnen met / aan, stoppen met, gaan naar, brengen naar

Opdracht 20B
1c – 2a – 3d – 4b

Opdracht 24
1c – 2d – 3b – 4a

Opdracht 25
1 Ter decoratie: Binnen de meer barokke, katholieke stroming heb je die problemen met uitbundige versiering van je lichaam veel minder. – In de menselijke geschiedenis is het versieren van je lijf eerder de norm dan de uitzondering. – Sinds de jaren zeventig verzamelt hij ook alles wat met versiering van het menselijk lichaam te maken heeft: van piercings en andere objecten, tot echte stukken huid met tatoeages erop.

2 Het uitdragen van persoonlijke waarden: Een tatoeage is een non-verbale manier van communiceren met je omgeving. Ik vind het vaak zelfs een ontroerende manier om te laten zien wie je bent en hoe je denkt.

3 Eerbetoon: Met opzichtige politieke uitingen moet je volgens mij ook voorzichtig zijn. En het is ook niet heel handig om met een duidelijke Feyenoord-tattoo in de Arena rond te gaan lopen, of met 'AFCA' in de Kuip.

4 De impuls: Schiffmacher vindt overigens wel dat je een beetje moet nadenken over een tattoo. 'Achteraf laseren is hoe dan ook geen optie.' – En je moet een beetje vooruit denken.

5 Het kracht bijzetten van een nieuwe liefdesrelatie: Je bedoelt dat je de initialen van een vriendin weg wilt halen als het uit is?

Opdracht 27
1 benadrukte – 2 rimpels – 3 ontroerend – 4 jargon

Opdracht 29A
beboeten – bedoelen – begraven – belasten – belichten – belonen – benadelen – beoordelen – betekenen - bewonderen

Opdracht 30
1 hebben en houden – 2 in vuur en vlam – 3 water bij de wijn – 4 wikken en wegen – 5 hot naar her – 6 in weer en wind – 7 dubbel en dwars – 8 van top tot teen, bont en blauw – 9 nooit of te nimmer – 10 voor dag en dauw – 11 koetjes en kalfjes – 12 paal en perk – 13 in rep en roer

Opdracht 31
1 Ten eerste – 2 Van nature – 3 ter attentie van – 4 op den duur – 5 Heden ten dage –

6 ter plaatse – 7 in koelen bloede – 8 Ten einde raad – 9 ten gevolge van – 10 uit den boze – 11 te allen tijde – 12 ten onder – 13 Ten noorden van – 14 Van harte

Opdracht 32
Mogelijke antwoorden:
1 We houden er rekening mee dat we een jaar in het buitenland gaan wonen. – 2 Hij legt er de nadruk op dat een eerlijke taakverdeling belangrijk is. – 3 Ik geniet ervan om in de zon te fietsen. – 4 Zij zorgen ervoor dat de kinderen worden opgevangen. – 5 Ik houd ervan om een andere taal te leren. – 6 Zij gaat ervan uit dat alles wordt georganiseerd. – 7 Hij ontkomt er niet aan om huishoudelijke klusjes te doen. – 8 We letten erop dat we bereikbaar zijn. – 9 Ik kijk ervan op dat hij een tattoo wil hebben. – 10 Hij leidt eruit af dat zij een goede baan heeft.

Opdracht 34B
1a – 2b – 3b – 4a – 5a – 6a – 7b – 8b – 9a – 10b – 11b – 12a – 13b

Opdracht 37
1b – b – 2b – b

Opdracht 39
1 voor, aan, met, voor, van – 2 met, met, met, van, met, aan – 3 van, van, aan, aan, met – 4 aan, tot, uit, aan

Opdracht 40
1 verworpen – 2 kneep – 3 bewezen – 4 zwierf – 5 bewoog – 6 blies – 7 wreef – 8 speet – 9 verstond

Hoofdstuk 4

Opdracht 4

1b – 2c – 3d – 4a

Opdracht 5

1c – 2d – 3a – 4b

Opdracht 6

Nederland	Zweden
▪ Niet alle kinderen gaan al vanaf 2, 3 jaar naar de crèche waardoor de migrantenkinderen pas later Nederlands gaan leren.	▪ Alle kinderen gaan al vanaf 2, 3 jaar naar een soort crèche. Dus migrantenkinderen leren al op heel jonge leeftijd Zweeds.
▪ Kinderen gaan met 12 jaar naar vmbo, havo of vwo en daardoor hebben migrantenkinderen minder tijd om hun taalachterstand in te halen en kunnen ze moeilijker doorstromen naar hoger onderwijs.	▪ Kinderen gaan met 15 jaar naar vmbo, havo of vwo en daardoor hebben migrantenkinderen meer tijd om hun taalachterstand in te halen. ▪ En ze kunnen makkelijker doorstromen naar hoger onderwijs.
▪ Er zijn minder schoolvoorzieningen voor kinderen, waardoor meer migrantenvrouwen thuis blijven en economisch afhankelijk blijven.	▪ Er zijn schoolvoorzieningen voor kinderen die ervoor zorgen dat meer migrantenvrouwen economisch zelfstandig zijn en die zelfstandigheid ook opeisen.
▪ De migrantenvrouwen komen daardoor in het traditionele patroon van hun moeders terecht met de traditionele opvattingen over man-vrouwverhoudingen en over seksualiteit.	▪ Dat veroorzaakt andere opvattingen over man-vrouwverhoudingen en over seksualiteit, omdat de migrantenvrouwen niet in het traditionele patroon van hun moeders terechtkomen, maar in een omgeving tussen andere hoogopgeleiden.

Opdracht 8

a 1 migrantengroepen, 2 migrantenkinderen –
b 1 onderwijscarrière – c 1 schoolselectie,
2 schoolvoorzieningen, 3 schoolverlaters

Opdracht 9

1 aanpak – 2 ingericht – 3 inzetten –
4 ingespeeld – 5 voortijdig – 6 afkomstig –
7 onderdrukt

Opdracht 10

1 Zijn leidinggevende heeft hem gewaarschuwd dat hij niet nog eens te laat moet komen. – 2 Succes kun je niet afdwingen. Meestal niet. – 3 Je afkomst bepaalt gedeeltelijk hoe je tegen de wereld aankijkt. – 4 In de negentiende eeuw werden vrouwen onderdrukt. – 5 Je moet je salaris opeisen. – 6 Ze stopten voortijdig. – 7 Ik heb de kamer opnieuw ingericht. Wat vind je ervan? – 8 De film is gewijd aan transgenders. – 9 De manier waarop ze hem behandelden, beviel hem niet. – 10 Hij heeft een heel andere opvatting over integratie dan zijn buurman.

Opdracht 12
1a – 2b – 3a – 4b – 5a – 6b – 7b – 8a

Grammatica
In de a-zinnen wordt het imperfectum gebruikt, in de b-zinnen het perfectum.

Het perfectum …
- … legt *wel* een relatie tussen het heden en
  het verleden.
- … focust *niet* op een bepaald moment.
- … kan *geen* gewoonte in het verleden beschrijven.

Het imperfectum …
- … legt *geen* relatie tussen het heden en het
  verleden.
- … focust *wel* op een bepaald moment.
- … kan *wel* een gewoonte in het verleden
  beschrijven.

Opdracht 13
1 kon – 2 moesten – 3 hoefde – 4 mochten
– 5 wilden – 6 vonden – 7 wist – 8 hoefde,
hoefden – 9 moest, vond – 10 kon – 11 dacht
– 12 mocht, vond – 13 moesten – 14 wisten
– 15 wilde

Situaties 1 en 2
In beide situaties wordt het imperfectum
gebruikt.
In situatie 1 vertelt iemand, in situatie 2
beschrijft iemand iets.
In te vullen woord: imperfectum

Opdracht 14
kwam – was – bleek – overhandigde – vroeg –
keek – dacht – antwoordde

Situatie 3
De eerste zin is in het perfectum. De rest is in
het imperfectum.

Opdracht 20
Buitenlandse expat wil Nederlands spreken

Ze beginnen het gesprek vaak in hun beste Nederlands. Maar zodra de Nederlandse gesprekspartner een buitenlands accent
opmerkt, schakelt hij over op een andere taal.
Goedbedoeld, maar zo leren buitenlandse
expats de taal nooit.
Het Haagse taalinstituut Direct Dutch is
daarom deze zomer een campagne begonnen
om aandacht te vragen voor de wens van veel
expats Nederlands te spreken.
Directeur Ruud Hisgen: Wij zeggen altijd tegen
onze cursisten dat ze de opgedane taalkennis
moeten oefenen op straat en in winkels. Maar
daar worden ze vaak in het Engels aangesproken. Dat ontmoedigt hen Nederlands te
spreken.
Direct Dutch deelt buttons uit met de
boodschap 'Spreek Nederlands! Met Mij!', die
vooral winkel- en horecapersoneel moeten
uitnodigen om Nederlands te spreken. Hisgen had aanvankelijk duizend buttons laten
maken, maar wegens de grote vraag heeft hij
er vijftienhonderd bij besteld. Het is echt een
eyeopener voor Hagenaars dat expats Nederlands willen spreken.
Volgens hem is Nederlands helemaal niet zo'n
lastige taal als vaak wordt gedacht. Na twee
weken intensieve cursus beheers je de basis al.
In de 'internationale stad van vrede en recht'
Den Haag wonen ruim 35.000 expats. Zij zijn
onder meer werkzaam bij de vele internationale instituten en ambassades in de stad.
Veel buitenlandse werknemers blijven een jaar
of vier in Nederland, zegt Hisgen. Na afloop

vertellen ze vaak dat ze een leuke tijd hebben gehad, maar dat ze het jammer vinden dat ze nauwelijks Nederlanders hebben leren kennen. Als je de taal leert, krijgt je verblijf een andere dimensie. Je kan de krant lezen, radio luisteren en gesprekken op feestjes verstaan. Zo kan je buiten de eilandjes van expats komen.

Opdracht 21

Tijdens de busreis door Europa vertelde een van de leden van de groep op allerlei momenten wat er onderweg allemaal te zien was. Ze verbaasde dan iedereen met haar luidruchtige enthousiasme, maar niemand durfde te zeggen dat haar Engels totaal onbegrijpelijk was.

Opdracht 24

1 uitsluitend – 2 fatsoenlijk – 3 Vandaar – 4 mopperde – 5 prestatie – 6 kleuter – 7 aangesproken door

Situatie 4

In het plusquamperfectum. Er wordt vanuit het verleden iets verteld over iets wat nog eerder is gebeurd.

Opdracht 31

Mogelijke antwoorden.
1 Ik had me erg gehaast, zodat ik toch nog op tijd was. – 2 Hij beweerde dat ze dat niet hadden gedaan. – 3 Hij probeerde mij te overtuigen toen ik aarzelde. – 4 Hoewel ze het project goed hadden aangepakt, had het niet het gewenste effect. – 5 Omdat hij het document niet had bewaard, moest hij allerlei dingen opnieuw uitzoeken. – 6 Door die woorden te gebruiken heeft zij hem ontzettend beledigd. – 7 Aangezien de lezing niet boeiend was, heb ik de zaal voortijdig verlaten. – 8 Nadat de docent de stof nog een keer had behandeld, begrepen de studenten het. – 9 Het duurde een tijdje voordat het tot hem doordrong dat hij die baan had gekregen. – 10 Hij was kleurenblind. Daarom nam hij het verschil tussen rood en groen niet waar. – 11 Afgelopen jaar is het aantal internationale vliegreizen fors verminderd. – 12 Wie had de telefoon uitgevonden voordat Bell beweerde dat hij hem had uitgevonden?

Opdracht 40

1a – 2b

Mogelijke antwoorden
a Als ik vorige week geen kiespijn zou hebben gehad, zou ik wel naar het concert zijn gegaan.
b Als ik mijn tomtom wel bij me zou hebben gehad, zou ik op tijd op Schiphol aangekomen zijn en zou ik het vliegtuig niet hebben gemist.
c Als ik vorig jaar wel een hotel zou hebben geboekt, had ik niet op een bankje in het park hoeven te slapen.

3c

Mogelijke antwoorden
a Als ik buiten de Europese Unie op reis zou gaan, zou ik wel een paspoort nodig hebben.
b Als ik volgende maand wel vrij zou mogen nemen van mijn leidinggevende, zou ik op vakantie gaan.
c Als de auto aanstaande vrijdag niet naar de garage hoefde te worden gebracht, zou ik bij mijn familie in Maastricht op bezoek kunnen gaan.

Opdracht 45

1 met, uit, aan – 2 voor, op, tegen, over –
3 voor, op, aan – 4 naar, met, voor, aan – 5 op,
van, met, onder, op

Opdracht 46

1 gekrompen – 2 gegoten – 3 verzocht –
4 bedroeg – 5 sloop – 6 gemeten – 7 opgewonden – 8 spoot – 9 onderhouden

Hoofdstuk 5

Opdracht 2

1a – 2b – 3a – 4b – 5a – 6b – 7a – 8a – 9b

Opdracht 3

1e – 2a – 3f – 4c – 5b – 6d

Opdracht 4

1 overdrijven – 2 Betekenis 3: Een kip pikt naar
beneden om zijn sociale rangorde te bepalen,
de pikorde. Dat gebeurt bij mensen ook, hoewel ze niet echt pikken. Pikorde betekent dus
sociale rangorde. – 3 Normaliter moet je juist
volledig zijn om raak te schieten. Taalverloedering is een proces waarbij de taal achteruitgaat.
Het is iets negatiefs. In de reclame probeert
hij het juist als iets positiefs in te brengen. 'Een
vleugje' gebruik je vaak voor parfum. – 4 een
reclame moet kort zijn; je moet werken met associaties; het gaat om de juiste combinatie van
inhoud en vorm; reclametaal is altijd positief;
onderdrijf in plaats van overdrijf.

Opdracht 5

1a – 2b – 3b – 4a – 5a – 6a – 7b – 8a

Opdracht 10

kippenvel – *moneynote* – nummer 1-hit –
pavloveffect

groentesoep – gin-tonic – A4-formaat –
Shakespearedrama

Grammatica

II   1 wat – 2 wat – 3 wat
    Je gebruikt *wat* na een onbepaald prono-
    men, na een superlatief en na een hele zin.
III Geen prepositie: *die* en *dat*
    Wel prepositie: *waar* + prepositie en prepo-
    sitie + *wie*

Opdracht 14

1 klagen over – 2 enthousiast zijn over – 3
doorstromen naar – 4 zich inzetten voor –
5 omgaan met – 6 recht hebben op – 7 te
maken hebben met – 8 nadenken over –
9 verantwoordelijk zijn voor – 10 een hekel
hebben aan

Opdracht 23

1d – 2e – 3b – 4a – 5c

Opdracht 24

1 **Paul:** Paul is een neurotische man. Hij is
   getrouwd met Claire. Ze hebben samen
   een zoon, Michel. Serge en Babette zijn zijn
   broer en schoonzus. Paul is leraar geweest,
   maar is dat niet meer vanwege psychische
   problemen. Zijn mening is vaak bot en in-
   correct. Hij denkt alleen aan zichzelf.
   Boek: Het is geschreven door Herman Koch
   en gepubliceerd in 2009. Het boek is een
   bestseller geworden. Het is in meer dan 30
   talen vertaald en is in 37 landen verschenen. Het boek heeft een blauwe omslag
   met een rode kreeft erop. Het verhaal gaat
   over de misdaad die zijn zoon en de zoon
   van Serge en Babette hebben gepleegd.
   Hierover praten de beide broers en hun
   vrouwen tijdens een diner.

Film: De film begint met een flashback van 18 maanden. Er wordt gebruikgemaakt van een voice-over.

2 De objectieve informatie staat aan het begin van de recensie. De eerste subjectieve informatie staat onder het kopje 'Voice-over' waar wordt gezegd: ... gelukkig volledig overeind gebleven. Aan het einde, bij 'Conclusie' staat de meeste subjectieve informatie.

3 De recensent noemt positieve en negatieve punten van de film. Zijn eindoordeel is gematigd positief.

Opdracht 25

1c – 2a – 3b – 4a – 5c – 6b

Opdracht 26

1 overeind te blijven – 2 Hetgeen ik ervan gehoord heb, ... – 3 ... dat je daar nu per se naartoe moet? – 4 ..., blijft gissen. – 5 invalshoek

Opdracht 27

1 baan, studie, partner, huis, rust
2 land, wereld, hart, vlag, mensen
3 gezondheid, positie, dijk, signaal
4 rust, stilte, openbare orde, broedende vogels, woongenot, relaties
5 water, gebouw, kelder, dal, kuil
6 misdaad, moord, overval, vergissing, fout

Opdracht 32

1b – 2b –3b –b

Opdracht 35

1 van – 2 naar – 3 naar – 4 over – 5 aan – 6 door – 7 in – 8 van – 9 tot – 10 met – 11 voor – 12 met

Opdracht 36

1 versleten – 2 dook – 3 genas – 4 glom – 5 bedroog – 6 ontworpen – 7 geraden – 8 geprezen – 9 verraden – 10 zoog

Hoofdstuk 6

Opdracht 4

1a – 2b – 3b – 4b

Opdracht 5

1d – 2a – 3e – 4c – 5b

Opdracht 6

1b – 2c – 3b – 4b – 5a

Opdracht 7

1 bestemd voor – 2 overwogen – 3 Dat baart me zorgen – 4 omstreden – 5 verricht – 6 puilde uit

Opdracht 11

Vraag 1: Uit onze fietsgeschiedenis.
Vraag 2: Hij schrijft over Assen en het fietsen.
Vraag 3: In de beleidsdocumenten van een Vinexwijk in Assen.

Opdracht 12

1 ervan – 2 Daarvan – 3 hieraan – 4 daar ... over – 5 er ... mee – 6 Hieruit – 7 daar ... aan – 8 daar ... aan – 9 hier ... op – 10 ervan

Opdracht 13

zoeken naar – beginnen met – blijken uit – ingaan op – stemmen op – lijken op – stoppen met – doorgaan met – voldoen aan – hopen op – herinneren aan – genieten van – gaan naar – beslissen over – zeggen over iets tegen iemand – zwijgen over – toekomen aan – wachten op

Opdracht 14

1 naar, a er – mee/aan, b daar – mee/aan

2 uit, a Daarop, b Daar – op

3 op, a er – op, b Daar – op

4 aan, a er – op, b hier – op

5 met, a hier/er – mee, b hier – mee

6 aan, a Daar – van, b Daarvan

7 naar, a daar – over, b Daarover

8 tegen, a daar/er – over, b daar – over

9 aan, a er/daar – op, b Daar – op

Opdracht 15

1 € 225,- – 2 € 6,- per uur. – 3 Je kunt het eigen risico niet helemaal afkopen maar wel verlagen. – 4 Dan moet je € 25,- betalen als een ander gedupeerd is. – 5 Ja, de Volkswagen Caddy.

Opdracht 16

1a – 2b – 3b – 4a – 5b – 6a – 7a – 8a – 9b – 10a

Opdracht 18

1c – 2c – 3c – c

Opdracht 21

1a – 2c – 3c – 4b – 5a – 6c

Opdracht 24

1c – 2b – 3b – 4c

Opdracht 25

1b – 2a – 3a – 4a – 5b – 6b

Opdracht 33

1 in – 2 aan – 3 aan – 4 Met – 5 voor – 6 aan

Opdracht 34

1 vraten – 2 droop – 3 groef – 4 geweten – 5 zonk – 6 blonken – 7 uitgewrongen – 8 aanbevolen – 9 overwogen

Bijlage 6
Werkwoorden met preposities

vet = 0-2000 meest frequente woorden
cursief = *woorden met een frequentie tussen 2000 en 5000*
normaal = woorden met een frequentie boven 5000

Achter de preposities staat het nummer van het hoofdstuk waarin ze geoefend worden.

aanpassen aan, zich 4
aanraking komen met, in 4
afhankelijk zijn van 2 — *to depend on*
afkomstig zijn uit 4 — *to come from*
afleiden uit 2 — *to deduce*
afleiden van 5 — *to distract fr.*
afstand nemen van 2 — *to dist...*
beginnen met / aan 1 — *begin with / by* (+over = mini)
behoren tot 1 — *belong to*
beperken tot 1 — *restrict to*
beschuldigen van 5
beslissen over 1 — *decide over*
bestaan uit 1 — *consist (of)*
besteden aan 2 — *spend (time) on*
bestemd zijn voor 6
bezig zijn met 3
blijken uit 1 — *to turn out*
blootstellen aan 6
brengen naar 1 — *bring, take to*
communiceren met 3
controleren op 1 — *to check on*
danken hebben aan, te 3
delen met 1 — *to share with*
denken aan 1 — *to think about*
doorbrengen met 2 — *spend time (with)*
doorgaan met 1 — *to continue with*
doorstromen naar 4
dromen over / van 1 — *to dream of*

druk maken over, zich 5 — *to worry a...* *to effect*
effect hebben op 2
enthousiast zijn over 2
ergeren aan, zich 2
gaan naar 1
geïnteresseerd zijn in 6
geloven in 1 — *believe in*
genieten van 1 — *enjoy*
gericht zijn op 2
geven aan 1 — *to give to*
geven om 2 — *to care about*
gissen naar 5
hekel hebben aan, een
helpen met 1 — *help with*
herinneren aan 1 — *remember*
hopen op 1 — *to hope for*
horen bij — *belong to*
houden van 1 — *love*
hulp geven aan 4
ingaan op 1 — *go into*
inspelen op 4
inzetten voor, (zich) 4
kiezen voor 4 — *choose*
kijken naar 1 — *look at*
klagen over 4
lachen om 1
leiden tot 1 — *to lead to*
leren van 2 — *to learn from*

letten op 2
leveren aan 1
lijden onder 4
lijken op 1
luisteren naar 1
maken hebben met, te 5
meedoen aan 2
mopperen op / over 4
nadenken over 2
nadruk leggen op, de 2
oefenen met 1
omgaan met 4
omspringen met 4
onderscheiden door, zich 5
onderscheiden van, zich 3
onderzoek doen naar 2
ontkomen aan 3
onttrekken aan 6
ontwikkelen tot, zich 3
opkijken van 2
opmaken uit 3
oproepen tot 5
opsluiten (in), (zich) 5
overeenstemmen met 5
overschakelen op 4
overtuigd zijn van 3
passen op 1
problemen hebben met 3
profiteren van 4
reageren op 1
recht hebben op 4
rekenen op 2
rekening houden met 2
richten op, zich 2
samenwerken met 6
schrijven aan / naar 1
schrikken van 1

schuld geven aan, de 3
schuldig maken aan, zich 3
spijt hebben van 3
spreken over / met 1
staren naar 2
stemmen op 1
stoppen met 1
toegeven aan 1
toekomen aan 3
toevoegen aan 2
trekken aan 1
trots zijn op 4
trouwen met 1
uitgaan van 3
verantwoordelijk voelen voor, zich 4
verantwoordelijk zijn voor 4
vergelijken met 1
verhuizen naar 5
verslaafd zijn aan 2
vertellen aan 1
verzetten tegen, zich 4
voldoen aan 5
voorbereiden op, zich 1
voorstellen aan 1
voorzichtig zijn met 3
vragen aan 1
wachten op 1
waken voor 5
wandelen met 3
wennen aan 1
wijden aan 4
wijten aan 6
wijzen naar 1
zeggen tegen 1
zin hebben in 1
zoeken naar 1
zorgen voor 3

Bijlage 7
Register

vet   = 0-2000 meest frequente woorden
cursief = *woorden met een frequentie tussen 2000 en 5000*
normaal = woorden met een frequentie boven 5000

De nummers verwijzen naar het hoofdstuk en de letters naar de tekst met vocabulaire (a = eerste tekst, b = tweede tekst) waarbij het woord aangeboden en behandeld wordt. Als er geen a of b achter staat, dan wordt het woord elders in dat hoofdstuk expliciet aangeboden.

Idiomatisch taalgebruik

het komt je niet aanwaaien 3a
het positiefste wat ervan af kan 1
geen blad voor de mond nemen 3b
met de deur in huis vallen 5a
zijn doel voorbij schieten 5b
ergens om draaien 5b
er dwars doorheen kijken 5a
het gaat er (op een bepaalde manier) aan
      toe 5b
het gelijk aan je zijde hebben 3b
in het geweer komen 3a
aan de grond raken 2
geen haar op m'n hoofd die daaraan denkt 3a
de handen uit de mouwen steken 2
naar hartenlust 6a
het erover hebben 6a
iets uit je hoofd laten 5a
koste wat (het) kost 2a
het kwartje valt 6a
iets onder de loep nemen 3a
uit de lucht komen vallen 5b
iets in de markt zetten 2
het niet meekrijgen 5a
iemand met de neus op de feiten drukken 2b
je de ogen doen openen 6a

ergens van opkijken 1
er is iets niet in orde 2b
op pad gaan 6a
het slaat nergens op 5a
aan de slag gaan 2
je sporen achterlaten 3b
iets niet onder stoelen of banken steken 5b
van top tot teen 3b
iets waar je *u* tegen zegt 2
iets niet uitvlakken 1
dan wordt het een ander verhaal 2a
in de weer zijn 3a
met alle winden meewaaien 5a
het voor het zeggen hebben 3b

Receptief

allen tijde, te 5a
bovenal 5a
bulderen 6a
coulant 2a
excessief 2b
fulmineren 2b
gelikt 5a
keurslijf 2a
kiekje 6a
leuteren 2b

lichtvaardig 6a

ontrafeld 5a

schromelijk 2b

teneur, de 5a

toonaangevend 5a

uitgebannen 6a

verloedering, de 5a

verstomd 5a

vrijbuiter, de 2a

waken voor 5a

weerwoord, het 2b

verheven voelen, zich 2a

Vocabulaire

aandachtspunt, het 1b

aandeel, het 3a

aangezien 1

aanmaken 2b

aanpak, de 4a

aanpakken 4a

aanraken 4b

aanraking, de 4b

aanschaf, de 5a

aanschaffen 5a

aanspreken 4b

aanstellen 4b

aanstelling, de 4b

aantonen 6a

aarzelen 1b

aarzeling, de 1b

achterhaald 4a

adem, de 1b

afdwingen 4a

afkomst, de 4a

afkomstig 4a

afleiden uit 2a

afronden 6b

afwijken, 2a

afwijking, de 2a

amper 6b

begaan 5b

begeleiden 1b

begeleiding, de 1b

behandelen 4a

behandeling, de 4a

beheersen, (zich) 2b

beheersing, de 2b

beledigen 1a

belediging, de 1a

benadrukken 3b

beoogd 5a

beslaan 6b

beslist 2b

bestemd zijn voor 6a

bevorderen 4a

bewaren 1b

beweegreden, de 5b

beweren 1a

bewering, de 1a

blootstellen aan 6a

boeien 2b

boeiend 2b

braaf 3a

daadwerkelijk 4b

daardoor 1

daarna 1

daarom 1

daarvoor 1

dankzij 4a

destijds 5a

diepte, de 5b

doordringen tot 2b

doorzichtig 6b

eis, de 4a

eisen 4a

elders 2b

eng 5a

ergeren aan, zich 2a

ergernis, de 2a

fatsoenlijk 4b
fel 2b

gaaf 1a — "cool"
gaandeweg 6a
gebeurtenis, de 1b happening
geest, de 1b spirit
geest halen, zich iets voor de 1b
gelijkwaardig 3a
geloofwaardig 1b trustworthy
gemengd 4a
geoorloofd 5a
geruime tijd 4a
gespannen 1b — tense, stressed
gevaarlijk 2a
gevoelig 1b — feeling/sensitive
gids, de 4b
gissen 5b
gooien naar 2a
grof 4b
grondig 5a
grotendeels 5b
gunst, de 3a

haast (de) 2a
haasten, zich 2a
haastig 2a
hetgeen 5b
hoop 3a
huidig 6a

inademen 1b to breath in
inademing, de 1b
indien 1
inrichten 4a
inrichting, de 4a
inspelen op 4a
invalshoek, de 5b
inzet, de 4a
inzetten voor, (zich) 4a

jargon, het 3b

keurig 1a — neat, tidy
kleuter, de 4a
klusje, het 3a
klussen 3a
knikken 2b
kring, de 4b
kriskras 6b

leiding, de 4a
leidinggevende, de 4a
litteken, het 3b

mede 4a
meerderheid, de 4a
mislukken 4a
mits 1 provided that
moeizaam 3a
mopperen 4b

naald, de 3b
naarmate 1 as ..
nagenieten van 1b
name, met 3a
nature, van 1a
nauw 6b
neigen 1a to incline
neiging, de 1a

ofschoon 1
omspringen met 4b
omstreden 6a
omwille van 6a
onderdrukken 4a
onderdrukking, de 4a
ondergeschikt 1a
onderhoud, het 4a
onderhouden 4a
onderschatten 5a
onderschatting, de 5a

onderscheid, het 5a

onderscheiden (door), (zich) 5a

ondersteunen 4a

— *ondertussen 1b*

ontkomen (aan) 3a

ontroerend 3b

ontroering, de 3b

onttrekken aan 6b

onverstandig 2a

onvoorstelbaar 2a

opdat 1

opeisen 4a

opmaken (uit), (zich) 3a

oproep, de 5a

oproepen 5a

opsluiten, (zich) 5a

opvang, de 3a

opvangen 3a

opvatten 4a

opvatting, de 4a

opzichtig 3b

overbelast 1b

overdrijven 2b

overeenstemmen met 5a

overeenstemming, de 5a

overeind blijven 5b

overigens 3b

overkant, de 2a

overmatig 2b

overnemen 6a

overtuigen 3b

overtuiging, de 3b

overwegen 6a

overweging, de 6a

pand, het 6b

peilen 5a

peiling, de 5a

per se 5b

pikken 5a

pittig 3a

platteland, het 4a

prestatie, de 4b

proppen 5a

redelijk 1a

rimpel, de 3b

schande, de 2a

schandelijk 2a

schattig 5a

schets, de 4a

schetsen 4a

schoonheid, de 1b

schuilen 6a

sinds 1

sprake (zijn) van 2b

sprake komen, ter 2b

stapelen 2b

staren 2b

suggereren 1a

suggestie, de 1a

tekortkomen 2b

telkens 2b

tenzij 1

toegang, de 1b

toegeven aan 1a

toeteren 2a

toevoegen aan 1b

toevoeging, de 1b

tot stand komen 5a

troep, de 2a

trouw 1b

uitademen 1b

uitademing, de 1b

uitbundig 3b

uitgaan van 3a

uiting, de 2a

uitpuilen 6a

uitsluitend 4b